D0636492

De koekjesclub

Ann Pearlman

De koekjesclub

Vertaald door Jessica de Heer

MOURIA

Vertaling: Jessica de Heer
Oorspronkelijke titel: *The Christmas Cookie Club*
Omslagontwerp: DPS / Davy van der Elsken

ISBN 978 90 458 0111 7
NUR 302

www.mouria.nl

Voor mijn vriendinnen.
Bedankt!

PROLOOG

We komen elk jaar bij elkaar

IK BEN DE Opper Cookie Bitch en dit is mijn feest. De koekjesclub vindt altijd plaats op de eerste maandag van december. Zet die datum in je agenda. Met zijn twaalven komen we bij elkaar met dertien dozijn koekjes in een mooie verpakking. Zelfgebakken natuurlijk. We brengen allemaal iets te eten mee en een fles wijn. Toen we er zestien jaar geleden mee begonnen, dronken we alle wijn op en gingen dan uit om te dansen. Tegenwoordig drinken we een beetje wijn, zitten en praten we, of zetten we Al Green op en dansen bij mij thuis. 'Love and Happiness' is ons lievelingsnummer. Om de beurt vertellen we het verhaal dat bij het koekje hoort dat we gemaakt hebben. Elk verhaal is altijd op de een of andere manier een afspiegeling van dat jaar. We delen onze dozen uit en geven het dertiende dozijn aan de plaatselijke hospice. Al vanaf het begin geven we koekjes weg. De koekjesclub draait om geven: we genieten niet alleen van de smikkelhapjes met onze vriendinnen en gezinnen, maar delen ze ook met onbekende mensen die een akelige tijd doormaken en wat mooi ingepakt lekkers vast wel op prijs stellen.

Want geloof me, in het Midwesten van de VS kan het midden in de winter knap akelig zijn. Grijze luchten. Koud. Het beetje daglicht dat we hebben is vaak somber. De overvloed aan meren zorgt voor een schitterende zomer, maar ook voor wolken in de winter. Daar moet je licht en vreugde aan toevoegen. En gaat Kerstmis met zijn lichtjes, net als Chanoeka met zijn kaarsenvlammen, niet over licht brengen in de donkere tijd van het jaar? We moeten onszelf eraan herinneren dat de zon het donker uiteindelijk weer zal verdrijven naar een redelijker grens. De koekjesclub is er vooral om te zorgen dat we denken aan vreugde. En natuurlijk om te zorgen dat we niet vergeten dat vriendinnen elkaar helpen om het gezwoeg vol te houden, en om een ode aan de vreugde te brengen.

In de loop van de jaren heb ik regels opgesteld. Hier zijn ze, zodat je ze kent voor het geval je van plan bent je eigen club te beginnen:

1. Geen chocolate chip cookies (er was ooit een jaar dat vijf van ons die gemaakt hadden).
2. Geen cakeachtige koekjes, zoals brownies (die kleven aan elkaar en brokkelen).
3. Geen borden met plasticfolie en strikken. Probeer maar eens twaalf in plasticfolie verpakte papieren borden te dragen. Ik was vroeger serveerster en zelfs ik kan het niet. Bovendien zijn ze te slap om aan een goed doel te schenken. De koekjes moeten in doosjes of zakjes zitten en mooi verpakt zijn. Het bijkomende voordeel is dat we de verpakkingen later weer kunnen gebruiken om er andere cadeaus in te doen.
4. Niet meer dan twaalf vrouwen in de groep. Ooit hadden we er in een jaar vijftien en toen klaagde iedereen dat het ondoenlijk was om zestien dozijn koekjes te maken. Ik heb nooit gesnapt waarom drie dozijn extra zo'n groot probleem was, maar ik ben bezweken voor de druk: de groep mag niet groter zijn dan twaalf.
5. Je mag geen jaar overslaan. Als je niet kunt komen, moet je de koekjes opsturen, anders verspeel je je plaats. Er zijn meer men-

sen die bij de groep willen. Deze regel komt voort uit de regel hierboven.

6. Als je vijf jaar lang naar het feest bent gekomen, word je vast lid en kun je er niet uitgezet worden, tenzij je geen koekjes meebrengt of opstuurt.
7. Het feest is altijd op de eerste maandag van december. Zet die datum in je agenda en hou hem vrij.
8. Neem voor ons allemaal een kopie van je recept mee.

Jackie wordt verliefd, trouwt, verhuist naar het oosten en komt niet meer. Donna is dol op het feest, maar haat koekjes bakken. Janine krijgt een relatie met een collega, gaat scheiden en verhuist met haar nieuwe liefde naar Benton Harbor. Daarmee komen er plaatsen vrij voor koekjesmaagden. Zo deint het lidmaatschap op de golven van ons leven. Meteen na Thanksgiving slaan we aan het bakken, geven we elkaar en de hospice voor terminale patiënten lekkere dingen, en daarna delen we de dozijnen verschillende koekjes die we hebben gekregen uit aan vrienden, familie, buren, babysitters en manicures. Zij op hun beurt delen ze weer uit aan de gasten van andere kerst-, Chanoeka- en zonnewendefeesten. Zo hebben de heerlijke hapjes een lang na-ijlend effect.

1

Marnie

BOTERBALLETJES MET PECANNOTEN

250 g pecannoten
250 g bloem
180 g gesmolten boter
125 g suiker
1 tl vanillearoma
snufje zout
poedersuiker

Hak de pecannoten in de blender of keukenmachine. Meng alles behalve de poedersuiker. Maak er een bal van. Bestuif je handen met meel en rol van het deeg balletjes met een doorsnee van 2,5 cm en bak die op een niet-ingevette bakplaat. Op de bakplaten leg ik bakpapier en daar spuit ik bakspray op. Bak 20 minuten in de oven op 165 °C. Haal het bakpapier van de bakplaat en laat de koekjes afkoelen, maar zorg ervoor dat ze nog warm zijn. Schud ze dan voorzichtig in een zak met poedersuiker. Leg ze terug op het papier en strooi er meer poedersuiker over terwijl ze afkoelen.
Goed voor zo'n 60 koekjes.

Mijn droom fladdert weg als ik mijn ogen opendoe. Ik strek mijn arm uit naar Jim, maar hij is er niet. Buiten sneeuwt het in dichte vlokken, het lijkt wel mist. Disney zit met zijn tong uit zijn bek naast mijn bed te lachen en klopt met zijn staart op het tapijt. Vandaag is een belangrijke en drukke dag, die ik maar beter meteen kan beginnen. Met tegenzin laat ik de laatste restjes van mijn droom in het nog warme bed achter en ik trek mijn lavendelblauwe fleece badjas aan, laat Disney naar buiten, schenk koffie van gisteravond in een kop en zet die in de magnetron. Ik duw mijn handen onder mijn oksels om ze warm te houden, terwijl Disney achter de garage verdwijnt.

Ik heb de vaste planten niet teruggeknipt en nu hoopt de sneeuw er zich in op. Ik had het gras nog een laatste keer moeten maaien. Het belletje van de magnetron rinkelt, ik pak de koffie eruit en staar weer afwezig uit het raam. Zeven uur 's morgens. Pas vier uur 's nachts in San Diego. Ik vraag me af of Sky wakker is. Als het goed is krijgt ze vandaag de uitslag... ergens vanmiddag, haar tijd. Tijdens het koekjesfeest.

Met flapperende zwarte oren springt Disney achter de garage vandaan en gaat bij de glazen schuifdeur zitten. Als ik die opendoe rent hij naar binnen en schudt de sneeuw uit zijn vacht. 'Vind je het een goed idee om de winter hier binnen te brengen?' vraag ik hem.

Hij kwispelt.

'Brave jongen.' Op al mijn vragen heeft hij simpele antwoorden.

Ik drink mijn koffie en kijk de keuken en de eetkamer rond. Vanwege het koekjesfeest moet ik de kerstversiering ophangen. De boom buiten is versierd met minilampjes. Lichtjes in de vorm van rode pepers omlijsten mijn keukenraam. Gisteren heb ik mijn boom versierd met de gehaakte en macramé kerstversieringen die ik vroeger, in mijn hippiedagen, altijd verkocht op de kunstmarkt in de stad. Een paar ingepakte cadeautjes en mijn verzameling teddyberen liggen onder de boom. De beer die Alex voor Sky's eerste verjaardag kocht, die twintig jaar geleden een oog heeft verloren en waarvoor Sky een scheve rode trui breide toen ze tien was. De Steiff-teddybeer die ik kocht toen ik met Stephen in Duitsland was en die zijn armen wijd openspreidt in afwachting van een knuffel. En Tara's teddybeer, die daar zit als een toonbeeld van perfectie, met een roze jurk aan en een tiara op haar hoofd. Mooi, maar niet geliefd. Ik doe de lichtjes in de boom aan, waardoor het meteen kerst lijkt.

Eerst zet ik de thermostaat hoger, dan maak ik mijn bed op, ruim de kamer op en trek een spijkerbroek en een rood T-shirt aan. Tot slot knoop ik mijn Cookie Bitch-schort om, het exemplaar met de koekjesregels erop gedrukt dat Allie heeft gemaakt.

De pecannoten kletteren woest in de keukenmachine totdat de stukjes klein genoeg zijn. Dit jaar krijgen Sky en Tara ook elk een dozijn van de boterballetjes met pecannoten, dus ik vermenigvuldig het recept met drieënhalf. Ik doe 700 gram boter in een glazen bak en zet die in de magnetron. De KitchenAid-mixer van mijn moeder staat op het aanrecht en ik doe er de afgepaste hoeveelheden bloem, suiker, vanille-extract en zout in. De magnetron rinkelt, ik giet de gesmolten boter in de kom en zet de mixer aan. Terwijl die draait haal ik de bakplaten tevoorschijn en duik in een la voor het bakpapier. Daarna schraap ik het deeg van de binnenkant van de kom naar de bodem en daarmee is de basis gelegd. Ik selecteer mijn rock-speellijst op mijn iPod , en ik hoor Tina Turner zich afvragen wat liefde ermee te maken heeft. Alles, zou ik zeggen. Maar ik denk terug aan mijn droom en vraag me af of ik die had omdat ik van Jim hou, of simpelweg omdat ik onze geweldige seks opnieuw wil beleven. Misschien wel allebei. Ik vind het niet echt fijn dat ik zo verliefd op hem ben geworden.

Met bebloemde handen rol ik balletjes en geniet van het methodische, ritmische werk. Mijn handen leggen de balletjes in rijen van vier langs de bovenrand van de plaat. Drie dozijn per plaat. De eenvoud en schoonheid van de rekensom en de routine doen me denken aan vrouwen die wol spinnen met een klos, deeg kneden, bessen plukken, schoenen met kralen versieren, weven of graan malen. Ik voel me verbonden met die vrouwen van vroeger, en met vrouwen in de hele wereld, omdat wij allemaal eten, kleren en spullen maken, voor onze gezinnen, onze vrienden en onszelf. Ik schuif een plaat in de oven en begin met de volgende. Het gemakkelijke werk is gedaan. Vredig rol ik weer een paar minuten balletjes, schuif de nieuwe plaat in de oven en kijk op de ovenklok. Nog vijf minuten.

Ik leg vellen bakpapier op de eetkamertafel, vul een plastic zak met poedersuiker en zet onderzetters midden op tafel. De klok rinkelt. Ik trek een bakplaat uit de oven en zet die op tafel. De koekjes zijn zo bruin als eikenbladeren in de herfst en de geur van geroosterde pecannoten vult de kamer. Bob Seger zingt over de herfst die invalt en hier is het winter. Nu al. Waarom zo vroeg dit jaar? Ik denk aan de kringloop van de seizoenen en hoe we elk seizoen altijd maar weer als vanzelf lijken door te komen. Ik begin balletjes te rollen voor de derde bakplaat. Daarna schuif ik het volgeladen vel bakpapier van de hete bakplaat op tafel, leg de plaat op het fornuis om af te koelen en stop de balletjes voorzichtig in de zak met poedersuiker.

Dat karweitje moet snel gebeuren. De koekjes mogen namelijk niet te koud zijn want dan zuigen ze de poedersuiker niet op. Maar als ze te heet zijn brand ik mijn vingers. De tweede plaat is klaar en ik loop naar de keuken om hem uit de oven te halen.

De telefoon gaat.

Met een ruk draai ik me om naar het toestel dat naast de lege boterbak op het aanrecht ligt en ik stoot mijn wang tegen de punt van de open deur van een keukenkastje. De deur klapt dicht, mijn wang doet pijn en de pijn verspreidt zich.

'Mam?'

'Je kunt niet slapen, hè?'

Ik kan nu niet stoppen met werken, dus ik klem de telefoon tussen mijn kin en mijn schouder, terwijl mijn handen doorgaan balletjes in de zak met poedersuiker te stoppen.

'Nee. Ben alleen maar aan het woelen en draaien. Bang om Troy wakker te maken.' Sky's stem trilt een beetje.

De koekjes rollen in de suiker. 'Ik vroeg me al af of je wel zou kunnen slapen.'

'Ik had zo'n idee dat jij al op was om koekjes te bakken.'

'Klopt. Ik heb net de eerste plaat uit de oven gehaald. Ik schud ze nu in de poedersuiker.'

'Ah, oma's balletjes met pecannoten.'

'Mijn lievelingskoekjes.'

'Van mij ook.'

De eerste keer, drie jaar geleden, wist ik niet dat Sky en Troy zwanger probeerden te worden. Ze studeerden toen tenslotte allebei nog rechten en Sky regelt haar leven altijd zo dat ze haar doelen ook bereikt. Ze belde destijds om op te scheppen dat ze al bij de allereerste poging zwanger waren. 'We waren al zwanger na onze eerste poging,' zei ze, en ze begon te giechelen. Door de manier waarop ze het zei, klonk het net alsof ze nog nooit eerder gevreeën hadden.

Ik kocht lapjes om voor mijn eerste kleinkind een quilt te maken en kwam er net mee thuis toen ze huilend belde: ze had de baby verloren.

'Liefje, ik vind het zo erg.' Mijn stem haperde. 'Je zult je een paar maanden rot voelen.'

'Dat zei de dokter ook. Ze zei dat we het over zes maanden weer konden proberen. Dat is vreselijk lang.' Sky snifte en forceerde vervolgens een lachje. '"Een miskraam komt vaak voor. Vooral bij de eerste zwangerschap," zei ze.'

'Ik kom naar je toe.'

'Dat hoeft niet.' Maar haar kleine stemmetje zong van opluchting.

Het jaar daarop kreeg ze haar tweede miskraam. Weer belde ze me om het te vertellen en weer vloog ik naar haar toe. 'Ik wou dat je dichterbij woonde.'

'Ik ook.'

Toen ze voor de derde keer zwanger was, hielden we onze adem in. Als we elkaar spraken probeerde ik mijn bezorgdheid niet te laten merken. De zwangerschap hield stand. 'Misschien moet ik stoppen met werken,' overwoog ze. 'Maar deze zwangerschap houden ze goed in de gaten.' In de vierde maand kon ik weer rustig ademhalen. Maar in de achtste maand bewoog de baby niet meer. Uit een echo bleek dat de baby was gestorven. Met het oog op een toekomstige zwangerschap kon ze het beste wachten en de baby pas baren wanneer de weeën begonnen.

'De baby is in me aan het verrotten.'

'Ik ben er morgen.'

'Nee, wacht, wacht tot de bevalling begint. Dan heb ik je nodig.'

'Hoe gaat het met Troy?'

'Bang. In de war. Net als ik.' Ze zuchtte. 'Ik moet gewoon de volgende maand doorkomen. Ik denk dat ik van de babykamer maar een logeerkamer of een werkkamer moet maken of zo.'

'Hou je op met proberen?' Ik zag haar voor me: ijsberend door de kamer met de draadloze telefoon aan haar oor, langs de bank, de eettafel, een rondje door de keuken en dan nog een keer. Dat doet ze altijd als ze van streek is. Dan loopt ze.

'Ik weet niet of ik dit nog een keer aankan.'

'Je hebt meer dan genoeg tijd om daar een besluit over te nemen.'

'Ik weet niet eens of ik dít wel aankan. Een maand moeten leven met een dode, mismaakte baby in mijn buik.'

'Mismaakt?'

'Dat is wat ze gezegd hebben toen ze die echo maakten. Er is iets mis met de baby. Dat is waarschijnlijk de reden van al die miskramen.'

'Ik snap het niet. Als er iets mis is met deze baby, wat heeft dat dan te maken met je andere miskramen?'

'Het kan genetisch zijn. Troy en ik hebben misschien een genetisch probleem.'

Ik zocht naar een toverwoord om haar te troosten. 'Ze komen er wel achter wat er nu verkeerd is gegaan. Misschien kunnen ze je helpen. Jullie allebei.'

'Wie weet.'

'Heb je zin om hierheen te komen?'

'Nee. Ik wil doen alsof er niets aan de hand is en verder gaan met mijn leven. Wat er nog van over is.'

Ik kon niets tegen haar bitterheid inbrengen.

Ze belde zodra de weeën waren begonnen. Ik vloog naar haar toe en arriveerde toen ze bijna volledige ontsluiting had. Ik hield haar hand vast. Troy ijsbeerde. Ik wiste het zweet van haar voorhoofd. Ze hield haar ogen dichtgeknepen en hijgde. Gromde. Ze kneep hard in mijn hand. Schreeuwde. Ze doorstond de hele worsteling van een bevalling zonder happy end. Er kwam geen eerste babykreetje, waardoor haar pijn zou verdwijnen. Ze perste tranen op het moment dat ze een dood kind uitperste. Blauw. We zagen de misvormingen die op de echo al te zien waren geweest. Hij had hele korte armpjes en een ingedeukt gezicht. We kregen maar heel even een glimp van de baby te zien voor ze er snel mee verdwenen voor genetische testen en onderzoek.

'Dat is in ieder geval voorbij.' Ze zakte zo diep weg, dat het leek alsof ze door de operatietafel zou zakken en verdwijnen. 'Ik had niet gedacht dat het me zou lukken.'

'Het is je gelukt en je was een held.' Ik kneep in haar hand en kuste haar voorhoofd

'Waarom heb je me niet gewaarschuwd?' Haar ogen waren groot van ontsteltenis, alsof ik haar verraden had, met opzet belangrijke informatie voor haar had achtergehouden.

'Omdat je altijd onmiddellijk de pijn vergeet als je je baby in je armen hebt.'

Ze snifte. 'Dan zal ik die nu wel niet vergeten, denk ik.'

Troy kuste haar. 'Ik hou zoveel van je.' Tranen stroomden over zijn wangen. 'Ons arme kind. Je bent zo dapper.'

Ze slaakte een kreet.

'Ja. Dapper. Jullie allebei.' Ik gaf haar wat water te drinken. De dokter hechtte haar knip. Ze gaven haar een injectie om haar melkproductie stil te leggen.

We wisten niet wat we verder nog moesten zeggen. We huilden alle drie, onder de onbarmhartig felle operatielampen, terwijl de dokter tussen haar benen nog aan het hechten was.

'We hebben allemaal de baby verloren, toch?' Sky keek ons aan met haar grijze ogen en pupillen die vergroot waren door de tranen.

Ik kuste haar. 'We zijn er voor je, schat.'

Troy kneep in haar hand en veegde piekjes haar opzij, die door het zweet op haar gezicht gekleefd zaten.

Die dag huilden we en later, toen ik weer thuis was, huilden we samen aan de telefoon. Ten slotte konden we praten zonder tranen. En tegen die tijd was Sky weer zwanger.

Nu, vier maanden zwanger, fluistert ze alsof ze zich wil verontschuldigen: 'Het enige wat ik altijd wilde was moeder worden. Dat is voor mij het belangrijkste. Snap je?'

Ik stop nieuwe koekjes in de zak met poedersuiker. 'Ja.' Ze vertelt me dit vaak, alsof het werkelijkheid zal worden als ze het maar vaak genoeg zegt, alsof gebeden altijd verhoord worden.

Als klein meisje wilde zij altijd babypoppen terwijl haar klasgenootjes Barbies verzamelden. Ze droeg Matilda in haar eigen oude draagzak, zong slaapliedjes en nam haar mee in bed. Zelfs haar Pound Puppy knuffelhond had een luier om. Ik weet niet of het voortkwam uit een verlangen naar onze intimiteit van voordat Tara werd geboren, of uit een soort van omgekeerde jaloezie of concurrentie vanwege Tara's geboorte. Of misschien omdat ze zag hoe fijn ik het vond om moeder te zijn. Of gewoon vanwege de biologische drang en haar liefde voor Troy, en de behoefte om die liefde belichaamd te zien in een kind. Hoe dan ook, moeder worden is de hoogste van Sky's energieke ambities. Misschien moet ik accepteren dat het gewoon is zoals het is.

Ik leg de koekjes in keurige rijtjes. Zes op een rij nu. 'Er zijn een heleboel manieren om moeder te zijn.'

'Ik wil gewoon dat het voorbij is. Ik wil de uitslag weten. Vier maanden tobben is lang genoeg geweest. Op dit moment weten andere mensen iets cruciaals over mijn leven en ik moet gewoon wachten. Ik wou dat ik het vanochtend al wist, zodat ik meteen de strijd met het volgende kon aangaan, wat dat ook is.'

'Of ervan genieten, de zwangerschap en de geboorte.' Ik haal nieuwe balletjes door de poedersuiker. 'Ze belt je vast onmiddellijk als ze het weet.'

Sky is stil. Mijn wang doet pijn. Ik had er ijs op moeten doen, maar dat kan niet. Nu niet. Pas als we klaar zijn met praten. Als de koekjes klaar zijn.

'Ik hoop dat het je koekjesfeest niet verpest.'

'Mijn feest verpesten? Kom nou, ik heb mijn vriendinnen om me te helpen feestvieren.'

Ze interpreteert mijn sprankje optimisme als valse hoop. 'Of om je te troosten.'

'En jou ook. Ze houden ook van jou. Je bent niet alleen.'

De poedersuiker voelt zo zacht als dons wanneer ik de koekjes in rijen leg. De eerste plaat is bijna klaar.

Nu wordt het rustig. Ze houdt op met lopen. 'Ik blijf maar denken, me afvragen waarom ons dit moest overkomen. Het is zo raar dat Troy en ik allebei dat zeldzame recessieve gen hebben, terwijl we niet eens tot dezelfde etnische groep horen... Ik bedoel, wij zijn toch vooral Duits en hij is Italiaans.'

'Dat is nauw verwant hoor.'

'Dat weet ik, maar de dokter zei dat we bijna broer en zus zijn, uit hetzelfde gezin hadden kunnen komen.'

'Misschien kunnen jullie het daarom zo goed vinden. En vergeet niet dat je vijftig procent kans hebt dat deze goed is. Elke baby heeft vijftig procent kans. Misschien heb je de treurige helft nu achter de rug en krijg je drie normale zwangerschappen.'

'Zo werkt het niet, mam. Het is vijftig procent bij elke nieuwe worp van de dobbelsteen.'

Dat weet ik. Ik vertel haar mooie sprookjes die goed aflopen, alsof die de negatieve kracht kunnen wegnemen die haar achtervolgt. 'Een happy end is niet ondenkbaar. Dat komt soms voor,' zeg ik. De eerste plaat is klaar. De koekjes van de tweede plaat staan af te koelen. Ik moet snel doorwerken. 'Je hebt een enorme kracht. Zelfs na de vorige keer probeer je het nu weer. Ergens diep vanbinnen weet je dat het goed komt.' Snel stop ik weer een handvol koekjes in de poedersuiker en rol ze heen en weer in de zak. 'Wat ga je vandaag doen?'

'Hoe gaat het met Tara?'

'Goed.' Het zit zo dat haar jongere zusje Tara, achttien en ongetrouwd, acht maanden zwanger is. De vader van de baby is een zwarte ex-gedetineerde die een rap-ster wil worden. Afgelopen zomer sprak ze de ironie uit die ons geen van drieën was ontgaan. Ze schudde haar haar, zwart met blauwe plukken, en zei: 'Verdomme, daar zit ik nu met een ongeplande zwangerschap en een relatie die de meeste mensen idioot of zo zouden vinden en jij...' ze richtte haar hoofd op naar Sky, '... die alles doet zoals het hoort, zo graag een baby wil en...' Ze stokte en keek Sky recht aan. 'Het leven is niet eerlijk, zoals ze zeggen. Het is, hoe noem je dat? Bespottelijk.' Onuitgesproken spanning en rivaliteit vervlogen door ons gelach.

Nu zeg ik: 'Je weet echt niet hoe dit allemaal zal aflopen. En we kunnen elke gebeurtenis interpreteren zoals we willen. Je kunt jezelf en Troy zien als slachtoffers van een rare speling van de natuur, of nu zelfs ook nog als zielsverwanten, en deze beproeving als iets waar je sterker van wordt.' Ik leg de besuikerde koekjes op een rij. 'Maar wat ga je nu doen vandaag?' herhaal ik.

'Het is maandag. Ik moet een proces voorbereiden. Ik hoop dat andermans problemen een beetje afleiding geven.'

'Afleiding zodat de tijd sneller gaat.'

'Ik heb mijn mobieltje bij me.' Ze houdt op met praten. 'Hé, Troy is opgestaan en roept me.'

'Ga maar naar je man toe. Ik ben de hele dag hier. Bel me als je zin hebt om te praten. Ik hou van je.' Ik geef haar een luchtkus.

'Ik hou van je.' De klap van haar zoen trilt nog na in mijn oor, terwijl ik de laatste koekjes van de tweede plaat in de zak heen en weer schud. Nog wat extra poedersuiker dwarrelt neer op de twee platen met afkoelende koekjes. Zes dozijn koekjes zijn klaar.

Ik leg nieuw bakpapier op de bakplaat, pak de deegkom, neem een beetje deeg en begin een nieuwe serie balletjes te rollen.

Sky leerde Troy kennen in de brugklas, na de kerstvakantie. Troy was net met zijn familie in de stad komen wonen en een leraar gaf Sky opdracht hem te begeleiden naar zijn lessen, omdat hun rooster hetzelfde was. 'Hij is geen knapperd, maar wel aardig,' berichtte ze. Die avond belden ze met elkaar. Een maand later zat hij bij ons voor de televisie naar *90210* te kijken. Sky zat naast hem op de bank en Tara lag uitgestrekt op zijn schoot. Ik maakte popcorn.

'Troy is mijn beste vriend.' Sky had een afgeknipt shirt en afgezakte jeans aan, zodat haar navel zichtbaar was.

'Is dat niet een beetje koud?' Maar in gedachten vond ik dat niemand er in zulke kleren aantrekkelijk uitzag, zelfs een tenger meisje niet.

'Dat hoort zo, mam.' Ze trok een gezicht om haar irritatie te laten blijken.

'Je neemt je opdracht toch wel serieus? Waarom stel je hem niet voor aan een paar jongens.'

'Dat heb ik gedaan. We vinden het gewoon leuk om samen te zijn.' Ze grinnikte even, maar trok geen andere kleren aan.

'Waarom organiseer je geen logeerpartijtje vrijdag? Vraag Marissa en Jennifer.'

'Cool.'

In de herfst, in de tweede klas, zei ze, met haar rugzak over één arm bungelend, haar bril omlaag gezakt naar de punt van haar neus en sliertjes haar strategisch uit haar staart getrokken: 'Mam.' Als ze zo begon wist ik dat ze van plan was een serieus gesprek te voeren.

'Wat is er?' Ik legde het instructieboek over ziektekostenverzekeringen dat ik aan het lezen was neer en draaide me naar haar om. In die tijd studeerde ik voor het examen om mijn bevoegdheid te halen. Nu ben ik bevoegd om levensverzekeringen, ziektekostenverzekeringen en autoverzekeringen voor de lange termijn af te sluiten en heb ik een klein bedrijfje.

'Troy zei dat hij van me houdt.'

'Van je houdt?'

'Ik zei: "Ik hou ook van jou." En toen zei hij: "Nee, ik bedoel, ik hóú van je. Liefde, je weet wel." Ik had de afstandsbediening en zette de tv harder.' Ze hield een denkbeeldige afstandsbediening vast en drukte op een knop. 'Ik wilde hem niet horen. Ik zei gewoon: "Ik hou ook van jou. Je bent mijn beste vriend." Maar toen zei hij: "Ik wil meer." En ik zette het geluid nog harder.' Ze drukte weer op die denkbeeldige knop. 'Ik wist niet wat ik moest zeggen. Hij wil mijn vriendje zijn. Hij wil dat we met elkaar gáán.'

'Voor vast?'

Ze haalde haar schouders op en liet haar rugzak van haar arm glijden. 'Dat zal de vriendschap kapotmaken. Dat gebeurt altijd,' zei ze alsof ze er alles van af wist. Ik vroeg me af of ze mijn gesprekken met mijn vriendinnen had afgeluisterd. 'Hoezo?'

'Nou, onze relatie wordt anders. Dan kunnen we nooit meer terug naar gewoon vrienden zijn. En onze vriendschap is perfect.' Ze hing haar jas over de rugleuning van de eetkamerstoel. Voor deze ene keer zei ik er niets van.

'Voor hem niet,' zei ik. 'Voor hem is het niet perfect.'

Ze kauwde op de binnenkant van haar lip.

'Ik begon net Ryan leuk te vinden.'

Ik trok mijn wenkbrauwen op. 'O. Dus hij is bang dat hij je kwijtraakt aan Ryan?'

'Hij kan me niet kwijtraken. Hij is mijn beste vriend.' Ze trok een blikje cola light open. 'Snap je wat ik bedoel? Meteen als het gaat over dat líéfdesgedoe, krijg je dat gezeur over iemand kwijtraken of iemand ontrouw zijn.'

'Vind je hem opwindend?'

'Zo denk ik nooit over hem. Uh...' Ze beet op haar lip en zakte neer op een stoel. 'Ik wil gewoon onze vriendschap niet op het spel zetten.'

'Nu hij heeft laten weten wat hij voor je voelt, kun je sowieso niet meer doen alsof jullie "alleen maar" vrienden zijn.' Met mijn vingers maakte ik aanhalingstekens bij die woorden.

'Dat zei hij ook. Hij zei dat hij niets aan zijn gevoel kan doen, omdat ik zo leuk ben.' Ze begon te blozen, alsof ze daarmee te ver gegaan was.

'Hij heeft gelijk. Je bént ook leuk.' Ik lachte. 'Mooi. En met ongelooflijk fascinerende ogen.'

Haar grijze ogen met groene spikkeltjes werden groot en alsof ze verbaasd was over het toeval, zei ze: 'Dat is precies wat hij ook zegt.'

Hun vriendschap ontwikkelde zich in vriendje en vriendinnetje en op een zeker moment, ik weet niet meer wanneer, werden ze geliefden. Ze gingen samen naar college en in hun tweede jaar woonden ze samen in een flat. Ze studeerden samen af en gingen samen verder met een rechtenstudie.

'Te vroeg volwassen,' klaagde ik.

'Het is zoals het is. Het is gebeurd en beter kan het niet. Waarom zou ik iets zo volmaakts overboord gooien, alleen maar vanwege mijn leeftijd?'

'Jullie tweeën hebben nog zo weinig ervaring met relaties.' Ik was bang dat nieuwsgierigheid naar andere geliefden hen in de toekomst kapot zou maken in een puinhoop van bedrog en verraad.

'Waarom zou ik iets zo volmaakts overboord gooien, alleen maar omdat we maagd waren toen we elkaar leerden kennen? Bovendien heb ik naar jou gekeken.'

'Ja.' Ik aaide even over haar wang. Twintig jaar geleden hadden we samen de ziekte van haar vader Alex doorgemaakt: hij was voortdurend moe en verkouden, en dat bleek acute leukemie te zijn. Hij werd opgenomen en onder onze ogen ging hij met de dag achteruit. Binnen een week was hij dood. Voordat ik de tijd had gekregen om te beseffen dat hij ernstig ziek was, was hij al dood.

Hij was vijfendertig.

Vijfendertig. Pas vijfendertig.

Pas nu begin ik me daar een beetje mee te verzoenen.

Sky was zeven. Ze was erbij toen ik een relatie met Stephen begon, weer trouwde en Tara kreeg. Stephen. Zijn gesjans kwam als een klap in mijn gezicht. De vlagen van oprechte garanties dat ik de liefde van zijn leven was en beloftes dat het nooit meer zou gebeuren, werkten een tijdje.

Maar na een paar maanden werd ik er steevast weer mee geconfronteerd dat hij regelmatig om onduidelijke redenen storend afwezig was, zodat ik bijna hoopte dat hij een ongeluk had gehad en niet bezig was met wat ik vreesde. Daarna de geur van een andere vrouw om hem heen, creditcardrekeningen voor hotelkamers, haastig weggeklikte computerschermen, gefluisterde telefoongesprekken en toenemend drankgebruik: de banale parafernalia van overspel. Een scheiding. Mijn leven weer opnieuw vormgeven, nu als de alleenstaande moeder van twee dochters.

Troy was de meest stabiele man in haar leven.

'Ik weet absoluut niet hoe het met relaties zit.' De waarheid, en niets dan de waarheid, is dat de mannen met wie ik na Stephen iets had, een vaste relatie wilden, maar dat ik de garantie van volmaaktheid wilde hebben. En zulke mensen bestaan niet. Bovendien kwamen mijn dochters op de eerste plaats. Ik had geen idee wat ik met mijn leven aan had gemoeten als dat een andere richting zou inslaan dan het uitgestippelde pad van hun opvoeding.

Mannen willen aandacht. Vergeet dat niet. Ze vinden het al moeilijk jou met hun eigen kind te moeten delen, laat staan met het kind van een andere man. Hun behoeften komen op de eerste plaats. De ene man wilde dat ik Tara naar een internaat zou sturen. Een ander wilde dat ik haar thuis achter zou laten om bij hem te komen wonen. Ze was toen veertien. 'Ik zou het heerlijk gevonden hebben om op mezelf te wonen toen ik veertien was,' zei hij tegen me.

'Ja, vast. Maar dat gaat mooi niet gebeuren. Geen denken aan,' antwoordde ik.

Op een feestje leerde ik Jim kennen, de vriend van de zoon van een collega. Ze had hem niet uitgenodigd om mij te ontmoeten. Hij was er gewoon. Kaal, met een dikke knuffelbuik en die grijns van hem. En zijn overweldigende warmte.

'Je bent mooi met dat witte haar. Het staat prachtig bij je stralende blauwe ogen,' zei hij tegen me.

'Je bent de vriend van de zoon van mijn vriendin!' riep ik uit, alsof hij nog een baby was.

'Hé, ik ben boven de eenentwintig, hoor,' zei hij lachend. 'Meerderjarig.' En hij pakte me beet om op Marvin Gay te dansen, zwierde naar me toe en draaide me daarna van zich af. 'En zoals ik al gezegd heb: je bent mooi en hartstikke sexy. En dansen kan toch geen kwaad, of wel soms?'

'Nee, natuurlijk niet.' Ik ontspande in zijn armen. 'En je bent goed.'

'Daarin wel ja.' Lachend wierp hij zijn hoofd naar achteren terwijl hij me onder zijn arm door liet draaien.

Dus eerst was er die voelbare lading en toen onze nieuwsgierigheid naar elkaar. Na het feestje kwam hij bij me langs. Hij vertelde dat hij het ouderlijk gezag had over twee tienerzoons. En dat zij voor hem op de eerste plaats kwamen. Met bijna dezelfde woorden had ik mannen altijd voor mijn dochters gewaarschuwd. 'Dat vind ik fijn. Kinderen horen op de eerste plaats te komen.' Hij keerde zich van me af. 'De meeste vrouwen begrijpen niet wat dat betekent. Het betekent dat ik door mijn werk en de zorg voor de jongens niet veel tijd heb voor een relatie. Vrouwen willen meer tijd. Dus ben ik niet op zoek gegaan.' Hij nam een slok wijn en haalde zijn schouders op.

Ik dacht dat het een flirt voor een avondje zou zijn. Ik gaf hem een snelle ontsnappingsmogelijkheid en een makkelijke uitweg. 'Luister, ik moet mijn kerstboom versieren. Ik heb een feestje maandagavond.'

'Ik kan niet maandag. Dan ben ik in Atlanta.'

'Je bent niet uitgenodigd. Het is alleen voor vrouwen. Maar ik moet echt mijn boom versieren.'

De kerstboom stond vastgeklemd in zijn standaard. De lichtjes waren erin gehangen, maar nog niet aan. Een groene plastic doos met kerstversiering stond ernaast. Hij deed de lichtjes aan en zei: 'Dat is beter.' Hij knikte naar de doos en vroeg: 'En zit daar de kerstversiering in?'

'Yep.'

'Kom op. Ik ben gek op kerstbomen versieren.'

We versierden de boom en schonken daarna nog een glas wijn in. 'Op mooie feestdagen,' zei hij terwijl we met onze glazen klonken. 'Op onze ontmoeting.'

Dat was een jaar geleden. De zaterdag voor het koekjesfeest. Met Nieuwjaar waren we minnaars en met Valentijnsdag was ik verliefd op hem. Maar dat zei ik hem niet. Na Alex heb ik tegen geen enkele man meer gezegd: ik hou van je. Stephen zei voor de eerste keer dat hij van me hield toen ik had ontdekt dat hij me bedroog. Alsof dat zijn overspel kon goedmaken. Het veroorzaakte alleen maar dat ik ervan overtuigd raakte dat 'ik hou van je' zeggen manipulatie was. Toen hij me ten huwelijk vroeg, hield hij mijn handen stevig vast, keek in mijn ogen en zei dat ik de belangrijkste mens in zijn leven was. Dat de wereld leeg was zonder mij. Dat liefde ook maar gewoon een woord is. Daarom zei ik het niet tegen hem. En hij bedroog me in de tijd dat ik zwanger was van Tara, dus heb ik het hem zelfs niet gezegd toen ze was geboren.

Ik heb Sky en Tara gezegd dat ik van ze hou. En mijn ouders. En een paar vriendinnen. Maar bij een man weet ik niet goed wat die woorden betekenen. Ze leggen te veel een claim op je, ze zijn een last. Ze klinken alsof je iets wilt. Geen vrijblijvendheid meer. Verplichtingen. Hoe kom je er trouwens achter wat ze betekenen? Ergens heb ik gelezen dat de kleur van je ogen je waarneming van kleuren beïnvloedt. Als dat zo is, hoe weet ik dan of 'liefde' voor mij hetzelfde betekent als wat 'liefde' voor jou betekent? We weten niet eens of 'rood' voor ons allebei hetzelfde betekent. Hoort liefde bovendien niet voor altijd te zijn? Bij een man bestaat er geen voor altijd.

Dus toen Jim op die Valentijnsdag zei: 'Ik denk dat ik verliefd op je aan het worden ben,' zei ik: 'Ik ben ook gek op jou.'

Hij knikte.

Gek zijn op iemand is veilig. Daarmee kun je allebei ontsnappen. Het heeft niet de zwaarte van vastigheid, er zit juist iets tijdelijks en vluchtigs in, wat geruststellend is.

Die vrijheid zou een opluchting voor Jim moeten zijn, omdat ik in zijn leven onder aan de lijst sta. Hij verkoopt medische software aan ziekenhuizen in het hele land, dus hij is vaak voor zijn werk van huis, en verder is hij thuis om zijn zoons te helpen met huiswerk, langs de lijn te staan bij het voetballen en ze te leren autorijden. Ik, wij, zijn aan de beurt als hij thuis is en de kinderen weg zijn. Of op een vrijdag- of zaterdagavond voor ze thuis moeten zijn. Nu ben ik degene die rekening moet houden met de aandacht van een minnaar voor zijn kinderen en zijn werk. Maar dat is wel wat ik het meeste in hem respecteer en waardeer: hij neemt het vaderschap serieus.

Ik heb hem al twee weken niet alleen gezien. Zaterdagavond zijn we naar de zaalvoetbalwedstrijd van zijn zoon gegaan. Het was de bedoeling geweest dat we vrijdagavond samen zouden zijn om de kerstboom te versieren ter viering van ons eenjarig jubileum, maar zijn vlucht was vertraagd en tegen de tijd dat hij bij zijn zoons was geweest om te zien of alles in orde was, was het te laat. En op zondag verstuikte de jongste zijn enkel en zaten ze bij de eerste hulp. Ik ben naar het ziekenhuis gegaan om bij ze te zijn. We hebben al een paar weken niet bij elkaar geslapen of gevreeën. Dat is deels de reden voor mijn erotische droom.

Biedt Jim een nieuwe kans op intimiteit, de aanzet tot een echte relatie, of opnieuw een uitvlucht voor een vaste verbintenis? Dat blijft de vraag. Om de zaken nog gecompliceerder te maken: hij is twaalf jaar jonger dan ik. Vijfenveertig. Pas vijfenveertig.

Ik haal de laatste bakplaat uit de oven, trek het bakpapier met daarop de koekjes eraf en bereid me voor om de laatste zes dozijn in de poedersuiker te gaan rollen. Goddank is er bakpapier. Het maakt koekjesbakken zoveel makkelijker. Ik maak nog een kop koffie, laat één van de balletjes die klaar zijn in mijn mond smelten en proef de smaak van noten, boter en delicate vanille.

Disney rent buitelend en kwispelstaartend naar de deur. Jims jack zit onder de sneeuw.

'Hé, hallo! Ik had je niet verwacht.'

'Ik dacht, ik ga even langs op weg naar het vliegveld.' Als zijn lippen vluchtig mijn wang kussen, keert mijn droom weer in zijn volle sensualiteit terug. In die droom zoende Jim mijn wenkbrauwen en trok hij een spoor van kussen rond mijn wimpers en dan omlaag over mijn neus. Zijn kussen smaakten naar kaneel. En ik was een en al gevoel en ontvankelijkheid. Ik wachtte even om te genieten van deze volmaakte versmelting, deze unieke eenwording. De gloed verhevigde tot krachtige golven die door mijn lichaam rolden. Ik werd wakker van mijn gevoel van gelukzaligheid.

De zoete droom verrast me. Hoe lang is het al wel niet geleden dat ik zo'n droom heb gehad? Jaren. Tientallen jaren. Misschien toen Tara een baby was. Ik had gedacht dat die prangende lustgevoelens en die hardnekkige behoefte aan bevrediging voorbij waren, dat mijn hartstocht door de tijd en de menopauze uitgedoofd was. Ik zie Jim niet vaak genoeg. Maar nu is hij er onverwachts en hij kust mijn wang.

'Hmmmm. Dat kan beter.' Hij slaat zijn armen stevig om me heen, legt één hand op mijn achterste en trekt me strak tegen zich aan. Ik ontspan in zijn armen en geniet van zijn lichte kaneelgeur en de bestanddelen uit mijn droom die hier nu bij me zijn.

'Aaaahh, ik heb je gemist,' kreunt hij.

Hij maakt zich los en kijkt op zijn horloge.

'Kijk je of je tijd hebt voor een vluggertje?' vraag ik lachend.

'Dat zou ik graag willen.' Hij trekt een quasi-treurig gezicht. 'Ik moet er over drie kwartier zijn.'

'Wat dacht je dan van... iets anders lekkers?' Ik kijk hem van opzij aan en trek een wenkbrauw op.

'Ja,' zegt hij lijzig, 'ik wil best iets anders lekkers.'

Ik geef hem een koekje en ook mijn kop koffie.

'Die zijn lekker, zeg. Ik hoop dat je er wat extra voor ons hebt gebakken.'

Ons. Ik weet niet of er wel een 'ons' is. Als hij dingen zegt die duiden op een toekomst, zijn er te veel verwarrende gevoelens waarmee ik iets moet. Angst, opwinding, geluk, rust. Ik kijk toe hoe hij geniet van het pecannotenballetje. 'Rustig maar, ik heb een paar dozijn extra gemaakt. Bovendien hebben we na het feestje massa's koekjes.'

'O, maar dit zijn vast de lekkerste.' Daarna tovert hij een roodgestreepte tas tevoorschijn met groen papier erbovenop. 'Tadaa!' Hij maakt een buiging en overhandigt hem aan me. 'Ik kwam langs om je dit te brengen. Ik had bedacht dat je die nodig had voor je boom.' Ik woel door het groene papier en haal er een karamelkleurige teddybeer uit met een trui aan, waarop kerstbomen staan die versierd zijn met rode hartjes.

'O, Jim. Kijk hem nou. Wat is hij parmantig en hij lacht.' Lachend strek ik me naar hem uit om hem te kussen. 'Wat lief van je.'

'Het is gewoon een excuus om je te zien, want ik zal je missen. Maar ik wilde niet dat je dat wist.'

'Ik vind het heerlijk als je met me flirt.' Vooral als ik helemaal geen make-up op heb. Ik loop de woonkamer in en zet de beer onder de boom. 'Hij past heel goed bij zijn nieuwe maatjes,' zeg ik grappend.

'Het spijt me dat ik er dit jaar niet was om je te helpen met het versieren van de boom.'

Ik overweeg even of ik zal zeggen dat we op die dag een jaar bij elkaar waren, maar ik doe het niet. Te aanmatigend. In plaats daarvan zeg ik: 'Ach, hij is mooi geworden.'

'Hé, wat is er met je wang?'

Ik was het vergeten. Als ik het aanraak, doet het pijn.

'Je ziet eruit alsof iemand geprobeerd heeft je in elkaar te slaan.'

'Koekjesgevecht,' zeg ik lachend.

Jim pakt nog een koekje. Hij probeert op zijn gewicht te letten en jammert over zijn dikke buik, maar ik vind die wel gezellig. 'Doe er wat ijs op of zo.' Hij kijkt weer op zijn horloge. 'Hé, ik moet gaan. Ik bel je. Tot vrijdagavond.'

'Zeker weten?' Ik zeg het luchtig om te voorkomen dat ik misdeeld of zeurderig overkom.

Maar dat gebeurt wel. 'Niets is zeker, behalve de belastingen. En de dood. Ik moet kijken hoe het met de kinderen is. Ik bel je.'

'Heb een fijne week,' zeg ik, terwijl ik hem op zijn wang kus. Hij doet de deur open en ik zie sneeuwvlokken, als stofjes gevangen in een zonnestraal.

De deur gaat dicht en het lijkt alsof hij met zijn vertrek elk geluid wegzuigt. Dan hoor ik mijn iPod spelen en is het tijd om weer aan het werk te gaan.

De muziek overspoelt me terwijl ik het laatste deeg rol. De lichtjes in de boom twinkelen en de teddyberen zitten eronder. Die van Jim zit erbij alsof hij er altijd al geweest is. Terwijl ik versgebakken koekjes op een rij leg om af te koelen, realiseer ik me dat Jim de impliciete geborgenheid van het woordje 'ons' onmiddellijk onderuithaalde door zijn grapje over de dood en belastingen: zijn afweerreactie op mijn gedram om geruststelling. Misschien is dat hoe vrije mannen me zagen: een twijfelaar, iemand die aantrekt en afstoot. Ben ik altijd zo geweest? Aarzelend over vaste verbindingen? Mijn relaties hebben nooit langer dan zeven, acht jaar geduurd, niet de vijfenveertig jaar die mijn ouders met elkaar gedeeld hebben tot mijn moeder stierf.

Misschien was het de pech van Alex' ziekte waardoor ik ongewild op dat pad terechtgekomen ben... de wetenschap op zo jonge leeftijd, dat het leven niet zo gaat als je had gedacht en dat een tragedie altijd op de loer ligt.

Net als groot geluk trouwens, breng ik mezelf in herinnering.

Ik snuif de geur op die van de afkoelende koekjes opstijgt, adem uit en denk aan Sky en het wachten op nieuws over de levensvatbaarheid van haar zwangerschap, aan Tara en de geboorte van mijn eerste kleinkind – een jongetje, heeft ze te horen gekregen – en aan Jim die op het punt staat naar Boston te vliegen. Mijn vriendinnen komen vanavond naar het feest, beladen met mooi ingepakte koekjes. Ik ken al hun geheimen. Ik ken hun onderlinge spanningen. Ik moet niet vergeten Rosie ver weg van Jeannie te zetten. Ze hebben hun ruzie waarschijnlijk nog niet bijgelegd. Rosie zal Laurie vast doorzagen over haar baby. Ik hoop dat Taylor, of haar man, nu een baan gevonden heeft. Ze zijn allebei werkeloos en hun uitkering wordt ongetwijfeld minder. En ik vraag me af hoe Sissy zich zal houden te midden van al die vrouwen die ze niet kent.

Disney brengt me zijn aapje, een piepspeeltje dat al lang geleden zijn piep is kwijtgeraakt. Ik aai hem en pak het speeltje van hem aan. 'Dank je,' zeg ik, en ik geef het hem weer terug. Ik ben dankbaar voor de leuke dingen van het leven. Nee. Niet alleen daarvoor. Ook voor de rijkdom ervan. De kans om het allemaal mee te mogen maken. Op dat punt ben ik nu.

De koekjes zijn klaar. Ze hoeven nu alleen nog maar af te koelen en dan kan ik ze in hun tasjes stoppen. Disney laat het aapje vallen om op zoek te gaan naar op de grond gevallen kruimels.

Het is nog ochtend. Ik bak uitjes en voeg er gesneden tomaten aan toe, kippenbouillon en basilicum om soep te maken. Hij pruttelt op het fornuis. Wanneer de soep is ingekookt, zal ik het vuur uitzetten zodat de smaken sterker worden. Zo is er straks iets warms als de Cookie Bitches vanuit de kou binnenkomen.

Drie potjes met kerststerren geven kleur aan de erker boven de gootsteen. De woonkamer is schoon en klaar. De slaapkamers en mijn kantoor zijn opgeruimd. Ik heb nog even tijd, dus ik inspecteer mijn gezicht en zie dat er een onvervalste blauwe plek onder mijn oog opdoemt. Ik zou er wat ijs voor moeten pakken. Maar in plaats daarvan pak ik de feestelijke halsdoek die ik voor Disney gekocht heb en bind die om zijn nek. Ik zou zweren dat hij nu met zijn kin in de lucht loopt te paraderen, alsof hij denkt dat hij extra mooi is. Ik ga op de bank zitten, met een nieuwe detective en met mijn voeten op de salontafel. Disney springt op de bank en legt zijn kop op mijn dij. Ik lees een paar bladzijden.

De telefoon gaat.

'Hallo. Hoe gaat het met de koekjes?'

'Die staan af te koelen. Hoe voel je je, Tara? Hoe gaat het met de baby?'

'Hij schopt als een gek tegen mijn blaas. Ik heb het gevoel alsof ik alleen nog maar een enorme bal ben, met een hoofd en piepkleine aanhangseltjes.'

Ik grinnik, want dat beeld klopt aardig. Een ver vooruitstekende buik vol baby, terwijl ze nog een maand te gaan heeft. 'Hoe gaat het met Aaron?' Ik vergeet niet hem ook mee te rekenen als deel van de familie, hoewel ik niet zeker weet of hij een blijvertje is. Misschien is niemand dat. Maar hij blijft wel altijd de vader van mijn eerste kleinkind.

'We zitten in de opnamestudio... Red en hij zijn wat teksten aan het veranderen dus ik dacht, ik bel je even. Ik heb pauze.'

Ik stel me Tara voor, met haar geverfde zwarte haar vol blauwe plukjes, zittend in de hal van een opnamestudio. In mijn voorstelling bungelt er een sigaret tussen haar vingers, maar ze is gestopt toen ze ontdekte dat ze zwanger was, dus de sigaret denk ik weg. Vlak voor haar eindexamen van de middelbare school werd ze zwanger. Ze vertelde het terloops, alsof ze aankondigde dat ze naar de film ging. Die achteloosheid was haar manier om haar zorg over mijn reactie te bagatelliseren, of misschien om ook een nonchalante reactie van mij op te roepen.

'Wat ga je in vredesnaam doen?' vroeg ik. Ik vind het wonderbaarlijk dat ik twee dochters heb die zo verschillend zijn. Sky vertelde me altijd alles. Tara zei zo weinig mogelijk. Sky ging tijdens de middelbare school wel eens met me op pad, maar Tara ging nog liever dood dan dat ze met mij in het openbaar gezien werd. Sky deed wat hoorde en dacht na over de toekomst. Tara deed wat haar op dat moment werd ingegeven en leefde in het eindeloze nu.

Ze keek me aan vanonder haar lange, lichte wimpers en haalde haar schouders op. Ze nam een trek van een sigaret en blies de rook uit. 'Ik denk dat ik moet stoppen.'

'Heb je al besloten?' drong ik aan. Ik wist niet goed hoe ik erover dacht. Ik wist niet goed wat ik wilde dat ze zou doen. Het ging niet om zijn afkomst, maar ik maakte mezelf ook niet wijs dat racisme niet meer bestond. Hij had in een jeugdgevangenis gezeten en leek niet goed in staat zichzelf te onderhouden. En hun droom om carrière te maken als hiphopmuzikanten was vooralsnog een luchtkasteel. Zij componeerde de muziek en begeleiding, speelde keyboard en zong zijn teksten.

'We zijn zo blij met de baby, mam.'

'Gaan jullie trouwen?'

'Trouwen?' Ze trok haar wenkbrauwen samen, blies verontwaardigd een explosie van lucht uit en schudde haar hoofd. 'Onze liefde hoeft niet wettelijk vastgelegd te worden. Trouwens, wat voor zekerheid biedt getrouwd zijn?'

Ik wist ook niet goed wat ik daarvan vond. Als het niet goed ging, zou haar in ieder geval de ellende van een scheiding bespaard blijven.

Toen omhelsde ik haar. Eerst was ze stug, maar daarna ontspande ze zich in mijn armen. 'Ik organiseer een babyshower voor je.'

Ze trok haar kin in en grijnsde. 'Goed. Nodig al je vriendinnen maar uit. Ik ben dol op ze.'

Nu zegt ze luchtig: 'Hé, ik breng Aarons moeder met de auto naar het feestje.'

'Sissy? Breng jij haar?'

'Ik was van plan om naar een vriendin te gaan zolang het feestje duurt en dan breng ik Sissy weer thuis.'

'Dat betekent dat ik je te zien krijg.'

'Ja, en Sissy weet de weg niet. O, mam, ze is zo opgewonden over dat feestje. Gisteren heeft ze de hele dag in de keuken gestaan.'

'Zij is dit jaar de koekjesmaagd.'

'Dat vond Sissy een giller. Een feestje dat van haar weer een maagd in het een of ander maakt. En dat terwijl ze op het punt staat voor de vierde keer oma te worden.' Op de achtergrond hoor ik het gescheur van een elektrische gitaar en daarna Aaron: 'Hé! Schatje! Jij bent.'

'Ik moet ophangen.'

'Dan zie ik je om een uur of zes, hè?'

'Tussen zes en zeven. Goed? Sissy's dienst in het ziekenhuis is pas om vier uur afgelopen en dan moet ze zich nog opfrissen. En daarna de spits... en we schijnen vanavond natte sneeuw te krijgen.'

'Goed.'

'Dan zie ik je dus maar heel eventjes... Dag, mam.'

'Rij voorzichtig.' Ze hoort me niet meer, ze heeft al opgehangen.

Ik probeer me te verdiepen in mijn detective, maar kan me niet concentreren. Misschien zijn de koekjes al voldoende afgekoeld. Ik tel er twaalf af en doe die in een hersluitbaar plastic zakje. Als de dertien zakjes gevuld zijn met koekjes, haal ik de make-uptasjes die ik in de dollarwinkel heb gevonden, met een motief van panter-, slangen- en tijgervel. De ingepakte koekjes gaan in hun tasjes. Ik haal lint tevoorschijn en knoop rode en gouden glanzende slierten om het handvat van de tasjes en krul de uiteinden. Er is een extra zak voor Tara om mee te nemen. De koekjes die overblijven, nog zo'n drie dozijn, stop ik eerst in grotere hersluitbare zakken en daarna gaan ze de vriezer in.

Ik maak de tafel schoon en veeg de vloer onder de tafel. Het huis is schoon. Mijn koekjes zijn klaar. De soep pruttelt. Eartha Kitt zingt mierzoet: 'So hurry down the chimney tonight'. Alles is volmaakt.

MEEL

Ik beschouw meel als iets vanzelfsprekends. Ik denk er niet over na, ik heb het altijd in huis, net als mijn moeder vroeger, het hoort bij mijn dagelijks leven.

Toen Sky en Tara klein waren, maakten ze tekeningen in het meel dat ik op het aanrecht strooide nadat we koekjes hadden uitgesneden of taartdeeg hadden uitgerold. Het meel dat wij gebruiken als basis voor bijna al onze koekjes is fijne tarwebloem. Van tarwe kun je brood maken, cakes, pasta, koekjes, noedels, sap, cornflakes, muesli en couscous. Je kunt het ook laten gisten om er bier, wodka en alcohol mee te produceren.

Ergens heb ik gelezen dat tarwe waarschijnlijk voor het eerst in Turkije werd verbouwd, zo'n tienduizend jaar geleden. Het was een ideaal basisgewas, omdat het zichzelf bestuift, uit zaad groeit, na een paar maanden al geoogst en gemakkelijk bewaard kan worden. De verbouw van tarwe zorgde ervoor dat jagers en verzamelaars zich ergens vast konden vestigen. Dorpen ontstonden.

Toen de mens eenmaal kon rekenen op een stabiele voedselbron, hoefde hij niet meer rond te trekken om te jagen en te verzamelen. Omdat er voldoende voedsel beschikbaar kwam, ging men handel drijven met andere groepen en zo raakten kennis en producten verspreid over de wereld. Zo kwam er zo'n achtenhalfduizend jaar geleden tarwe in het Egeïsche gebied en zo'n zesduizend jaar geleden in India. Vijfduizend jaar geleden bereikte de tarwe Groot-Brittannië, Ethiopië, Spanje en duizend jaar later ook China.

Drieduizend jaar geleden zorgden door paarden getrokken ploegen en zaaimachines voor toename van de graanproductie. Tot in de negentiende eeuw, nog niet zo lang geleden dus, werd tarwe nog net als in de prehistorie met een sikkel geoogst, daarna in schoven bijeengebonden om vervolgens gedorst te worden door dieren die de halmen vertrapten of door boeren die de korrels eruit sloegen. Het graan werd in de lucht gegooid, het kaf waaide weg en de belangrijke korrels bleven over. In 1834 vond McCormick de maaimachine uit en met de industrialisatie veranderde niet alleen de voedselproductie, maar ook onze maatschappij.

De geschiedenis van tarwe die meel wordt gaat gelijk op met de geschiedenis van de machine. In het begin werd tarwe gemalen met een vijzel en stamper, waardoor een soort gort, of dikke brij, ontstond, maar nog geen meel voor brood. In het oude Egypte werden zadelstenen gebruikt: twee grote stenen die op elkaar liggen, waarvan de bovenste met de hand over de onderste heen en weer wordt geschoven. In Rome werd meer dan tweeduizend jaar geleden waterkracht gebruikt om de stenen te bewegen. Het nut van windkracht werd duizend jaar geleden ontdekt. Daarna kwamen de stoommachines en elektriciteit.

Meel bestaat uit koolhydraten, vet en proteïne. Tarwe bevat meer proteïne dan rijst of andere graansoorten en is de meest voedzame van de gewone graansoorten. Hier een baktip: het percentage proteïne (van 9 tot 12 procent) bepaalt hoe hard en stevig het product wordt. Voor broodmeel is een hoog percentage proteïne goed, maar koekjes worden lekkerder als je ze bakt van meel met minder proteïne. Zachter meel met minder proteïne is het beste voor chemisch gerezen producten zoals cakes, koekjes en zachte broodjes.

Patentbloem is het beste, maar als je dat niet hebt, neem dan gewone bloem en haal er dan een eetlepel per 125 gram uit.

Tarwe is als zuurstof: we beschouwen het als vanzelfsprekend. Maar voor de meeste mensen is graan bijna altijd werkelijk het dagelijks brood. Denk alleen maar aan het feit dat de eerste nederzettingen en gemeenschappen konden ontstaan door de verbouw van tarwe. Dus als je de volgende keer wat meel afweegt, sta dan even stil bij zijn belangrijke rol in de ontwikkeling van de menselijke beschaving.

2

Charlene

CHOCOLADE-AMANDELBALLETJES

350 g in stukjes gebroken pure chocolade
50 g boter
4 dl gezoete gecondenseerde melk
1 tl vanillearoma
250 g bloem
225 g amandelspijs

Maak kleine balletjes van de amandelspijs met behulp van een theelepel. Doe dit voordat je het chocoladedeeg maakt. Zet de balletjes apart.
Doe de stukjes chocolade en de boter in een middelgrote steelpan. Verwarm dit al roerend op een laag pitje, tot het mengsel glad en gesmolten is. Roer de gecondenseerde melk en het vanillearoma erdoor. Roer tot slot beetje bij beetje de bloem erdoor tot alles goed gemengd is.
Wanneer het chocoladedeeg klaar is, neem je er met een eetlepel steeds wat uit en omhul je daarmee een voor een de balletjes amandelspijs. Leg de chocolade-amandelballetjes als ze klaar zijn op een niet-ingevette bakplaat. Bak ze 6 à 8 minuten op 175 °C en

leg ze daarna op een rooster om af te koelen.
Druppel er glazuur over of bestrooi ze met poedersuiker.
Goed voor ongeveer 90 koekjes.

Amandelglazuur
Roer in een kommetje 110 gram gezeefde poedersuiker, ½ theelepel amandelaroma en voldoende melk (enkele theelepels) voor een dun glazuur. Je kunt het glazuur eventueel kleuren met voedingskleurstof.

Chocoladeglazuur
Meng in een kommetje 55 gram gezeefde poedersuiker, 2 theelepels cacao en voldoende melk voor een dun glazuur.

Poedersuiker
Neem een grote hersluitbare plastic zak en doe er per keer 30 koekjes in met 220 gram poedersuiker. Schud de zak voorzichtig en haal de koekjes er met een grote schuimspaan uit om het teveel aan suiker te verwijderen.

Charlene stapt zo binnen zonder kloppen of aanbellen, want ze weet dat mijn huis haar huis is. Disney begroet haar met zijn aapje. De laatste keer dat ik haar zag, iets meer dan een maand geleden, waren haar haren lichtbruin, maar nu heeft ze er blonde highlights in laten maken. Ze probeert de draad weer op te pakken. Charlene woont in een stadje op een uurtje rijden van mij vandaan en ze blijft bij me slapen. Haar handtas en haar weekendtas hangen over haar schouder. Ze draagt zwarte jeans en een jeansjack met print. Charlene is nog steeds te mager. De tien kilo die ze is kwijtgeraakt na Luke's dood is ze nog niet aangekomen. 'Eindelijk modieus mager,' had ze gegrapt, 'maar voor een veel te hoge prijs.'

Ze zet haar weekendtas en handtas op tafel, en omhelst me. Ik voel haar schouders schokken van tranen als ze zich in mijn armen laat gaan, en ik omarm haar stevig. 'Zodra ik jou zie, stort mijn dappere façade in.'

Ik houd haar alleen maar stevig vast.

'Ik zeg alsmaar tegen mezelf dat God bij me is en dat Luke bij Hem is.' Charlene maakt zich los uit de omhelzing, recht haar rug en ziet de versierde boom, de pan soep en de koekjes in hun tasjes. 'Je bent al helemaal klaar en het is pas één uur.'

'Ik ben vroeg opgestaan.'

Ze schudt haar hoofd, alsof alleen al de gedachte aan zoveel activiteit haar dodelijk vermoeit. 'Wat is er met je wang?' Ze leunt een beetje naar achteren, inspecteert me met rode ogen en tilt daarna haar hoofd een eindje op. 'Jim heeft je toch niet...?'

Charlene's tweede echtgenoot sloeg haar en ze ontvluchtte hem door onder te duiken met Luke en de toen nog kleine Adam. Ze woonde in die tijd in Los Angeles. Voor haar veiligheid is ze uiteindelijk naar Michigan verhuisd.

'Jim? Nee! Ik stootte me tegen een keukenkastje toen ik de koekjes aan het maken was. Ik had geen tijd om er ijs op te doen.'

'Dat is pas woest kokkerellen.' Hoofdschuddend forceert ze een lachje.

'Het is lang geleden dat ik jou hoorde lachen.'

Ze loopt terug naar haar auto om de tassen met koekjes, een schaal met kaasjes en een doos crackers te halen. De koekjes zitten in plastic zakjes. 'Ik zag geen kans er een andere verpakking voor te kopen. Kunnen we er misschien samen even op uit om iets te zoeken?'

'Goed. Ik wil toch nog wat bloemen halen.' Ik stop mijn tasjes met koekjes in een boodschappentas van de buurtsuper en zet ze in mijn kantoor. We zetten de schaal met kaasjes in de koelkast en Charlene's koekjes op het aanrecht. Ze struikelt bijna over Disney.

'Zo, ik zie dat jij al helemaal feestelijk gekleed bent,' zegt ze tegen hem en hij begint te kwispelen, blij met de aandacht.

Ik heb Charlene leren kennen voor Luke werd geboren. Meer dan een kwarteeuw geleden. Zij en ik gingen met dezelfde man, maar in plaats van ruzie over hem te maken, dumpten we hem allebei, waarna we met elkaar begonnen op te trekken. Ik bezorgde haar een baan bij restaurant Gandy Dancer waar ik ook werkte. Toen leerde ze Luke's vader kennen en verhuisde met hem naar Californië. Ze scheidde van hem en trouwde met Adams vader. Toen Adams vader haar begon te slaan, kwam ze met Adam en Luke terug. Adam is net zo oud als Sky. We hebben twee jaar samengewoond, deelden onze middelen van bestaan en pasten op elkaars kinderen. We gingen allebei naar school. Charlene werd verpleegster en ik werd door het halen van mijn marketingdiploma de eerste in mijn familie met een bachelorgraad. Ze is Sky's tweede moeder en ik ben de tweede moeder van Adam en Luke. Na haar derde huwelijk kwam Diane en volgde een verhuizing naar de andere kant van de staat voor de baan van haar man. Maar ook dit huwelijk werkte niet, en ze scheidde voor de derde keer. Dat is snel verteld, maar bepaald niet snel beleefd: ik vat hier vijftien jaar in een paar regels samen.

'Waarom moet je zo nodig met ze trouwen? Waarom woon je niet gewoon met ze samen?'

'Ik woon met ze samen. En daarna trouw ik met ze. Maar als er kinderen in het spel zijn, voelt het verkeerd om ongetrouwd met een man samen te wonen.'

'Je schoonheid staat je in de weg,' zei ik haar toen. Charlene ziet er volmaakt uit: als Grace Kelly of Diane Lane, maar dan met een krachtig lijf. Wat ze ook aantrekt, ze ziet er altijd elegant uit, met een speciale uitstraling. Zelfs nu, ondergedompeld in haar tragedie, in haar zwarte jeans, T-shirt en denim jack. Toch is ze zich niet bewust van haar schoonheid. Ze is mooi zonder er gebruik van te maken, zonder behoefte er munt uit te slaan. Geen flitsende make-up. Geen sexy lonkende blikken of koket geflirt. Daardoor komen juist mannen op haar af die anders misschien te schuchter zouden zijn om zo'n mooie vrouw te benaderen. Ze wekt eerst hun nieuwsgierigheid en pas daarna hun begeerte, een begeerte die meer gebaseerd is op appreciatie van het subtiele dan van het schaamteloze.

'Ik ben zo stom om te blijven denken dat de liefde alles oplost. Je zou denken dat ik dat toch wel afgeleerd zou hebben na Adams vader.'

Toen ging Luke dood.

Dit is wat er gebeurde.

Luke was een mooie man, met ogen waarin het diepbruin van Charlene en het blauw van zijn vader waren gemengd. Groene ogen, lange wimpers en bruin krullend haar. Lang en gespierd. Een stuk. En met die schoonheid ging hij net zo onverschillig om als Charlene met de hare. Achteloos. Hij was betonijzervlechter. Een baan met genoeg risico om het spannend te houden en voldoende inkomen om er de buitenspeeltjes op na te houden waar hij gek op was. Motoren. Sneeuwscooters. Paarden. Waterscooters. Toen hij stierf was hij net zevenentwintig en net verliefd op Jenny, een iets oudere vrouw met twee kleine kinderen. Ze hadden samen een appartement gehuurd, waren op zoek naar een koophuis en hadden trouwplannen.

Op een winderige dag in mei was Luke aan het werk. Het was nog niet echt zomer, waardoor het laatste beetje winter zorgde voor een kille harde wind. Hij was bezig met de bouw van een nieuw kantoorgebouw, liep over de steiger, en de staven betonijzer reikten tot de zesde verdieping. De staven zorgen ervoor dat het cement, de stapelmuur, de stenen en het hout stevig in de grond verankerd zijn en leveren zo het solide skelet voor de constructie.

Hij was trots op zijn werk: het plaatsen van de staven. Ik vraag me af waar hij op dat moment aan dacht. Dat heb ik nooit aan Charlene gevraagd, omdat ik niet met een nieuwe zorg of obsessie op de proppen wilde komen. Maar dit is wat mij bezighoudt: ik stel me die laatste seconden voor, voordat alles veranderde. Dacht hij aan vrijen met Jenny? Dacht hij aan deze zomer waterskiën? Had hij een lichte kater van de biertjes die hij de avond ervoor met zijn ploeg had gedronken? Misschien dacht hij wel aan iets wat ik me helemaal niet kan voorstellen. Misschien dacht hij na over het plaatsen van de staaf, het dragen van de staaf over de steiger en het lassen ervan. Misschien was er een klodder mayonaise van iemands sandwich gevallen. Misschien wiebelde de steiger door een plotselinge windvlaag net even toen hij een stap deed. Misschien riep iemand naar hem: 'Hé Luke, biertje pakken vanavond?' Of: 'Heb je die wedstrijd van de Tigers gezien?'

Wat het ook was, hij gleed uit.

Hij viel.

Hij werd in zijn val gestopt door de punt van een staaf die in een smeltoven zo scherp als een speer geslepen was. Die staaf bevond zich twee verdiepingen lager, open en bloot.

Die doorboorde zijn onderrug, doorkliefde zijn ingewanden, scheerde langs zijn hart, penetreerde zijn longen en kwam er bij zijn schouder weer uit. Die brak zijn val en daar hing hij dus, boven de grond, aan die staaf gespietst. Daar hing hij, volledig bij bewustzijn. Als ik eraan denk, als ik aan hem denk – die lieve Luke met zijn krullenbos en schandalig lange wimpers ('Een jongen hoort niet zulke wimpers te hebben,' plaagde ik hem altijd) – zie ik hem voor me als Jezus, doorboord en opgehangen. Vastgenageld door die ijzeren staaf met zijn punt in plaats van ijzeren spijkers. Een kruisiging door een hedendaagse constructie in plaats van Romeinse wreedheid.

Daar hangt Luke. Het kan niet anders dan dat hij de staaf ziet, de grond vier verdiepingen lager onder zich, de oploop van mensen die naar hem omhoog kijken. De punt van de staaf die door zijn schouder steekt is misschien zo dichtbij dat hij hem kan kussen. Zijn armen bungelen langs zijn lichaam omlaag. Hij zegt: 'Bel Jenny. Bel mijn moeder.'

Eerst bellen ze 911.

Een van de mannen gaat naar hem toe. 'Hé, Luke. Hier zijn we. Allemaal. We gaan je van die staaf afsnijden, kerel.'

Het duurde twintig minuten voor ze hadden bedacht hoe ze de staaf moesten afzagen en hoe ze hem met die staaf door zijn lichaam bij de ambulance konden krijgen. Ik ga zelfs zover, dat ik me afvraag of de hitte van de lasbrander waarmee de staaf werd afgesneden door zijn hele lichaam trok, of, als ze een zaag hebben gebruikt, dat hij de trillingen daarvan voelde. Ik denk aan die twintig minuten waarin hij daar aan die staaf hing, zich van alles bewust. Ik denk dat ik het me zó sterk voor de geest haal dat ik bij hem ben, dat hij niet alleen is.

Onderweg naar het ziekenhuis belde Charlene me. 'Luke. Hij is op een staaf gevallen en ze hebben hem net losgesneden. Hij is nog bij bewustzijn.'

'Rustig, rustig.' Ik kon haar niet verstaan en ik wist niet of dat kwam door de verbinding of haar gesnik.

'Zo'n staaf betonijzer. Daar zit hij op gespietst, die zit helemaal door hem heen. Dat is wat de man zei. Ze kunnen Jenny niet vinden.'

'Waar is hij? En waar ben jij?'

'Ik ben op weg naar het Saint Joseph Mercy Hospital. Daar wordt hij nu heen gebracht.'

'Ik kom naar je toe.'

Toen ik daar aankwam, zat Charlene in de wachtkamer, met haar handen om de leuningen van haar stoel geklemd. Ze was bleek en haar donkere ogen schoten heen en weer, haar knokkels waren wit van het knijpen in de stoelleuningen. Hoofdschuddend kneep ze haar ogen dicht.

'Ik heb hem net gezien. De dokters proberen te bedenken hoe ze die staaf kunnen verwijderen.' Haar stem piepte en hijgde, ze legde een hand op haar hals, haalde diep adem en begon opnieuw, nu met kalme stem. 'Ze gaan hem opereren. We kunnen hem nog zien. Niemand heeft Jenny kunnen vinden.' Alsof haar door die woorden iets te binnen schoot, pakte ze haar mobieltje en drukte op een snelkeuzetoets. Daarna klapte ze haar mobieltje dicht. 'Ik denk dat ze haar rekening niet betaald heeft. Ik heb haar moeder gebeld, tien boodschappen achtergelaten op haar thuisnummer. Misschien is ze boodschappen aan het doen. Misschien is ze toch aan het werk, hoewel ze vandaag niet zou werken.' Charlene's stem was monotoon.

'Je hebt gedaan wat je kon.'

'Ik heb hem gezien. We hebben gepraat.' Ze keek me aan met donkere glanzende ogen. 'Hij zei dat hij geen pijn had. Eerst deed het pijn, maar nu niet meer. Hij zei dat hij gelukkig was. Dat dit het beste jaar van zijn leven was. Dit jaar, met Jenny en de kinderen. Toen keek hij me aan, deed zijn ogen dicht en zei: "Je bent een fantastische moeder."' Charlene's ogen stonden vol tranen en ook bij mij welden tranen op. Pas toen ze me dit vertelde, begon ik de ernst van de situatie te vatten. Doordat hij bij bewustzijn was, dat hij praatte, dat ze hem hadden losgesneden, en dat hij in het ziekenhuis was, leek het alsof het goed zou komen. Maar Luke besefte hoezeer hij in levensgevaar verkeerde.

De dokters kwamen naar buiten, het waren er vijf. Een man met een regelmatig gebit en grijzend haar stapte naar voren. We liepen naar hem toe. 'Hij is sterk en jong, en daarom leeft hij nog.' Hij knikte naar Charlene. 'We zullen de staaf moeten verwijderen. We hebben overwogen hem er op dezelfde manier uit te halen als hij erin gegaan is, maar we hebben besloten dat het beter is hem open te maken en dan de staaf te verwijderen. Dat wordt een lange en zware operatie en we zullen ons uiterste best doen. Luke is volledig op de hoogte van de mogelijke consequenties en problemen.'

Charlene knikte, in een poging te begrijpen wat dit betekende, hoewel het volkomen duidelijk was. 'Komt het weer goed met hem?' Haar brein kon de verandering die zojuist had plaatsgevonden niet bevatten.

De dokter knipperde. 'Als hij de operatie overleeft, wordt het een lang herstelproces en op dit moment weten we niet welke beperkingen of handicaps hij eraan zal overhouden.' Hij ging op zijn andere been staan. 'Maar uw zoon is vastbesloten.'

De dokter was gewend aan mensen die geruststelling wilden en positieve resultaten die hij niet kon beloven. 'We doen alles wat we kunnen, hij heeft het voordeel dat hij jong en sterk is, en verder moeten we afwachten wat er gebeurt.'

Daar stonden we, Charlene en ik, met onze handtassen stevig vastgeklemd van het ene op het andere been te wippen.

'U kunt nu naar binnen om hem te zien. We hebben hem iets gegeven zodat hij geen pijn voelt en we zullen hem spoedig naar de operatiekamer brengen.' Hij keek op zijn horloge. Zijn haar was heel kort geknipt en zijn hoofdhuid roze. 'Over een kwartier.'

Luke's gezicht was zo bleek dat zijn ogen er felgroen bij afstaken, bijna als glazen poppenogen. Hij lachte, zodra hij ons zag. 'Ha, tante Marn.'

Ik boog voorover om hem te kussen en zijn voorhoofd voelde, ondanks het glimmende zweet, alarmerend koud aan. Hij trok een grijns en glimlachte daarna naar zijn moeder. Ze pakte zijn hand.

'Waar is Jenny?'

'We hebben haar niet kunnen bereiken.'

'O.' Hij zakte weg. Lakens omhulden zijn lichaam zo, dat de contouren ervan bijna overliepen in het witte bed en hij klein en tenger leek. Toen zag ik de staaf uit zijn schouder steken. Roodbruin, roestig. Hard. De ribbels waren zwart en het gaas dat er op zijn huid omheen zat, was roodgevlekt.

'Hebben jullie de dokters gesproken?'

'Ze brengen je over een paar minuten naar de operatiekamer. Ze zeiden dat de operatie lang zal duren.'

Hij keek even naar de staaf die uit zijn schouder stak. 'Het ging net allemaal zo goed en dan... Eén seconde. Eén milliseconde en alles is anders.'

Charlene snikte.

'Maar maak je geen zorgen, ik ga ervoor vechten. Dat ding ging erin en dat heb ik overleefd. Dat hij er weer uit gaat, zal ik ook overleven.' Hij haalde adem en sloot zijn ogen.

Charlene streelde zijn hand en keek toen uit het raam naar de blauwe lucht met wolken en de parkeerplaats van het ziekenhuis die vol stond met pastelkleurige auto's, die als rechthoekjes in de voor hun bestemde rechthoeken stonden, waarvan de witte lijnen op het zwarte asfalt geschilderd waren. Eindeloze rechthoeken met eindeloze lijnen. Ze draaide zich weer om naar haar zoon. 'We krijgen je er doorheen. Je bent een vechter.'

'Ik ben zo moe.' Langzaam, alsof zijn vastbeslotenheid en verwondingen al zijn energie opgebruikt hadden, draaide hij zijn hoofd naar haar toe. 'Dit is een goed jaar geweest. Een cadeautje.' Daarna draaide hij zich naar mij en zei: 'Jij zorgt voor haar, hè?'

Ik keek hem aan. Eerst wilde ik iets geruststellends en optimistisch zeggen, zoals 'jij zult zelf voor haar zorgen' of 'ze kan goed voor zichzelf zorgen, want dat heeft ze altijd gedaan', maar ik realiseerde me wat hij vroeg. Ik knikte en zei: 'Natuurlijk, Luke. Natuurlijk. We zorgen voor elkaar. En ook voor jou.'

Hij begreep wat ik bedoelde en ik begreep wat hij vroeg.

Het leek alsof hij in slaap viel, want zijn ademhaling werd zwaarder. Charlene en ik stonden aan weerszijden van het bed en hielden allebei een van zijn handen vast. In de hand die Charlene vasthield zaten de slangetjes van het infuus. Het licht was heel gedempt. Zo'n moment waarop alles roerloos is, zelfs de lucht zwaar lijkt, stofjes niet meer dansen in de zonnestralen en de wereld zijn adem inhoudt.

Luke deed zijn ogen open en zei: 'Zeg Jenny dat ik van haar hou. En bedank haar dat ze in mijn leven is gekomen. Misschien is het eigenlijk wel zo goed dat ze niet hier is. Ik wil niet dat ze me zich zo herinnert. En jullie ook niet.' Hij deed zijn ogen weer dicht en schraapte zijn keel. 'Zeg haar, als ik het niet haal, dat ik over haar zal waken. En dat ze door moet gaan en moet zorgen voor een gelukkig leven. Een gelukkig leven voor ons allebei.' Hij slikte.

Charlene liet haar hoofd hangen, zodat haar haren voor haar gezicht vielen. Ze kneep in zijn hand.

'Als ik hier niet meer ben om jullie de liefde, het plezier en de lol te geven die ik jullie wilde geven, dan zullen jullie het zelf moeten doen... dan moeten jullie het voor mij doen.' Luke zoog lucht naar binnen.

'Zeg haar dat. En zeg het tegen jezelf, mam.'

Charlene legde haar hoofd op zijn bed en ik zag aan haar schokkende schouders dat ze huilde. Ik wist ook dat ze niet wilde dat hij het zag, vastbesloten om uiterlijk sterk en optimistisch te blijven. Door wilskracht en moederliefde zou alles goed komen. Hij zou door de operatie heen komen en weer aan het werk gaan, weer op zijn motoren en zijn sneeuwscooters rijden. Dit zou een van die nachtmerries zijn die je met bonzend hart doorstaat, maar als de nachtmerrie eenmaal voorbij is, neem je de draad van het gewone leven weer op en vergeet je hem weer.

Tranen stroomden over mijn wangen. Pas een paar maanden daarvoor had Sky haar baby verloren. Ik dacht aan die geboorte, dat afschuwelijke baren van de dood, en nu dit. Luke zag er vredig uit. Dat kwam door de morfine, hield ik me voor. Luke leek het bewustzijn te verliezen of in slaap te vallen. 'Ik denk dat hij gaat uitrusten om zijn krachten te verzamelen.'

Charlene reageerde niet. Ze bleef met haar hoofd op zijn bed liggen en kuste zijn hand.

De verpleegsters kwamen binnen en zeiden: 'Het is tijd om te gaan.'

Luke werd wakker en legde zijn hand op zijn moeders haren. Ze tilde haar hoofd op en ze keken elkaar aan. De spanning tussen hen was voelbaar. 'Liefde gaat niet dood. Je weet dat ik altijd bij je zal zijn. Hè, mam?'

'Ja, Luke.' Het laatste woord stokte in haar keel en terwijl ze hem wegreden, bleef ze daar zitten, met lege handen. 'En ik zal altijd bij jou zijn. Je kunt niet doodgaan.'

Hij stierf niet op de operatietafel.

Hij overleefde de operatie, maar kwam niet meer bij bewustzijn. We wachtten. Toen was Jenny ook bij ons, terwijl we tussen zijn kamer, de wachtkamer en de kantine heen en weer zwierven. Op die bewuste dag had ze toch naar haar werk gemoeten, omdat een collega ziek was geworden. In haar haast om de kinderen naar de crèche te brengen en naar haar werk te gaan, had ze haar telefoon thuis laten liggen. Toen haar moeder haar voor de eerste keer op haar werk probeerde te bellen, was ze net aan het lunchen. Jenny arriveerde in het ziekenhuis vlak voor hij naar de operatiekamer werd gereden. Ze liep met de brancard mee en herhaalde steeds maar weer: 'Ik hou van je.'

Na de operatie zong Charlene 'Puff the Magic Dragon' en 'Blackbird' voor hem, de liedjes waar hij als kind zo gek op was.

Jenny vertelde moppen die ze van internet geplukt had. Adam zette zijn iPod voor hem aan. Diane las hem het boek voor waar hij in bezig was geweest. We haalden herinneringen op aan vroeger, zoals die keer dat Sky en hij vroeg waren opgestaan en hadden bedacht dat ze wentelteefjes voor ons gingen maken. Ze mochten het fornuis niet aanzetten, dus we kregen ongebakken wentelteefjes: sopperig brood dat dreef in een plas stroop.

Jenny lachte, maar Luke bewoog niet.

Vijf dagen lang. Totdat het duidelijk was dat de Luke in het ziekenhuisbed niet meer was dan zijn lege huls en dat zijn geest was opgestegen.

'Hij is bij me,' fluisterde Charlene. 'Precies zoals hij beloofd heeft. Ik voel hem.'

Sky kwam naar de begrafenis, alweer een begrafenis, te snel na de dood van haar baby. Daar zaten we dan, van middelbare leeftijd en worstelend met onrechtvaardige sterfgevallen. Het hadden onze ouders moeten zijn – Charlene's moeder leefde nog – of oudere vrienden. Niet onze kinderen. Niet onze kleinkinderen. Dat was de wereld op zijn kop.

Een maand of zo na Luke's dood vertelde Charlene dat ze naar de bouwplaats was gegaan. Ze ging op een zondag, omdat er dan niemand was. Luke vond het heerlijk om buiten te zijn en dat was een van de redenen waarom hij betonijzervlechter was geworden. Ze wilde per se zien wat zijn laatste uitzicht was geweest. Het was zo'n mooie junidag waarop de vogels uitbundig zingen en het warm en vochtig is, maar nog niet zo drukkend heet als midden in de zomer. Ze sleepte een ladder de trappen op naar de verdieping waar hij had gehangen en zette die tegen het staal. De hoogte en de nog open zijkanten van het gebouw maakten haar duizelig. Maar het kon haar niet veel schelen als ze zou vallen. Ze haalde diep adem en deed haar ogen dicht. Haar angst werd overstemd door haar behoefte om bij hem te zijn, om zijn laatste momenten mee te maken, zodat hij ze niet alleen had hoeven doorstaan, dat ze daar samen geweest waren.

Op de voorlaatste sport van de ladder was ze op de hoogte waar hij aan de staaf gespietst had gehangen, en zag ze wat hij had gezien. Een open veld strekte zich voor haar uit naar een rij bomen in de verte. Een briesje liet het gras golven. Een paar onschuldige madeliefjes knikten met hun kopjes. Hij had dus een groen veld gezien en niet het geraamte van het gebouw dat hij aan het bouwen was. Je zag de hand van God op aarde, dacht ze terwijl ze van de ladder af klom en in zich opnam wat er nog van Luke's geest rondwaarde tussen de staven die hij had geplaatst, de steiger waar hij op geklommen was en de richel waar hij op gezeten had om zijn lunch te eten.

Ze was teruggegaan naar haar auto.

Dat was zeven maanden geleden. Nu zitten we in mijn keuken en de koekjesclub begint over vijf uur. 'Wat voor koekjes heb je gemaakt?'

'Van die chocolade truffeldingen. Ik had geen zin om een nieuw recept uit te proberen.'

'Die vindt iedereen heerlijk.'

'Ik mocht het feest niet missen, want dan verlies ik mijn plek.'

'Jij bent een van de oudste leden. Ik zou jouw koekjes gemaakt hebben en gedaan hebben alsof het de jouwe waren.'

'Ik probeer door het leven te gaan alsof alles normaal is. Zoals het vroeger was.'

'Hoe gaat het met Adam en Diane?'

'Diane heeft het druk met tiener zijn, alsof daarmee alles weer goed komt. En Adam?' Ze kneep haar lippen samen. 'Hij is nu minder somber. Hij heeft eindelijk een baan gevonden als paardentrainer.'

'Heb je honger? Wil je iets voor we gaan winkelen?'

Charlene trekt hoofdschuddend haar neus op. 'Ik heb nooit honger.' Dan schrikt ze ineens op, alsof ze iets vergeten is. 'Hoe is het met Sky? Zou ze vandaag niet de uitslag van de testen krijgen?'

'Pas vanmiddag laat. Haar tijd. Waarschijnlijk tijdens het feest.'

Ze haalt diep adem. 'Ik hoop zo dat het dit keer goed is.'

'We konden geen van tweeën slapen. Ze belde me om vier uur vannacht haar tijd.'

'Ik heb voor haar gebeden. Voor jou ook.'

'We kunnen allebei wel wat goed nieuws gebruiken,' zeg ik eerst, en in tweede instantie: 'Wij allemaal trouwens.'

'Wat doet ze vandaag?'

'Ze werkt gewoon. Ze heeft haar telefoon de hele tijd bij zich en schiet elke keer overeind als hij gaat. Ze probeert niet aan de uitslag te denken.'

'Het komt goed met Sky. Zeker weten.'

'Maar dat weet zij nog niet. En het komt goed op een andere manier.'

Ze knikt. 'Je kunt op een heleboel manieren moeder zijn.'

'Ze hebben de normale manier nog niet opgegeven.' Ik kijk op mijn horloge. 'We moeten gaan.'

Als Disney ziet dat ik mijn jack aantrek, kijkt hij me met zijn kop omlaag vanonder zijn oogleden aan. 'Nee. Je mag niet mee. Dit keer niet. Bovendien heb je werk te doen. Zorg dat het stof niet naar beneden valt, Disney,' zeg ik. Hij kwispelt. 'Die hond is kampioen in het opwekken van schuldgevoelens.'

Het is opgehouden met sneeuwen en de zon piept door de dikke wolkenlucht heen. Ik kijk omhoog om zijn warmte te voelen. 'We moeten van die zon genieten,' zeg ik meer tegen mezelf dan tegen Charlene.

Charlene rijdt haar auto achteruit de besneeuwde straat in. 'Waar gaan we eerst heen?'

'Laten we eerst in de buurt kijken.'

'In de buurt' is bijna een kilometer ver. We rijden tussen bomen door die doorbuigen onder het gewicht van de sneeuw, recht het langgerekte winkelcentrum in. 'Wil je eerst de dollarwinkel proberen?'

'Ja, hoor,' zegt Charlene.

We dwalen door de gangpaden en ze twijfelt over glimmend rode zakjes, maar vindt dan blauwe trommeltjes met dansende sneeuwpoppen tussen dennenbomen. Er zijn er maar zeven en daarom zoekt ze er nog zes uit met een rand van kleurig versierde dennenbomen.

Ze rijdt met haar winkelwagen naar de kassa terwijl ik bij elkaar passende papieren borden en servetten pak.

Het kassameisje pakt de trommeltjes met de dansende sneeuwpoppen. 'Die zijn zo cool,' zegt ze dweperig. Ze heeft lange gebogen kunstnagels die met zwarte en gouden streepjes gelakt zijn en die tegen de trommeltjes tikken. 'Die wil ik voor mijn moeder.'

'Ik heb de laatste gepakt. Maar er zijn er nog een heleboel met de kerstbomen.'

Ze pakt er een met de versierde kerstbomen en haalt haar schouders op. Tikt met haar nagels op de kassa om de geldla te openen.

De aankopen liggen in de achterbak en Charlene vraagt: 'Waar nu heen?' Ze kijkt op haar horloge. 'Denk je dat we genoeg tijd hebben voor de *Crazy Wisdom*?'

'Ja, hoor.'

Het is niet druk op maandagmiddag en we vinden een parkeerplaats op Main Street. Het centrum is versierd voor de feestdagen. Een kunstenaar heeft witte hulstblaadjes en tere rode besjes op de etalageramen gespoten. De kerstboomlichtjes schitteren onder het sneeuwdek. Kerstkransen hangen om de straatlantaarns. Op de etalage van *Crazy Wisdom* staat Aardse Sier en Etherisch Plezier. De boeken, sieraden en allerlei kleine hebbedingetjes zijn omgeven door de geur van wierook en geparfumeerde kaarsen. Sinds de dood van Luke komt Charlene hier, op zoek naar iets: de hoop op eeuwigheid, het onuitputtelijke arsenaal raadgevingen van goden, de belofte van verlossing door boeddhisme, christendom, kristallen, heidendom, kabbala en I Tjing.

Ze pakt eerst een beeldje van Ganesha op, met zijn zwaaiende slurf en armen, en daarna eentje van Yemayá, de Afrikaanse zeemeermingodin. Er staat een draairek met amuletten, runentekens, Chinese geboortejaren, tekens van de dierenriem en dierengeesten.

Ze doet een boek open. '*De dood is de transitie van het leven. En het leven is de aaneenschakeling van heel veel kleine transities,*' leest ze hardop met haar hoofd schuin. 'Wat vind je daarvan?'

'Het leven is meer.'

Ze knijpt haar ogen halfdicht. 'Af en toe pareltjes van vreugde.' Ze doet het boek dicht. 'Zie je, ik weet heus nog wel dat geluk mogelijk is.'

Ze loopt naar de wierook, pakt er een op die 'regen' heet en ruikt eraan. 'Eerst heb ik gemediteerd om Luke te vinden. Alsof hij daardoor met mij in contact zou komen en een boodschap aan me zou overbrengen. En dat ik hem zo weer terug zou krijgen.' Ze legt de wierook terug op zijn plaats en ruikt aan een kaars met dennengeur. 'Nu mediteer ik om rust te vinden.' Ze kijkt me aan. 'Misschien ook om aan deze wereld te ontsnappen, of om mezelf te vergeten. Of alleen maar om in het oneindige nu te bestaan, zonder verleden of toekomst.' Ze draait zich om en loopt weg naar een andere afdeling, pakt een boek met een afbeelding van de maan erop, doet het open en zegt: 'Hé, Marnie.'

Ik kijk naar een doos met prachtig getekende kaarten met dierengeesten.

'Moet je deze horen. "*Het zintuiglijk leven is een hebzuchtig leven: het wil meer en meer. Het geestelijk leven vraagt minder en minder: tijd is overvloedig en het verstrijken ervan is heerlijk.*"' Ze doet het boek dicht en herhaalt: '*Tijd is overvloedig en het verstrijken ervan is heerlijk.*'

'Er staat niet dat het geestelijk leven moeilijk is. Er is zoveel om achter je te laten en zoveel om je aandacht op te concentreren.'

'Het is allemaal moeilijk.' Met hangende schouders schuift Charlene het boek weer op zijn plek.

'Misschien is het een kwestie van evenwicht: geest, hebzucht, liefde en plezier.' Ik zeg even niets en voeg er dan aan toe: 'En vergeet niet regelmatig aan lichaamsbeweging te doen en je tanden te flossen.'

Ze lacht.

Ik vind een kaartspel met erotische standjes en kijk er vluchtig doorheen om te zien of er standjes bij zijn die Jim en ik nog niet hebben gedaan. Charlene gluurt over mijn schouder naar een tekening waarbij de vrouw haar benen om de rug van de man klemt en de man met zijn handen haar billen omvat en haar zo optilt. Ik schud mijn hoofd. 'God. Dat heb ik niet gedaan sinds Stephen.'

Charlene lacht. 'Ik ook niet.'

Ik zet grote ogen op.

'Ik bedoel, sinds de tijd dat jij met hem was. Daar kunnen Jim en jij nu lol aan beleven.'

'Of een simultane hartaanval van krijgen.' Maar ik denk aan wijn, kaarslicht, gekke muziek en een spelletje dat we samen zouden kunnen doen, dat ons naar het einde van de wereld voert. Steeds een kaart trekken en die het verloop laten bepalen tot de speelse seks uitmondt in het bedrijven van de liefde en het tonen van gevoelens en volwassen aanvaarding. Ik denk terug aan mijn droom van vanmorgen. 'Ja. Dit zou een van zijn kerstcadeaus kunnen zijn, met daarbij de belofte om een paar van deze suggesties in de praktijk te brengen.'

Ze komt dichter bij me staan. 'Ik heb je nog nooit zo verliefd gezien.'

'Ja. Het gaat goed tussen ons.' Maar dan voeg ik aan mijn montere reactie toe: 'Ik zie hem niet genoeg. Alles werkt tegen.' Op mijn vingers tel ik de lijst met hindernissen. 'Het vliegtuig is vertraagd, zijn zoon wordt ziek, de kelder loopt onder, of hij heeft een spoedvergadering in Denver.' En dan spreid ik mijn handen open, met de palmen naar boven. 'Onze kansen gaan steeds voorbij. En dat gebeurt soms twee weken achter elkaar.'

Ik prop de kaarten terug in het doosje. 'Ik weet dat hij me wil zien. Maar ik heb het gevoel dat ik helemaal onder aan zijn lijst sta. Onder de kinderen, zijn werk, zijn huis... al zijn verplichtingen. Ik zie hem niet genoeg. Maar ik wil geen veeleisende zeur zijn.'

'Het is wel een beetje wonderlijk, hè? Jij voelt je nu op dezelfde manier verwaarloosd als de mannen met wie je na Stephen ging.'

'Dat heb ik mezelf al zo vaak voorgehouden. Misschien komt het door mijn angst voor intimiteit. Eerst gebruik ik mijn eigen verplichtingen als excuus, en zodra die verdwenen zijn zoek ik een man uit met diezelfde verplichtingen. Draait het leven mij een loer of is het gewoon mijn eigen psyche?'

'Heb je het er met hem over gehad?'

'Niet echt. Onze tijd samen is zo beperkt door zijn leven op dit moment.'

'Heb je al tegen hem gezegd dat je van hem houdt?'

'Van hem hou?'

Charlene weet dat ik dat sinds Alex nooit meer tegen een man gezegd heb. 'Jazeker.' Ze geeft me een knuffel. 'Wees niet zo bang.' Ze legt de kaars met dennengeur neer die ze alsmaar in haar hand heeft gehouden. 'Moet je zien wat we allemaal doormaken, zelfs als we geen risico's nemen.'

'Ah, maar liefde is het allergrootste risico.'

'Als jij nou dat kaartspel gaat betalen, loop ik vast naar boven.'

Bij de kassa staat een grijsgroene celadon schaal met engelenkaarten. Ik doe mijn ogen dicht en trek er een uit waarop 'verwachting' staat. Daarna loop ik de wenteltrap op, die vol staat met Boeddha- en Isisbeelden, naar het theehuis. Op het menu staat een duizelingwekkend assortiment aan theesoorten, dagelijks vers bereide soepen, sandwiches en taartjes. Aan de muur hangen aankondigingen van folkzangers, verhalenvertellers, tarotkaartlezers en spiritistische mediums die in het theehuis zullen optreden, naast het rooster van de discussiegroepen en bijeenkomsten. Een slanke man met grijs haar zit over een krant gebogen aan een tafeltje bij het raam.

Charlene en ik bestellen thee die 'Wolken en Mist' heet en ik bestel ook een veganistische Ding Dong.

De man die bedient heeft wit geblondeerd haar en oortjes in. Als hij de thee komt brengen zegt hij: 'Laat hem niet te lang trekken, anders wordt hij bitter.' De thee zweeft in een zakje dat met de hand is dichtgebonden. Ik wijs naar de Ding Dong van chocolade. 'Jij helpt me hier toch zeker mee?'

'Je probeert me gewoon aan het eten te krijgen.'

'Betrapt,' biecht ik op, terwijl ik een hapje neem.

Charlene pakt de andere vork en begint te eten.

'Af en toe lach je weer. Je begint er doorheen te komen.'

Ze kijkt op met half toegeknepen ogen. 'Ik had het niet in de gaten, maar er zijn nu momenten, fracties van een seconde, dat ik niet aan hem denk. Dat ik niet het beeld voor me zie van Luke die aan die staaf hangt, dat ik me niet de blik in zijn ogen voor de geest haal toen hij zei dat ik een goede moeder was. En bovendien is het zo zwaar geweest met Adam, door zijn depressie, door zijn hardnekkige volhouden dat het hem had moeten overkomen, en door zijn gezuip, dat ik nu aan het eind van mijn Latijn ben.' Ze roert in haar thee. 'Maar ik denk dat hij nu misschien door het ergste heen is. Hij vindt zijn nieuwe therapeut aardig en gaat naar bijeenkomsten van de AA. En hij vindt het heerlijk om met paarden bezig te zijn.'

'Het is pas zeven maanden geleden. Nog niet eens een jaar.'

'Ik zie ontzettend op tegen kerst en oud en nieuw. En zijn verjaardag in februari.'

'Je moet vooral niet doen alsof er niets veranderd is. Praat over hem.'

'Dat kunnen we toch niet laten.' Ze prikt nog een hapje van de taart op haar vork, maar vergeet het op te eten. 'Ik dacht eraan een kaars aan te steken die symbool voor hem staat, zodat we weten dat zijn geest bij ons is.'

Ik knik. 'Vind je het fijn als ik even kom? Ik zou op kerstavond eventueel kunnen, als Tara's baby zich tenminste houdt aan zijn uitgerekende datum. En dan rij ik de volgende ochtend weer terug.'

'Wil je dat wel?'

'Als ik kan... ik weet ook nog niet wanneer Sky en Troy komen.'

'Bij de kinderen kan ik niet huilen; ze zijn bang dat ze niet alleen Luke maar ook mij kwijt zijn, dat ik voor altijd zal huilen.' Ze bijt op de binnenkant van haar lip en tranen komen in haar ogen. 'Diane is vastbesloten om van alles te genieten wat tieners horen te doen: feestjes, afspraakjes en footballwedstrijden. Ze is bijna altijd op pad met haar vrienden. Dat is blijkbaar haar manier om het te verwerken. Ik moest een keer huilen en toen vroeg Adam of ik naar Luke wilde gaan. "Nog niet. Nu niet," zei ik. Misschien is die depressiviteit van hem wel zijn manier om bij Luke te zijn. Of zijn tactiek om mij hier te houden.'

'Jij gaat helemaal nergens heen.'

'Ik kan niets anders doen dan verder ploeteren. Hoe en waarom dan ook.' Ze zwijgt en zit daar met opeengeklemde lippen alsof ze naar de fluitmuziek op de achtergrond luistert. Manden met klimplanten hangen voor het raam in houders van macramé.

'Shit. Ik weet ook niet hoe ik je kan helpen.'

'Gewoon bij me zijn, naar me luisteren en met me huilen. Dat is alles. Dat is liefde.'

Ik bedenk voor de zoveelste keer dat Charlene de grootste angst van elke moeder nu aan den lijve ondervindt. Het maakt me bang en ik moet elke keer denken aan mijn eigen geluk.

'Soms denk ik wel eens dat God wilde dat Luke bij Hem kwam. Dat is een troostende gedachte.' Ze kijkt me in de ogen alsof ze een antwoord op een vraag verwacht. Dan gaat ze verder. 'Mensen zeggen dat ze het zo erg vinden dat hij niet de kans heeft gekregen om het volle leven te leven. Je weet wel: met Jenny trouwen, misschien samen kinderen krijgen, samen oud worden, en zo. Maar ik vraag me nu wel eens af, waarom we zo nodig moeten volhouden dat het volle leven tachtig jaar duurt en dat alles wat korter duurt oneerlijk is. Dat was zíjn leven. Die zevenentwintig jaar. Dat was zíjn volle leven.'

'Zo heb ik er nog nooit over gedacht. De tijd bepaalt niet of een leven vol is. Je leven zo vol mogelijk leven maakt het vol.' Ik neem een slok thee. 'Herinner je je Doobie nog?'

'Die dikke grijze kat?'

'Ja, die is tweeëntwintig geworden. Een lang leven voor een kat. Maar die deed niets anders dan slapen. 's Winters verhuisde ze van het ene verwarmingsrooster naar het andere. Ze heeft twintig jaar geslapen en twee jaar geleefd.' Ik haal mijn schouders op. 'Maar ja, dat is wat ze wilde. Wie zijn wij om daarover te oordelen?'

Het stukje taart zit nog steeds aan de vork in haar hand geprikt en dan stopt ze het uiteindelijk in haar mond. 'Ik kan nu tenminste slapen. En werken helpt. Net als koekjes bakken.' Ze lacht. 'Ook al kostte me dat gisteren de hele dag.' Dan legt ze zwijgend en hoofdschuddend haar hand op de mijne. 'Ik ben zo blij dat ik jou heb.' Haar ogen zijn een beetje vochtig.

Ik knijp in haar hand. 'Ik ook. We zijn toch een soort zielsverwanten, door de jaren heen. Daar heb je er maar een paar van. Jij, Allie, Juliet, Tracy. Mensen die er altijd zijn en die je echt alles kunt vertellen.'

Met veel papiergeritsel vouwt de man zijn krant dicht en loopt langs ons weg. Zijn actie herinnert me aan de dag die voor ons ligt. 'Hé, we moesten nu maar bloemen gaan kopen. Dat zou ik glad vergeten.' Onderweg naar buiten pakt Charlene het boek weer en koopt het.

In de Fresh Seasons versmarkt loopt een winkelbediende achter een kar vol rozen en propt die vervolgens in emmers water. Anjers, irissen, gipskruid, hulsttakken en gemberbloemen staan in emmers water op de grond. Ik haal er een gemberbloem uit, een paar takken met miniatuur rode roosjes en witte anjers. Ik koop ook nog een extra fles chardonnay. De caissière pakt de bloemen in groen papier, doet er een zakje bloemenvoedsel bij en bindt alles vast met raffia.

We verpakken Charlene's koekjes in vloeipapier en stoppen ze in de trommeltjes met de sneeuwpoppen en de kerstbomen. Daarna gaan de trommeltjes in boodschappentassen, die we naar mijn kantoor brengen. Op de tafel ligt een bordeauxrood kleed en de gemberbloem staat midden op tafel in een slanke vaas. De rozen en anjers gaan in een rode bolvaas op de salontafel, op een paar na die ik naast mijn bed zet in zo'n vaasje met gaatjes voor de bloemen. Eén roos staat nu in een smal eenbloemsvaasje in de badkamer.

Dan is het tijd om te douchen. Als ik aangekleed ben, zit Charlene opgekruld op de bank te lezen. 'Hier is je krant.'

De voorpagina meldt corruptie onder ambtenaren, minder uitgaven op Cyber Monday – de dag waarop de kerstverkoop begint – en de voortdurende wederzijdse kritiek en verwijten tussen werkgevers en werknemers.

'Ik ging altijd naar de drogist. Ik weet hoe je van blauwe plekken af moet komen.' Charlene rolt met haar ogen en ik besef dat ze het heeft over de jaren waarin ze werd mishandeld. 'Geel camoufleert blauw, groen camoufleert rood. En dat is blauw.' Ze wijst naar mijn wang.

Ik was het glad vergeten.

In het felle licht boven mijn badkamerspiegel kijk ik er voor de eerste keer naar. Het ziet eruit of ik een stomp heb gehad. 'Het kleurt mooi bij mijn ogen en mijn witte haar komt er goed bij uit.'

'Je wilt er toch niet de hele avond vragen over krijgen?'

Een kwastje met geel wordt over mijn wang gehaald.

'Kijk. En dan doe je er camouflagecrème op.' Charlene doet er lichtbeige overheen. 'Voilà! Weg blauwe plek. Kijk maar.'

De blauwe plek valt inderdaad minder op.

'Je had er ijs op moeten doen.'

'Ik was bezig met koekjes bakken en bellen met Sky. Mijn wang was even niet belangrijk.' Met een sponsje smeer ik make-up op. 'Het doet geen pijn. Niet echt.'

'Soms moet je jezelf op de eerste plaats zetten.'

'Ja, vast.'

Ik buig naar voren om wat oogschaduw op te doen, trek een streepje eyeliner op mijn onderste ooglid en doe mascara op, met zachte rukjes van het borsteltje om geen klontjes te krijgen. Een zwarte broek en een nieuw rood T-shirt met vage zwarte strepen, wat lovertjes en kraaltjes, zijn perfect voor vanavond. Ik borstel mijn haar los, inspecteer mijn tanden en mijn nagels, en doe zilveren oorbellen in. Door mijn witte haar komen mijn blauwe ogen mooi uit. Ik denk dat ik het langer laat groeien. Misschien vraag ik Laurie wel of ze nog wat platina highlights maakt.

Ik bel Sky op haar mobieltje. 'Hoe gaat het?'

'Ze heeft nog niet gebeld.'

'O.'

'Ik hoopte dat jij haar was.'

'Sorry, nee dus. Ik bel alleen maar om te vragen hoe het met je gaat.'

'Ik blijf maar hopen dat "vanmiddag" meer in de buurt van twaalf dan van zes uur is.'

Ik hoor iemand op de achtergrond zeggen: 'Hier is dat citaat dat je wilde hebben.' En Sky, gedempt: 'Dank je.'

'Dat klinkt alsof je bezig bent.'

'Ik doe mijn best... en het werkt, grotendeels. Ik probeer er niet aan te denken en door te werken.'

'Charlene is er en we zijn ons net aan het aankleden voor het feest.'

'O, kan ik haar even gedag zeggen?'

'Ze staat net onder de douche. Ga jij maar met dat citaat aan de slag. Bel me als je iets weet, oké?'

'Natuurlijk.'

'Beloofd?'

'Ja, mam.'

Ik steek kaarsen met cranberrygeur aan op het keukenaanrecht en in de woonkamer, en zet daarna mijn iPod op shuffle in het dockingstation. Een lekkere beat zet in en ik wervel door de keuken alsof Jim mij ronddraait. Intussen pak ik wijnglazen en een schaaltje met versierseltjes die je om de steel van je glas doet, zodat je de hele avond hetzelfde glas kunt gebruiken. Ik pureer de soep in de keukenmachine, giet hem weer terug in de pan, zet hem op een laag pitje en strooi er gehakte basilicum over. Ik dek de tafel voor het buffet en zet kommen naast de soeppan.

Als alles klaar is en ik wacht tot mijn vriendinnen komen, popel ik elk jaar weer van verlangen. Ik ben er klaar voor. Mijn huis wacht op mijn gasten met een potpourri aan geuren van koekjes, soep, cranberry en rozen. Het bed wacht op een berg jassen, sjaals en mutsen. Mijn kantoor heeft plaats voor een heleboel tassen die bol staan van de koekjes. De kerstboom staat er als voorbode van Kerstmis, vrolijkheid en plezier. Buiten dwarrelt de sneeuw in duimgrote vlokken.

De mise-en-scène is klaar.

Mijn vriendinnen komen straks een voor een binnen en dan is het gedaan met de rust. De een komt verfrist en opgetut van huis, de ander rechtstreeks van haar werk. De een stopt bij een winkel om hapjes of wijn te kopen. De ander komt binnen met de koekjes en een fles wijn die ijskoud is, omdat hij de hele dag in de auto heeft gelegen. Maar allemaal brengen ze een sfeer van verwachting en enthousiasme met zich mee. En ongedwongenheid, want onder elkaar kunnen we onszelf zijn. We kennen elkaar al te lang en hebben al te veel meegemaakt om nog enige schroom of reserve te hebben. We hebben elkaars kinderen zien opgroeien, relaties kapot zien gaan, nieuwe relaties zien ontstaan, promoties op het werk, verandering van baan, ziektes en operaties, rimpels, uitdijende buiken en borsten. We hebben te maken gehad met overspel en ruzies. Maar dit jaar is er sprake van extra spanning en ik heb geen idee hoe Jeannie en Rosie zich zullen houden.

De douche houdt op en ik hoor Charlene bezig in de badkamer: ze smeert zich in met bodylotion, kamt haar haren en daarna begint de haardroger te blazen. Even later komt ze tevoorschijn in een zwarte outfit en een jasje met luipaardprint. 'Je ziet er desondanks goed uit.'

'Huh?'

'De blauwe plek op je wang.'

Mijn hand schiet omhoog. 'Dank je. Jij ook. Desondanks.'

Ze licht haar hoofd op en klemt haar lippen op elkaar... een gebaar waarmee ze aangeeft dat ze het onvoorstelbare 'desondanks' begrijpt, waar ik op doel.

Ik schenk een glas wijn in voor haar en voor mezelf. Ik doe een sneeuwpopversierseltje om de voet van mijn glas. We gaan naast elkaar op de bank zitten met onze voeten op de salontafel. 'Op ons,' zeg ik. Disney springt naast me op de bank en legt zijn kop op mijn dij. Ik aai zijn zachte oren.

'Op vriendschap,' voegt zij eraan toe. We klinken en drinken.

AMANDELEN

Charlene's oudere broer heeft in Vietnam gevochten. Een paar jaar geleden is hij teruggegaan en bracht hij een bezoek aan de gevangenis die het Hanoi Hilton wordt genoemd. Op de binnenplaats kronkelde een amandelboom zich vanuit het cement omhoog. Op een bordje ernaast stond uitgelegd dat gevangenen de noten van de boom als voedselbron gebruikten, de bast om dysenterie te genezen en wonden schoon te maken en de bladeren om de pijn van zweren te verzachten. Het hout werd gebruikt om pijpen en fluiten van te maken. De boom zorgde voor schaduw in de vochtige hitte. Terwijl Charlene balletjes rolde van de amandelspijs, herinnerde ze zich de foto van die boom en dat bordje, die haar broer haar had laten zien. Ze moest denken aan die boom, met zijn oude bast en barmhartige bladerdak, die zoveel troost en verlichting had geboden.

En voor mij behoren amandelen - geroosterd, gezouten of gemalen tot spijs - tot mijn favoriete voedsel. Ik weet nog dat ik als klein meisje eens marsepeinfruit zat te bekijken. Dat was gekneed tot sinaasappeltjes, beschilderd met bakkleurstof en we kregen het altijd met Kerstmis als lekkers. Later kwam ik erachter dat de smaak van roosjes op de taart die van amandelspijs was, als ik de gelukkige was die er één kreeg, en sinds ik volwassen ben vind ik het heerlijk om taarten te versieren met uit marsepein gesneden blaadjes en geknede bloemen.

Oorspronkelijk afkomstig uit India en de streken ten oosten van Syrië en Turkije, waren amandelbomen een van onze eerste geteelde fruitbomen. Het dagelijks gebruik ervan was een bewijs van het vernuft van onze voorouders. In hun wilde vorm kunnen amandelen namelijk cyaankali bevatten, maar onze vroege voorouders haalden het gif uit de noten door ze te roosteren. Gekweekte amandelen zijn niet giftig. Men denkt dat zich ooit een algemene mutatie heeft voorgedaan en dat de mensen door dit gelukkige toeval een niet-giftige soort amandelen verkregen. Ze waren makkelijk te kweken, omdat ze vrucht uit zaad dragen en enten dus niet nodig is. Amandelen werden al meer dan vijfduizend jaar geleden voor het eerst geteeld. Ze werden gevonden in de tombe van Toetanchamon in Egypte en ook worden ze genoemd in de Bijbel, wanneer op wonderbaarlijke wijze bloemen en vruchten uit Aarons staf spruiten.

Amandelen zijn vruchten die verwant zijn aan kersen, abrikozen en pruimen. De 'noot' die we eten is het zaad. Het vruchtvlees wordt een harde bolster om het zaad heen. Er bestaan twee soorten. De soort met roze bloesem geeft zoete amandelen, en de soort met witte bloesem geeft bittere amandelen. Bittere amandelen bevatten de chemicaliën, waaronder cyaankali, van de wilde amandel en worden voor medische doeleinden gebruikt. In grote doses kunnen ze dodelijk zijn. Het zijn de zoete amandelen waar we geroosterde en gezouten amandelen van maken, marsepein, baklava, meringues, koekjes, taartjes; de geur ervan wordt gebruikt voor aromatherapie. Amandelen worden tot meel gemalen voor mensen met coeliakie en tarweallergieën. Er wordt pasta van gemaakt voor mensen met pinda-allergieën en het wordt gebruikt als melkvervanger voor mensen met een lactose-intolerantie. Amandelen zijn rijk aan vitamine E en omdat ze enkelvoudig onverzadigde olie bevatten, helpen ze het lichaam 'slechte' cholesterol kwijt te raken terwijl de HDL, ofwel 'goede' cholesterol, toeneemt. Ze bevatten magnesium, dat een natuurlijke calciumantagonist is, en ook kalium. Die helpen allebei om aderverkalking te voorkomen en zijn goed voor de hartfunctie.

Amandelen worden verbouwd in veel landen rond de Middellandse Zee en in de Verenigde Staten, dat nu een van de grootste producenten ter wereld is, waarbij de helft van de productie uit Californië komt. Amandelen staan op de zesde plaats op de lijst van landbouwproducten in Californië, maar zijn het belangrijkste landbouwexportproduct. Amandelbomen zijn twee keer naar Californië gebracht. Eerst werden ze eeuwen geleden meegebracht door Spaanse missionarissen, waarna ze werden vergeten toen de missies dichtgingen. Toen amandelbomen later in New England niet wilden groeien vanwege het klimaat, werden ze opnieuw naar Californië gebracht, waar ze nu goed gedijen.

3

Rosie

STERRENKOEKJESBOMEN

Basisdeeg uit de koelkast:
240 g boter
300 g kristalsuiker
1 tl vanillearoma
2 eieren
500 g bloem
1 tl zout
2 tl bakpoeder
4 el melk

Klop de boter en suiker in een kom tot een lichte, romige massa. Voeg het vanillearoma en de eieren toe, en blijf kloppen tot het mengsel luchtig is. Meng dan in een andere kom de bloem, het zout en het bakpoeder goed. Voeg daarvan ongeveer 125 gram aan het botermengsel toe. Roer er de melk door en daarna de rest van het bloemmengsel. Zet het deeg twee of drie uur in de koelkast (de hele nacht mag ook).
Rol het deeg uit en snijd de koekjes uit in de vorm van sterren van verschillende grootte. Je kunt de sterrensjablonen kant-en-klaar

kopen of ze zelf, zoals ik deed, uit karton knippen. De grootste ster moet een doorsnee van 15 cm hebben en de kleinste van 2,5 cm. Ik heb de sterren in vier verschillende groottes gemaakt en omdat er twaalf koekjes zijn heb ik er drie van elke maat uitgesneden. Bak de koekjes 8 à 10 minuten op 200 °C tot ze knapperig en lichtbruin zijn. Haal ze van de bakplaat en laat ze op een rooster afkoelen.
Als de koekjes zijn afgekoeld, plak je ze op elkaar met glazuur.

Glazuur
Klop met een mixer drie eiwitten met een snufje zout schuimig. Voeg geleidelijk 450 gram poedersuiker toe, terwijl je met de mixer op hoge snelheid blijft kloppen (4 à 7 minuten) tot het een smeerbare pasta is geworden (als het mengsel te dik is, voeg er dan een beetje water aan toe, niet meer dan een eetlepel per keer, totdat het mengsel de gewenste consistentie heeft). Dek de kom goed af met een vochtige doek, want het glazuur droogt snel uit.

Om de boom te maken
Leg een van de sterren in de grootste maat op een platte schaal. Stapel tien sterren, van de grootste tot de kleinste, erbovenop en gebruik steeds een beetje glazuur om de koekjes aan elkaar vast te plakken. Stapel de koekjes zo op, dat de punten van de sterren niet op elkaar liggen. Zorg dat er een boom ontstaat. Zet het laatste en kleinste koekje als een stevige witte ster rechtop boven op de boom. Nu kun je de boom met meer glazuur versieren en er daarna poedersuiker of gekleurde suiker op strooien. Wat je maar leuk vindt.

Er wordt geklopt en Disney rent met zijn aapje naar de deur. Ik doe open en Rosie valt binnen, met een wolk sneeuw, een rode lippenstiftlach en een lange zwarte opbollende jas. Haar haren beginnen te schitteren als het licht op de smeltende sneeuwvlokjes in haar korte kapsel valt.

'Hallo, hallo, hallo.' Druk in de weer met haar tassen werpt ze ons kussen toe en zet haar vracht op tafel. 'Het wordt daarbuiten knap onaangenaam... ijzige sneeuw. Ik ben zo terug.' Voor ik de kans krijg te vragen of ik haar kan helpen, vliegt ze alweer naar buiten en slaat de deur dicht. Ze komt terug met nog meer boodschappentassen. 'Ik had me niet gerealiseerd hoe veel het zou zijn. Er pasten er maar drie in een tas.' En weer rent ze naar buiten. Ik pak twee tassen en breng ze naar mijn kantoor. Ze komt terug met een schaal Thaise noedels in pindasaus en zet die op tafel.

'Zo,' verkondigt ze. 'Nu kom ik mijn knuffels halen.' En ze omhelst Charlene. 'Zóóó goed je te zien.' Ze dempt haar stemvolume, zodat haar begroeting een uiting van zowel deelneming als vreugde is: het is duidelijk dat ze niet zeker wist of Charlene wel zin had in een feestje. Charlene doet alsof ze het zweempje bezorgdheid en medelijden niet hoort en het uitsluitend om pure hartelijkheid gaat. Daarna omhelst Rosie mij onstuimig alsof ze thuiskomt van een wereldreis. 'Ah, Marnie.'

Ze ruikt naar ylang-ylang en limoen.

'Je ziet er goed uit! Hoe is het met Jim? En de meiden? Al iets gehoord?'

'Nee.' Baby's zijn op dit moment het grote punt voor Rosie. Haar leven is volmaakt, op één smetje na. Nou ja, twee. Op het tweede komen we zo. Ze is gelukkig getrouwd met een advocaat. Vroeger was ze juridisch assistent van een advocaat op het kantoor waar hij werkte, net toen hij op het punt stond om te gaan scheiden. Ik weet, maar ik weet niet of Kevin het ook weet, dat ze op het einde van dat huwelijk zat te wachten. Ze voelde dat het eraan zat te komen vanwege de onverschilligheid van zijn vrouw voor de zaak. Meer dan tien jaar geleden, toen ze daar ging werken, had ze me al verteld dat ze vermoedde dat hij een affaire had.

We waren toen allebei alleenstaand en op jacht naar mannen, of op zijn minst naar danspartners voor het Top of the Park-openluchtfestival. Op een vroege ochtend leerden we elkaar kennen, toen we allebei met een beker koffie en onze sporttassen binnenkwamen voor onze Jazzercise-training. 'Zo dans ik in ieder geval nog eens,' zei ik op een ochtend, terwijl ik met een handdoek mijn zweet afwiste.

'Zo. Hou je van dansen? Waarom gaan we dan niet samen?' stelde Rosie voor.

'Goed idee.' En we wisselden telefoonnummers uit.

Die avond tijdens Top of the Park speelde de band klassieke rock en ontmoetten we elkaar bij de biertent. Allie was er ook bij. Rosie droeg een gebloemd halterjurkje dat mooi stond bij haar gebruinde huid, haar gespierde armen en opvallende schouderpartij. Haar haren waren toen nog lang en hingen als een dikke, gladde vacht over haar schouders. Ze had een bepaalde uitstraling, een felle gloed, die maakte dat elke passerende man omkeek.

'We zien er fantastisch uit vanavond,' grapte ik vanwege hun blikken. 'Maar jij ziet er absoluut spectaculair uit, Rosie. Hoe komt dat? Nieuwe man?'

Ze bloosde, waarmee ze zich onmiddellijk verraadde.

'O, o,' Allie zag het ook. 'Zo, zo, zo! Zoals jij zou zeggen. Voor de draad ermee.'

'Er is niets. Nog niet. Maar wie weet.'

'Een van die geheime vlammen?'

'Nou ja, hij is getrouwd.'

Allie en ik rolden met onze ogen.

'Hou op. Hij is ongelukkig. Dat zie ik. En ik heb zo'n idee dat hij een affaire heeft, of erover denkt, of er gewoon een wil. Of thuis gewoon diep ongelukkig is. Zijn vrouw is een kreng.'

'Hoe oud is die kerel? Waar heb je hem ontmoet?'

Rosie klokte wat van haar Red Rock-cider achterover en zei: 'Hij is een van de advocaten op kantoor en twintig jaar ouder, zoiets. Eind veertig, begin vijftig.'

Ik keek haar aan en ze straalde. Alsof ze het allergelukkigst is wanneer ze bij hem kan zijn, maar dat over hem praten bijna net zo fijn is.

'Hij is zo eenzaam. Hij blijft rondhangen na het werk, we gaan met z'n allen wat drinken, met z'n allen hoor, niets ongepasts. Maar hij bloost steeds als hij me ziet. Dat is zóóóó leuk. En hij is Porto Ricaan, dus zijn blos zie je bijna niet, behalve in zijn nek.'

Allie trok haar schouders naar achteren en haalde diep adem. 'Kon je niet iets nog ingewikkelders vinden? Punt één: hij is ouder.' Ze steekt haar duim op. 'Punt twee: hij is toch een beetje je baas. Hij hoort niet te rotzooien met werknemers.' Ze steekt haar wijsvinger omhoog en dan haar middelvinger. 'Punt drie: hij is getrouwd.' Dat laatste zegt ze sissend. 'En dat "getrouwd" is wel het toppunt.'

'Weet ik, maar er is dat extra speciale.'

Een man liep langs, een lange man met krullend haar en een scherp gesneden gezicht, greep Rosies hand en trok haar naar de dansvloer. Allie en ik liepen achter hen aan om ook te gaan dansen.

Later trok ik Rosie mee voor een dansje en zei: 'Wie is die kerel? Hij is leuk. En geen ring.'

Rosie trok één wenkbrauw op, een gebaar dat ik mezelf had geleerd nadat ik het Vivian Leigh in *Gone with the wind* had zien doen. Daarna ging ze inderdaad een tijdje met hem, maar zonder het warme gevoel dat ze alleen bij de gedachte aan Kevin al kreeg. En ik keek verbijsterd toe hoe Kevin ging scheiden en hoe Rosie geduldig, lief en sexy de brokstukken bij elkaar raapte en hem hielp die weer in elkaar te zetten. Ze slaagde erin behoedzaam de mogelijke landmijnen te ontwijken om er ongedeerd, smetteloos, getrouwd en welvarend uit tevoorschijn te komen.

Op dit moment koesteren ze zich in het leven dat ze samen hebben opgebouwd. Haar zakelijke en sociale talenten bloeiden op toen ze een nieuw kantoor openden dat zij voor hem ging leiden. Ze verliest hem geen moment uit het oog, zodat hij niet de gelegenheid krijgt te fantaseren over steeds weer jongere vrouwen met nog mooiere lichamen.

Maar er is één hobbel. We dronken een glas wijn tijdens ons vrijdagse borreluurtje. Ik tobde over het feit dat ik iets was begonnen met een jongere man.

'Zo. Maar voor jou speelt de babykwestie tenminste geen rol,' was haar reactie.

Ik nam een slok wijn.

'Ik bedoel dat jullie allebei al kinderen hebben.'

'Ja. Wij moeten bedenken hoe we de kinderen van de een die van de ander laten accepteren. En onze tijd samen aanpassen aan de behoeften van zijn kinderen.'

'Maar dat is te doen. Ik zou dolgraag een baby willen. Maar Kevin heeft het allemaal al eens meegemaakt. Hij wil niet nog een keer. Hij zegt dat het nu tijd is voor zíjn leven.' Ze vlocht haar vingers in elkaar en legde haar handen op tafel. Ze had middelmatig lange nagels met een French manicure. Ze stak haar hand in de lucht, een ober kwam langs en ze wees naar haar lege glas. Hij knikte en zette het op zijn blad.

'Ja, ja.' Ik grinnikte meelevend.

'Natuurlijk heeft hij altijd gedaan wat hoorde. Alles voor de buitenkant. Rechten studeren, trouwen, hard werken om een naam op te bouwen, schoolbesturen en liefdadigheidsevenementen... dat soort dingen. Hij is eruit gestapt om zijn eigen ding te kunnen doen.' De ober zette een glas robijnrode wijn voor haar neer. Ze nam de steel tussen twee vingers en draaide de wijn rond in het glas. Daarna haalde ze haar schouders op. 'Zo dus. Ik was en ben nu deel van zijn ding.' Ze nam een slok wijn. 'Maar ik dan? Hoe moet het met de dingen die ik wil?'

'Je wist hoe hij erover dacht.'

Rosie liet haar hoofd zakken. 'Ja.' Ze kauwde hoofdschuddend op de zijkant van haar lip. 'Maar ik had geen idee. Ik wist niet hoe ik me nú zou voelen. Toen we verliefd werden en met zijn praktijk van start gingen, dacht ik dat alles wat we hadden genoeg zou zijn. Het was allemaal zó, zó spannend. De vakanties, toen de duiklessen met zuurstofflessen en toen de uitdaging om de zaak rendabel te maken en zijn naam op te bouwen. Toen kregen we de honden. Ik dacht dat het genoeg zou zijn. Maar geen kinderen hebben lijkt zo egoïstisch. Zo leeg.'

'Kinderen maken alles meedogenloos anders. Met alles kun je schipperen, maar met kinderen niet. Die zijn te levensbepalend. Een te grote verantwoordelijkheid. Je bent ouder of je bent het niet. Ze slokken je leven op en dat is fantastisch of rampzalig. Of allebei. Zelfs als je het heel graag wilt.'

'Voor hem zou het anders zijn als het ons kind was. Onze baby die uit onze liefde voortkomt. Zijn ex en hij hadden altijd ruzie. Ze waren het nooit eens. Wij zijn het altijd eens.' Ze zweeg even en keek opzij. 'Behalve hierover. Maar we zouden het samen doen, net als de zaak. Dat zou echt werken.'

Haar armen – slank en sterk door haar fitnesstraining – lagen over elkaar op tafel en ze keek me aan met een strakke mond.

Ik boog voorover en zei zachter: 'Misschien heeft hij juist jouw totale aandacht nodig, misschien is dat wat hij wil. Misschien wil hij je niet delen.' Zo legde ik het haar voor. Misschien was zijn protest wel het gevolg van zijn aanhankelijkheid, zijn behoefte zich in te kapselen.

Maar ze was vastbesloten. 'Hij deelt mij met de praktijk.'

De ober bracht een schaal met mosselen in wijn met kruiden. Ik opende een mossel, haalde hem door de saus, en probeerde het nog één keer. 'De praktijk is zíjn praktijk. Jullie praktijk. Hij beschouwt dat als jouw liefde voor hém.'

'Dat is precies mijn punt. Met onze kinderen zou het net zo gaan.'

Ik weet wanneer drang en behoefte het zicht op alternatieven vertroebelt. Ik zag haar onwrikbare vastbeslotenheid. Ik zei het niet, maar misschien had ik dat wel moeten doen: 'Aan het einde van de dag trekken jullie de deur van de praktijk achter je dicht en dan gaan jullie naar huis. Voor een kind doe je de deur niet dicht... zelfs niet na achttien jaar. Een kind is echt voor altijd.'

Er is iets wat ik me afvraag. Als ik zie dat een vriendin een moeilijke weg wil gaan, in hoeverre ga ik er dan tegenin en in hoeverre moet ik dat accepteren, terwijl ik weet dat ik er straks weer ben om de brokken op te rapen? In hoeverre ben ik de luisterende, liefhebbende vriendin en in hoeverre moet ik op de gevaren wijzen? In hoeverre hoor ik gewoon aan en in hoeverre moet ik waarschuwen? Ik zie hier gevaar. Kevin was er van het begin af aan duidelijk over geweest dat hij geen kinderen meer wilde. Rosie morrelt nu aan de basis van hun overeenkomst. Is een baby een huwelijk waard? Misschien. Vriendinnen doen wat ze niet kunnen laten, hoe dan ook. En hoe dan ook zal ik er zijn. Ik doe niet aan veranderingen.

En Rosie? In haar leven lijkt het onmogelijke mogelijk te zijn. Zo denkt ze over zichzelf. Ze keek even weg, keek me daarna weer aan en zei: 'Als je op het punt stond dood te gaan, wat zou je dan noemen als het belangrijkste wat je hebt bereikt?'

En ik gaf haar het antwoord waar ze op had gewacht: 'Mijn kinderen.'

Ze haalde één schouder op.

Ik nam een slok wijn en zei: 'Rosie, je hebt altijd elke hindernis overwonnen en alles lukt je door keihard te werken. Ik hoop dat je hier ook doorheen rolt.' We blijven allemaal de dingen doen die tot nu toe gewerkt hebben, ook als ze niet meer werken. En natuurlijk beseffen we niet dat ze niet meer werken, tot het te laat is.

Nu, acht maanden later, vraagt Rosie of ik al iets van Sky gehoord heb en hoe het met Tara gaat en dan weet ik dat die vraag geladen is met plaatsvervangende hoop, angst en verschrikking. En jaloezie. En ikzelf word er weer aan herinnerd dat ik zulke rijkdom heb maar die ook weer kan verliezen.

'Tara kan ieder moment hier zijn. Ze brengt de koekjesmaagd en gaat dan bij een vriendin op bezoek. Dus je ziet haar zo.'

'O, ik vind het heerlijk als we nieuwe Cookie Bitches krijgen... Ze is de co-oma, toch?'

Ik grinnik. 'Yep. Tara brengt haar uit Detroit.' Ik kijk op mijn horloge. 'En Sky kan elk moment de uitslag van haar test krijgen. Ik had gehoopt dat ze nu ongeveer zou bellen.'

Charlene legt in symmetrische stapeltjes bestek neer. 'Hoe gaat het met je?'

'Ongelooflijk druk. Ons kerstfeest op kantoor is volgende week, de cateraar is moeilijk aan het doen over de afspraken, en de benefietavond van de orde van advocaten is de avond daarop en we zitten allebei in het bestuur. Zo, dus! Ik heb geen tijd om adem te halen.' Rosie haalt diep adem en blaast die weer uit om haar punt kracht bij te zetten. 'Dan,' gaat ze verder, bijna alsof ze het vergeten was, 'is Kevins dochter, mijn stiefdochter, direct na kerst jarig en gaan we met z'n allen skiën in Steamboat. Allemaal hartstikke leuk. Allemaal zóóó spannend en zóóó druk, maar ik heb geen idee hoe ik het allemaal voor elkaar moet krijgen.' Haar in laagjes geknipte lokken zwaaien en zwiepen, en dan schenkt ze ons een glanzende lach die haar wanhoopsvertoning volledig tenietdoet.

'Maar het lukt je altijd weer,' zegt Charlene vriendelijk, zonder een spoortje irritatie, en met respect voor haar angst- en paniekgevoelens.

'Zo dus. Komt Jeannie ook?' De klank van haar stem verandert en er klinkt nu iets angstigs in door.

'Ja.'

Ze bijt op haar lip en krabt aan haar wang. Dan knikt ze langzaam. 'Ik mis haar. We waren zulke goeie vriendinnen met z'n drieën.'

'Misschien zouden jullie eens samen moeten praten.'

'Dat hebben we geprobeerd. Maar ze is nog steeds woedend op me, alsof ik degene ben die met haar vader naar bed gaat.' Ze pakt een cracker en een stukje kaas.

Ik leg mijn hand op haar arm.

De deurbel gaat en daar zijn Juliet en Laurie. Juliet sjouwt met enorme glanzende roze tassen en een schaal. Ik zie sneeuw binnendwarrelen door de deur die op een kier staat, en verdwaalde vlokjes op de puntjes van blond krullend haar dat omhoog staat door de statische elektriciteit. 'Ik weet wat ik moet doen,' roept Juliet, terwijl ze op haar lange stelten naar achteren beent. Laurie komt na haar binnen. 'Ik kan niet zo lang blijven. Ik moet weer terug naar de baby.' Ze loopt achter Juliet aan. Als Juliet haar koekjes in mijn kantoor heeft neergezet en haar jas op mijn bed heeft gelegd, komt ze terug om ons allemaal te omhelzen. Ze trekt de folie van haar schaal waarin een dip van hummus blijkt te zitten, omringd door stapels helderoranje wortels, gele en rode tomaten, en zwarte olijven. Daarna zegt ze: 'Oeps. Vergeten!' Zonder jas rent ze de deur weer uit om terug te komen met een zak volkoren pitachips. Ze legt ze op een schaal en slaakt een zucht van verlichting.

Haar klus is geklaard. 'Dan is het nu tijd om te fééééesten!' roept ze opgewonden. Juliet is lang, langer dan één meter tachtig met naaldhakken aan. De afgelopen jaren zat ze op buikdansles. Dat kun je zien aan haar strakke lichaam dat ze mooi laat uitkomen met een diep gedecolleteerd casual T-shirt en een broek met riem. Aan haar kleding kan ik zien dat ze rechtstreeks van haar werk komt als leidinggevende in de verpleging. Ik herken ook de schaal met hummus: die heeft ze op weg hierheen gehaald bij de Plum Market.

Laurie heeft een kom met kerstomaatjes en gezouten amandelen meegenomen. 'Ik dacht dat we altijd wel een paar gezonde snacks konden gebruiken. Met de baby had ik alleen maar tijd om de koekjes maken.'

Rosie haast zich naar haar toe, met een glas witte wijn met een kerstballetje om de steel, een van mijn versierseltjes. 'Zo. Hoe gaat het met haar? Hoe lang heb je haar nu?'

'Drie maanden. Ze begint nu net een beetje te zitten. Ze is twaalf maanden.' Laurie heeft een baby uit China geadopteerd. 'Wil je foto's zien?' vraagt ze.

'Ja, graag!'

Laurie pakt Rosies hand en trekt haar mee naar de slaapkamer om foto's uit haar handtas te vissen.

'Hoe gaat het met je? Ik bedoel: hoe gaat het echt met je?' vraagt Juliet aan Charlene, terwijl ze rode wijn inschenkt en een kerstboompje uitzoekt als haar glasversiering.

Juliet is mijn oudste vriendin. Ik heb haar leren kennen toen ze bij mij in de brugklas kwam; ze was het enige meisje dat hield van Marvin Gaye en BB King, terwijl de andere kinderen toen gek waren op The Beatles en The Monkeys. Ze is twee maanden ouder dan ik, maar dankzij haar vette huid, die haar tienerjaren teisterde met puistjes, heeft ze nu geen rimpels. We maken er vaak grappen over dat haar plaag van de middelbare school een zegen werd na haar veertigste, terwijl mijn indertijd zo perfecte gladde, schone huid nu mijn ware gezicht laat zien.

Voor Charlene antwoord kan geven dendert Rosie uit de slaapkamer met de foto's van Olivia, Lauries baby, zwaaiend in haar hand. 'O, mijn God, ze is zóóó, zóóó schattig, om op te vreten gewoon.' Olivia zit in een kinderzitje in de auto, met amandelvormige ogen, bolle wangen en plukjes haar die uit een paarsroze geknopt lint piepen. Ze lacht met een grote grijns vol puur plezier. Laurie verraste haar met een kiekeboespelletje om dat moment vast te leggen. Hoofdschuddend en met tranen in haar ogen bijt Rosie met haar boventanden op haar onderlip, en ik weet nu zeker dat ze gelooft dat een baby écht waardevol genoeg is om er je huwelijk voor op het spel te zetten. Heel even staat de deur open naar haar toekomst, net als de echte deur die nu opengaat, waardoor Allie binnenkomt. Zonder jas. Met een zonnebril op, zelfs nu het al donker is. Met haar armen vol tassen. Ze valt niet binnen, maar loopt op haar tenen om ons heen, om de conversatie niet te storen, naar het kantoor om daar haar koekjes neer te zetten. Daarna loopt ze weer naar buiten en als ze terugkomt heeft ze een jas over haar arm, haar zonnebril tussen haar tanden en een braadpan afgedekt met folie in haar handen. 'Staat hier het voorgerecht?' vraagt ze. Ik knik en ze schuift haar pan naast de Thaise noedels en rukt de folie weg waar gegrilde kip onder vandaan komt. 'Jassen in de slaapkamer?'

Taylor komt vlak achter haar aan. Taylor met bungelende oorbellen en gehuld in een zwierige sjaal die ze niet afdoet. Ondanks de schitterende sjaal – zwarte tule met roze en witte noppen – ziet ze er op dit moment kleurloos uit. Ze heeft in één keer chips met een dipsaus, haar koekjes en een fles wijn mee naar binnen genomen. Haar kleren zijn overblijvertjes van haar zangcarrière.

Ik knik. Ik hou van dit deel van de avond, als mijn vriendinnen arriveren, bruisend van opwinding en beladen met lekkers. Ondanks de kou brengen ze warmte mee en de opwinding van de feestdagen. Opnieuw voelen we ons als kinderen zo opgewonden over Kerstmis. Ik heb de enscenering geregeld, maar zij vullen die met actie en emotie: de gebeurtenis die fantastisch is, omdat er altijd onverwachte bijzondere dingen gebeuren. En natuurlijk door de liefde die we voor elkaar voelen. En door onze gedeelde geschiedenis. Elk jaar weer kan ik nauwelijks wachten tot ze komen, en ben ik ontzettend blij om ze allemaal weer te zien.

Ik heb ze allemaal op verschillende momenten in mijn leven leren kennen: op de middelbare school, als hippie, jonge moeder, gescheiden vrouw, alleenstaande moeder, in de zakenwereld, door de ene of de andere man. Soms, als ik over mijn leven denk, denk ik aan het meisje dat Juliet leerde kennen, de hippie die Vera tegenkwam, de worstelende vrouw die Charlene ontmoette en de zakenvrouw die Allie leerde kennen. Het valt niet mee om al die verschillende fases te verenigen in het leven van één vrouw.

Ik. De echtgenote die bedonderd werd door een man, de echtgenote die al jong weduwe werd. En nu. Nu. Twee zwangere dochters. Dit huis vol met zelf geschilderde en gedecoreerde muren in aubergine, beige en lavendelblauw en een versierde kerstboom. Soms kan ik met mijn verstand niet bij al die verschillende versies van mezelf, Marnie. En toch maken de vriendinnen, die mij in die andere versies van mezelf door de jaren heen hebben ontmoet, nog steeds deel uit van mijn huidige leven. Allemaal samen de getuigen van de geschiedenis van mijn leven. Ik hou van ze, net zoals ik van mezelf hou in al mijn verscheidenheid en facetten. En ik hou van ze omdat ze, ieder op haar eigen manier, fantastische vrouwen zijn.

Ik schiet vol. Waarop Allie, met verse lippenstift op haar dunne lippen, me met toegeknepen ogen en een vragende blik aankijkt. Dan ziet ze de enigszins blauwe plek op mijn wang die onder de gele make-up toch nog steeds zichtbaar is. Ze kijkt op en raakt haar eigen gezicht aan. 'Alles in orde?'

'Ja, hoor. Ik ben tegen een keukenkastje gebotst. Keukenstrijd.' Ik omhels haar. 'Ik hou van jullie. Ik hou van jullie, meiden.'

Ik hoor geluiden bij de achterdeur en Disney komt aangerend, op en neer springend van verlangen en zo opgewonden dat hij zijn aap laat vallen. Dan klinkt de stem van Tara. 'Hier zijn we,' zingt ze. 'Hé, Disney, mooie sjaal.' En dan zegt ze zachter: 'Wij komen altijd door de achterdeur.'

Ik verwacht haar zwarte haar te zien met de kobaltblauwe plukjes en glittertjes op haar gezicht, maar Tara's haar heeft zijn oorspronkelijke rossige kleur, ze draagt geen oorringen en ook geen make-up. 'Je ziet eruit als vroeger, als mijn kleine meisje.' Ik lach. 'Alle hardheid en al het wapentuig zijn verdwenen.'

Maar het was niet Tara's bedoeling om af te rekenen met haar streetwise uiterlijk en ze moppert: 'Ik heb het veel te druk om me met al dat gedoe bezig te houden.'

Ik buig naar haar toe en geef haar een kus. Ik trek haar dicht tegen me aan, voor zover dat mogelijk is met die grote harde bal die mijn kleinzoon wordt. En ze ontspant in mijn armen.

'Ik vind het zo fijn om je te zien, schat.'

'Het was een hele klus om hier te komen in die sneeuwjacht.'

Sissy staat vlak achter haar, met een kort rastakapsel en een felgekleurde warme sjaal om haar nek. 'Hier. Waar zal ik het eten neerzetten?' Ze zet een schaal neer, spreidt haar armen wijd uit en begroet me met een brede, hartelijke lach. 'Kom, een zoen.' Ze geeft me een stevige pakkerd op mijn wang en trekt dan de folie van de schaal, waarin sushi zitten.

'Sushi, daar ben ik gek op.'

'Maar pas op met de saus. Die is goed scherp.' Als Sissy lacht, krijgt ze kleine kraaienpootjes rond haar grote ogen. Ik stel haar voor aan de andere vrouwen, hoewel ze Charlene afgelopen zomer al heeft leren kennen.

Charlene zegt tegen Tara: 'Ik heb wat parfum, een ontspannings-cd en een kristal gekocht om je door de bevalling heen te helpen. Doe je je ademhalingsoefeningen wel?'

'O, ja. We volgen dat hele Lamaze-gedoe.'

'Dat doen ze, reken maar,' voegt Sissy eraan toe.

Juliet zegt tegen Tara: 'Ik vind je haar mooi. Jij ook?'

'Het is mijn eigen kleur, voor zover ik het me herinner tenminste. Het heet *Amber Sunrise*. Ik ben van *Black Pearl* naar *Amber Sunrise* gegaan.' Tara's haar is kortgeknipt, ze is bijna kaalgeschoren. 'Toen bedacht ik dat ik dan net zo goed alles helemaal natuurlijk kon doen. Dus toen heb ik mijn neusring, mijn wenkbrauwring en mijn zeven oorringen afgedaan. En hier sta ik nu. Helemaal me zelf. Zonder franje. Snufje en ik.' Ze klopt op haar buik. 'Klaar voor ons avontuur.'

Tara voelt zich helemaal thuis bij mijn vriendinnen, die haar kennen sinds ze nog een baby was of op de middelbare school zat en de verschillende fases van haar leven doorliep.

'Maar ik weet het niet. Ik vind dat rossige haar wel erg saai. Misschien moet ik er wat platina of fuchsia in doen, als de baby geboren is. Wat vind jij?'

Ze ziet er fris en onopgesmukt uit. Als ze knippert, zie ik dat haar wimpers tweekleurig zijn: lichtbruin, zoals die van mij ooit waren, en rood, zoals die van Stephen. Alsof onze genen ruzie hadden, de strijd onbeslist was, en ze met elkaar overeen zijn gekomen om naast elkaar te bestaan en elkaar de ruimte te geven.

Tara kijkt me aan en zegt: 'Je ziet er fantastisch uit, mam. Ik hoop dat mijn haar ook zo wordt, zo spierwit, als ik net zo oud ben als jij. In die kleur wil ik mijn plukjes.'

'Dank je, schat.' Een paar jaar geleden had ze op alles van mij kritiek.

'Het ziet ernaar uit dat jullie er klaar voor zijn. Snufje en jij,' zegt Charlene, met een blik op haar enorme buik.

Rosie loopt naar haar toe. 'Je ziet er prachtig uit. Zo, zo...' Ze stopt, zoekend naar het juiste woord en zegt dan: 'Zwanger.' En zwaait met haar hoofd alsof ze een verklaring aflegt.

'Ja, ik ben kolossaal. Zelfs hier.' Ze legt een hand op haar borsten. 'Cup D! Niet te geloven!'

'Dus dat is wat je moet doen om die te krijgen. Zwanger worden.' Rosie lacht. 'Nu weet ik het.'

'Goed, nu moet ik echt naar mijn vriendin toe. Ik ben al laat.' Ze loopt naar Sissy die al druk in gesprek is met Juliet. 'Zal ik om elf uur weer hier zijn?'

Sissy fronst haar wenkbrauwen. 'Niet vergeten, hoor. Morgenochtend moet ik om halfacht weer aan het werk. Lukt dat, liefje?' Ze kijkt Tara na als ze vertrekt, met een gulle lach die een rechte rij witte tanden laat zien.

Met glazen wijn in de hand staan de vrouwen met zijn allen om de tafel en knabbelen van de kip, dopen wortels in de hummus, sushi in de wasabisaus en brood in gekruide olijfolie. Juliet praat met Sissy, waarschijnlijk over ziekenhuizen, want ze zitten allebei in de verpleging. Rosie hoort Laurie uit over Olivia's slaapjes en de adoptieprocedure in China. Allie en Charlene zijn dicht bij elkaar gekropen met borden Thaise noedels. Als ik een kom soep opschep en een hap neem, realiseer ik me pas hoeveel honger ik eigenlijk had. Ik heb de soep gekruid met precies de juiste hoeveelheid basilicum, al zeg ik het zelf. Het geroezemoes van alle gesprekken door elkaar, het gelach en het gekletter van bestek vullen het hele keuken- en eetgebied.

Ik kijk op mijn horloge. Sky zou nu toch gebeld moeten hebben. Ik overweeg even of ik de wc in zal glippen om haar te bellen, maar besluit van niet. Dat is misschien te nadrukkelijk, te opdringerig. Ze moet zelf maar uitmaken wanneer ze het me vertelt. Mijn mobieltje staat op de trilstand en zit tegen mijn heup aan geklemd.

Jeannie arriveert in een chic tie-dye T-shirt met een diep decolleté. Rosie kruipt nog dichter tegen Laurie aan en doet een stap opzij, zodat ze met haar rug naar de ingang staat. Jeannie brengt een salade met sinaasappel en walnoten, en Taylors chips en dipsaus worden uitgeprobeerd. We zwerven rond de tafel en bedienen onszelf van het eten, met onze wijnglazen in de hand, waarvan elke steel versierd is met een van de versierseltjes die Juliet me een paar jaar geleden voor mijn verjaardag heeft gegeven. Mijn blik gaat even haar kant op en ze lacht om iets wat Sissy zegt. Rosie heeft Laurie verlaten en praat nu met Charlene over de economie, terwijl Allie, Jeannie en Taylor over de werkmogelijkheden voor Taylor discussiëren.

Eventjes kijk ik naar mijn feestje, het plezier dat we met elkaar hebben en onze jarenlange ongedwongen kameraadschap. De gemberbloem, omringd door kaarsen, is het stralende middelpunt van de tafel. Sissy neemt wat kip en voegt zich bij Charlene en Rosie, terwijl Juliet wijn haalt en de lege of bijna lege glazen bijvult. Het kaarslicht is zacht en de kerstboomlichtjes stralen.

'Zijn we er allemaal? Waar is Tracy? En Alice?' vraagt Juliet. 'En Vera?'

Die kunnen helaas niet komen... Tracy zit op Hawaï met Silver, en Alice is in Californië, zoals je weet.' De borden worden nu naast de gootsteen opgestapeld.

Rosie onderbreekt haar gesprek met Charlene en vraagt: 'Vera?'

'Vera komt wel. Helaas had ze vanmiddag een afspraak, maar ze komt wel, alleen wat later.' Ik zie dat Sissy fronsend op haar horloge kijkt. 'We moeten beginnen. Zij haalt het wel in als ze straks komt.' Er wordt niet meer gegeten. Nu even niet tenminste, maar ik weet dat ze de hele avond door blijven eten.

'O, o... En hoe zit het met de regels voor Tracy en Alice?' vraagt Taylor. 'We raken ze toch niet kwijt, hoop ik?'

Ik lach. 'Nee, hoor. Ik heb hun koekjes al. Alice heeft die van haar per koerier gestuurd en Tracy heeft ze gemaakt voordat Silver en zij vertrokken.'

'Het is niet hetzelfde zonder hen. Ze zijn zo belangrijk,' zegt Jeannie.

'We zijn allemaal belangrijk. En in de geest zijn ze hier,' zeg ik en onze blikken kruisen. 'Hé, tijd om te beginnen.'

We gaan naar de woonkamer. Charlene zit al te wachten in een grote fauteuil, alsof ze de steun en bescherming ervan nodig heeft. Je ruikt de geur van de dennenboom en de cranberry van de brandende kaarsen. Mijn zelfgemaakte pindarotsjes, een geheim familierecept dat ik nooit iemand verteld heb, en chocoladeamandelen staan op alle tafeltjes. We proppen ons in de kamer: we zitten met zijn vieren op de bank, en elke stoel of voetenbank is bezet. Juliet zit tussen Jeannie en Rosie in. Zo hoeven die elkaar in ieder geval niet aan te kijken.

Disney schuift onder de salontafel. Ik heb een stoel uit mijn kantoor gehaald en dan zitten we alle negen op onze plek, met een glas wijn of water, met onze buurvrouw te kletsen.

'O, o... Juliet en Jeannie zitten naast elkaar,' plaagt Charlene. 'Jullie weten toch wat er vorig jaar gebeurde toen ze dat deden?' We lachen als we denken aan hun geklets en bulderend gelach, die de voortgang van de stroom koekjes en hun bijbehorende verhalen stevig verstoorden.

Ik steek mijn vinger op en zwaai ermee alsof ik het tegen twee kleine meisjes heb. 'Zullen jullie braaf zijn vanavond?'

Ze plagen terug. 'Beloofd, beloofd. Allie houdt ons wel rustig.'

'Ja, vast en zeker.' Allie rolt met haar ogen. We weten allemaal dat ze die twee niet in toom kan houden.

'Wie wil beginnen?'

'Ik wil als laatste,' zegt Taylor. Ze heeft een stoel tussen Sissy en de bank in geschoven, zodat ze naast Allie kan zitten, die op de bank zit.

'Ik begin wel.' Rosie staat op om haar tassen met koekjes te halen. Ze brengt haar tassen met twee tegelijk binnen en iedereen begint te praten. Mijn mobieltje is nog steeds stil. Ik zet de muziek zachter en ga dan een beetje achteraf zitten, dicht bij de keuken. Ik neem een slokje wijn. Nu kan ik van het feest gaan genieten. Charlene zit aan mijn ene kant en aan mijn andere kant is er nog plaats voor Vera als ze straks komt. Rosie heeft haar laatste tassen gehaald. Het gepraat en gelach zijn steeds luidruchtiger geworden.

'Hoe werkt dit?' Sissy's wenkbrauwen zijn gefronst. 'Wat gaan we nu doen?' Sissy heeft een expressief gezicht waarop alle emoties te zien zijn, zodat elke beweging, of ze nou haar wenkbrauwen optrekt of lacht, haar innerlijk weerspiegelt. Nu, op het moment dat ze haar wenkbrauwen optrekt zie ik een zweempje ongerustheid, de eerste keer dat ik een beetje ongemak bij haar bespeur.

'We delen om de beurt onze koekjes uit. Toen we het voor de eerste keer deden, deelden we allemaal tegelijkertijd onze koekjes uit. Je kunt je de ramp vast wel voorstellen van twaalf mensen die tegelijk dertien ladingen koekjes uitdelen. Het kostte ons uren om uit te zoeken welke koekjes van wie waren. Toen hebben we besloten dat we voortaan om de beurt zouden uitdelen. En dat we allemaal een verhaal over ons koekje zouden vertellen, omdat we veel tijd besteed hadden aan het maken van dertien dozijn koekjes. Onze manier om ieders inspanning eer te bewijzen. Dat maakt het koekje speciaal, net als het werk dat erbij hoort. Dat werd de eerste regel, geloof ik. Net als een verbod op papieren borden met plasticfolie.'

'Hoe is het begonnen?' Sissy's wenkbrauwen zijn nu weer ontspannen en het zweempje onzekerheid is verdwenen.

'In de tijd dat Charlene en ik samenwoonden, bakten we één avond in het jaar zes tot acht verschillende koekjes. We noemden het de avond van bakken, roeren, drinken en lachen. We bleven de hele nacht op terwijl de kinderen sliepen. We draaiden een hoop muziek en dronken veel te veel. Dat hebben we jaren volgehouden. Op een keer werd ik uitgenodigd voor een koekjesruil en toen heb ik besloten dat ook te gaan doen. Het duurde een jaar of vijf voor het goed liep. De eerste jaren dronken en fuifden we veel te veel. Toen bedacht ik dat er gegeten moest worden. En zo is het gekomen. We voegen nieuwe regels toe als we merken dat we die nodig hebben.'

Rosie staat aan het eind van de bank met haar tassen lekkernijen voor zich. 'Oké, allemaal,' begint ze, maar niemand hoort haar behalve Juliet, die stopt met praten tegen Jeannie. 'Zo dan,' roept ze luider en nu worden Taylor en Allie stil. Maar Laurie giechelt nog om iets wat Allie zei.

Rosie probeert het nog een keer. Ze zet haar handen in haar zij en kijkt boos. Ze zegt geen woord en kijkt ons een voor een boos aan als een schooljuffrouw, en eindelijk houden we onze mond. Het is haar beurt en ze wil onze aandacht. Met haar perfecte kapsel, haar gemanicuurde hand in haar zij, de rimpels tussen haar wenkbrauwen, en haar rijzige gestalte, omdat zij staat terwijl wij allemaal zitten, krijgt ze ons ten slotte allemaal stil.

'Dank je,' zegt ze poeslief met een scheef hoofd. 'Zo. Ik wil jullie vertellen over mijn koekjes. Ik ben er de hele zaterdag mee bezig geweest. Ik had het idee van internet. En ik heb ze allemaal gebakken en voorzichtig neergelegd om af te koelen voor ik ze in elkaar ging zetten. Dat zijn dus héél véél koekjes.' Ze haalt heel diep adem om de hoeveelheid werk en moeite duidelijk te maken. 'Jongens, jullie weten hoe druk ik het heb gehad met van alles... O, mijn God. En de koekjes komen er altijd nog eens extra bovenop. Nou, daar liggen ze dan allemaal, verspreid over de eetkamertafel en het aanrecht, en ik moet bakpapier op het bed leggen om daar de rest kwijt te kunnen.' Ze zucht. 'Zo. En terwijl ze afkoelen stop ik dus een lading was in de wasmachine, want ik moet tenslotte ook het huisvrouwenwerk doen, en net als ik dat gedaan heb, belt Kevin. Ik bedenk net dat ik ook nog wat koekjes op de wasmachine en de droger kan leggen. Maar Kevin vraagt of ik iets over een zaak in de computer kan opzoeken. "Ik ben met mijn koekjes bezig," zeg ik.' Haar stem krijgt die mierzoete toon die ze altijd krijgt als ze tegen Kevin praat.

'"Dat weet ik. Ik weet dat het koekjesdag is. Ik vind het heel vervelend om je lastig te vallen,"' zegt ze met diepe stem.

'Goh, ze heeft hem goed onder de duim, zeg,' grapt Taylor.

Jeannie zegt: 'Ja, mijn man weet ook dat hij op koekjesdag uit de buurt moet blijven. "Verboden om de Cookie Bitch lastig te vallen op koekjesdag," zegt hij.'

'Ahum,' zegt Rosie om weer de aandacht te krijgen. 'Dus. Ik

loop naar kantoor en vul die akte van afstand voor hem in en dat duurt ongeveer een kwartier. De hele tijd denk ik: dit is oké, zo worden de koekjes mooi en koel. Ik e-mail het naar hem toe.' Ze drukt op een denkbeeldige verzendknop. 'En ik bel hem om te zeggen dat de akte in zijn inbox zit en dat ik weer verder ga met mijn koekjes.' Ze houdt een denkbeeldige telefoon in haar hand. Ze buigt een beetje voorover. 'Maar dan komt Thelma uit de slaapkamer met een schuldige blik op haar hondenkop. Ik loop naar de slaapkamer en, ja hoor: ze was op het bed gesprongen, had de helft van de koekjes opgegeten en van de andere helft een zootje gemaakt.' Rosie schudt geërgerd haar hoofd. 'Die hond!' En ze schudt haar hoofd nogmaals. 'Die hond. Ik hou van haar, maar...' Ze zucht diep om haar ergernis te ventileren. 'Daarna kijk ik in de eetkamer en zie dat ze een vel bakpapier omlaag heeft getrokken en die koekjes ook heeft opgegeten. Dus ik moest de koekjes opnieuw maken. Als je ze zo meteen ziet, begrijpen jullie waarom, maar ik moest zien uit te vinden welke ze had opgegeten en dat kostte bijna een uur en daarna moest ik ze opnieuw maken en weer laten afkoelen.'

We voelen allemaal Rosies ergernis over het feit dat ze opnieuw moest beginnen, een ergernis die uitmondde in grote zorgen over alle klussen die ze nog moest doen en dan ook nog de klus die ze nog een keer over moest doen. Jeannie kijkt niet naar Rosie en zit in plaats daarvan haar trouwring en verlovingsring te bestuderen.

'Die smoes gebruikte ik vroeger op de middelbare school. "De hond heeft het opgegeten,"' zegt Taylor zangerig.

Rosie trekt zich niets aan van ons gelach. 'Maar het is allemaal gelukt. Ik zweer dat honden lastiger zijn dan kinderen. Toen Kevin thuiskwam vroeg hij meteen: "Nog steeds bezig met die koekjes?" Ik heb hem ongetwijfeld boos aangekeken, want hij droop af naar de woonkamer om tv te kijken en kwam niet meer tevoorschijn tot ik hem voor het eten riep. Nou. Hier zijn ze.'

Ze haalt een zilverglanzende doos uit een van de tassen. De deksel heeft de vorm van openstaande bloemblaadjes. Ze duikt in de doos en haalt er een kerstboompje uit van ongeveer twintig centimeter hoog, gemaakt van koekjes in de vorm van sterren. Het glazuur is sneeuwwit en bestrooid met lichtrode spikkeltjes.

'O, hemel.'

'Hoe heb je dat voor elkaar gekregen?'

Nu is Rosie in haar nopjes. 'Het zijn twaalf koekjes, het moeten er toch twaalf zijn, hè?' Ze kijkt me even aan. 'Elk koekje is kleiner, en ze zitten met glazuur aan elkaar geplakt. Zie je nu hoe moeilijk het was om uit te zoeken welke waren opgegeten?'

'Dit is gewoon te mooi om op te eten. Ik zal de mijne als versiering op tafel zetten tijdens het kerstdiner,' zegt Juliet.

Rosie straalt van trots.

'Ach, nu kunnen wij onze koekjes net zo goed niet laten zien. Dit is vast het allermooiste,' zegt Allie.

'Het is een heel simpel recept voor suikerkoekjes en ik heb de sterren gewoon uit karton geknipt en die als patroon gebruikt. Ik heb ze in volgorde van grootte asymmetrisch op elkaar gestapeld, zodat de punten van de sterren er uiteindelijk uitzien als boomtakken. Ik heb deze gekozen omdat ik iets nodig had als tafelversiering voor het diner op kerstavond en ik dacht dat dit het wel goed zou doen.'

'Hij is echt te gek. En de dozen zijn ook mooi,' zeg ik.

Ze lacht naar me. 'Ja, het kostte nog heel wat moeite om die te vinden. Je kunt het koekje er dus uithalen zonder dat het kapot gaat.'

'Rosie, je hebt het dan wel druk en je vindt jezelf misschien een stresskip, maar je krijgt het intussen altijd wel voor elkaar. Deze zijn echt prachtig,' zegt Charlene. Ik heb haar zitten bekijken. Ze leek somber, zo achterovergeleund in haar stoel het feestje bekijkend, dus ik ben opgelucht dat ze nu iets zegt.

Jeannies gezicht blijft van Rosie af gekeerd.

'Goed, laten we ze uitdelen.' Ze overhandigt een doos aan Juliet en vervolgens gaat hij de hele kring rond tot hij bij Charlene belandt. Rosie blijft ze aan Juliet geven en we geven elke doos door aan degene aan onze linkerkant tot die zelf een doos heeft.

'Hé, waar is de doos voor de hospice? Wie zorgt daarvoor?' vraagt Allie.

'Dat doe ik wel,' zegt Charlene en Rosie geeft haar een doos, die ze in een van Rosies inmiddels lege tassen stopt.

'En ik doe die van Vera wel tot ze er is. En die van Tracy ook.' Ik zet een lege tas op de stoel die klaarstaat voor Vera en een tweede tussen Charlene en mij. 'Wie doet die van Alice?'

Rosie zegt: 'Ik. Ik heb hier plaats voor een tas.' En ze doet een van de doosjes in de lege tas.

Allie staat op om wijn te halen. Er is niet zozeer een pauze, maar meer een herschikking.

'Neem wat rode mee, wil je?' roept Jeannie.

Ik sta op om een nieuwe fles witte te halen, neem de rode ook mee en zet ze op de salontafel. Ik weet dat er de hele avond na elk verhaal en het uitdelen van de koekjes even tijd nodig is om naar de wc te gaan, iets te eten te halen, te praten en grappen te maken. Ik voel de stilte van mijn mobieltje op mijn heup en kijk op mijn horloge. Ik haal mijn mobieltje tevoorschijn om te zien of ik misschien een telefoontje of een boodschap gemist heb. Nada. Geen telefoontjes. Geen boodschappen. Ik krijg even een kleine inzinking, maar richt me snel weer op de hartelijke gezichten van de lachende en pratende vrouwen. Ik schenk nog wat rode wijn in en neem een pindarotsje. Ik kijk even of het goed gaat met Sissy, maar ze is in gesprek met Laurie, Taylor en Allie. Allie zegt iets, vast een van haar dubbelzinnige, superschunnige moppen, en Taylor en Sissy barsten in lachen uit. Alles goed met Sissy, zoals ik al had verwacht. Ze past goed bij al de andere vrouwen. En dan denk ik aan mijn kleinzoon die op het punt staat geboren te worden en ik hoop dat hij er ook bij past.

'Hé, Juliet. Nu jij.'

RIJSMIDDELEN

Vroeger begreep ik nooit iets van de chemie van bakken. Toegepaste wetenschap leerden we niet in de scheikundeles op de middelbare school, dus ik deed gewoon wat er in de recepten stond, vagelijk op de hoogte van het feit dat ik iets moest toevoegen om van het deeg een echt baksel te maken. Dat zuiveringszout, wijnsteenzuur en bakpoeder zorgen voor het wonder dat koekjes in de oven opzwellen. Als ik bak, ben ik nooit zo precies in de hoeveelheden kruiden en ingrediënten die ik gebruik, maar ik rommel nooit met de chemie van het bakken. En zo werkt het.

Zuiveringszout is natriumbicarbonaat. De oude Egyptenaren vonden er de natuurlijke afzettingen van en gebruikten het als zeep. Tegenwoordig wordt het gebruikt tegen maagzuur, om tanden witter te maken, om de geur van je koelkast te verfrissen en als geurverfrisser voor je tapijt, die je erop sprenkelt voor je gaat stofzuigen. Als je het toevoegt aan vocht en een zuurrijk ingrediënt - zoals yoghurt, chocolade, citroensap, azijn, karnemelk, of honing - ontstaan er belletjes koolzuurgas die uitzetten bij warmte. Die reactie begint zodra de ingrediënten bij elkaar worden gevoegd.

Wijnsteenzuur is gemaakt uit het bezinksel van wijn. Als je het kunt krijgen, is het een handig ingrediënt om geklopt eiwit mee te stabiliseren. Anders zul je dat moeten doen met een snufje zout, zoals aangegeven in de recepten. Meringue, bijvoorbeeld, bestaat uit eiwit, suiker en een snufje zout of wijnsteenzuur. In bakpoeder is het het zuurrijke ingrediënt.

In bakpoeder zit ook natriumbicarbonaat, maar de zuurmaker (wijnsteenzuur) is er al aan toegevoegd, evenals een droogmiddel (meestal maïszetmeel). Bakpoeder gebruik je vaak in koekjes en gebak, gist wordt gebruikt voor brooddeeg en pizza. Modern bakpoeder heeft gewoonlijk een dubbele werking. Met dubbelwerkend bakpoeder komt er op kamertemperatuur weliswaar een beetje gas vrij als het poeder aan deeg wordt toegevoegd, maar het meeste gas komt pas vrij wanneer het deeg in de oven wordt gezet. Daarom schrijven recepten altijd voor dat je eerst alle droge ingrediënten moet mengen en daarna pas de natte eraan toe moet voegen. Recepten zeggen ook dat je beslag zo kort mogelijk moet roeren, alleen tot alle ingrediënten net vochtig zijn, waardoor het ontsnappen van gas uit het beslag tot een minimum beperkt blijft. Als je te lang roert, houdt de reactie op en zijn de belletjes al ontsnapt. In modern bakpoeder is een deel van het wijnsteenzuur vervangen door een trager werkende stof, zoals dinatriumdiwaterstofpyrofosfaat. Dat reageert namelijk nauwelijks bij kamertemperatuur.

Je kunt je eigen bakpoeder maken met zuiveringszout en wijnsteenzuur. Meng gewoon twee delen wijnsteenzuur met één deel zuiveringszout.

Kant-en-klaar bakpoeder bevat zowel een zuur als een base en heeft in het algemeen een neutrale smaak. Bakpoeder is een gebruikelijk ingrediënt voor cakes en koekjes.

Kortom: steeds als we bakpoeder gebruiken en we daarna gerezen koekjes en andere baksels uit onze ovens halen, genieten we van de magie van de chemie.

4

Juliet

DOOPKOEKJES UIT PENNSYLVANIA

225 g zachte boter
400 g kristalsuiker
150 g bruine suiker
2 grote eieren, losgeklopt
1 tl vanillearoma
375 g gezeefde bloem
2 tl bakpoeder
125 g fijngehakte pecannoten (meer mag ook; ik rooster ze altijd eerst)

Roer de boter, kristalsuiker, bruine suiker, eieren en vanillearoma in een kom goed door elkaar. Meng de overige ingrediënten in een andere kom. Voeg het droge mengsel langzaam bij het suikermengsel. Meng dit héél goed met je handen. Verdeel het deeg in vieren. Maak van elk deel een rechthoekige staaf van ongeveer 15 cm lang, 5,5 cm breed en 2,5 cm dik. Verpak iedere staaf stevig in bakpapier en leg ze in de vriezer.
Snijd de deegstaven voor het bakken met een scherp mes in dunne plakjes van ongeveer 0,5 cm. Bak die 8 à 12 minuten op 175 °C tot ze

aan de randen lichtbruin zijn. Let goed op: ze zijn al snel te donker. Laat de koekjes een paar minuten afkoelen voor je ze van de bakplaat haalt. Elke deegstaaf is goed voor 25 à 30 koekjes.
De koekjes zijn heel knapperig en smaken heerlijk als je ze in koffie of melk doopt. Mijn favoriete weekendontbijt en lievelingssnack op de late avond!

JULIET PARADEERT MET deinende heupen mijn kantoor in om haar tassen te halen. Ze torent boven ons uit, met een waterval van blond krullend haar.

'Die pilatestraining van je werpt echt zijn vruchten af,' merkt Allie op.

Juliet pakt haar glas, neemt een slok wijn en zegt: 'Ik heb het grootste compliment van mijn hele leven gekregen. Mijn dochter kwam onverwachts thuis. Ik was net uit de douche en had alleen een bh en een slipje aan. En ze zei: "Wauw, mam. Als ik zo oud ben als jij, hoop ik dat mijn lijf half zo mooi is als het jouwe. Je ziet er echt te gek uit."'

'Je ziet het verschil, reken maar. Net Wonder Woman,' zegt Laurie.

Juliet fronst haar wenkbrauwen en knijpt in een perfecte karikatuur één oog tot een spleetje, waarmee ze wil zeggen: maak dat de kat wijs. 'De cellulitis en de rimpelknieën zitten verstopt onder de kleren,' zegt ze lachend.

Ik loop de keuken in voor chips en een dip, en Laurie loopt achter me aan. 'Juliet is een geval apart. Fantastische man, fantastische carrière, fantastische kinderen en kleinkinderen. En ze is nog mooi ook.'

Bij het woord kleinkinderen moet ik meteen aan Sky denken. Mijn mobieltje is nog steeds niet overgegaan.

'En in topconditie.' Laurie schenkt cola light in haar wijnglas.

'En ze woont in een prachtig huis! Ik weet echt niet hoe ze dat doet. Het lijkt bij haar allemaal zo vanzelf te gaan.'

'We hebben allemaal onze portie ellende gehad.'

'Maar die van haar is onzichtbaar. Het lijkt wel of ze overal doorheen zeilt. Zelfs door de kanker.'

'Ze was bang. Ik ook. Daarna heeft ze een paar jaar hulpgroepen geleid.' Een paar dagen voor haar operatie had Juliet me verteld over haar angst. Als ze geen borsten meer had, wat zou er dan met haar huwelijk gebeuren? En ze had eraan toegevoegd, dat er zoveel van haar erotische gevoel in haar tepels zat.

Ik wist niet wat ik moest zeggen. 'Liever je tepels kwijt dan je leven.'

'Precies.' Ze hield haar blik afgewend.

'Zie je wel? Ze maakte van de nood een deugd,' zegt Laurie.

'Ja,' zeg ik instemmend. Ik weet nog dat ik haar leerde kennen: het meisje dat naast mij in de klas zat te klagen over krullend haar dat ze met de krultang niet steil genoeg kreeg om te voldoen aan de mode van dat moment. Er wordt zoveel bepaald door de vraag of ons uiterlijk klopt met het ideaal van onze tienerjaren. Door haar haren, haar puistjes en haar lengte was ze als een giraffe tussen pony's.

'Ik haat, haat, haat mijn haar,' had ze op een dag gezegd.

'Vroeger wilde ik juist zulk haar. Ik draaide toen urenlang plukjes haar om mijn vingers om te proberen zo krullen te maken.'

'Vroeger,' beet ze terug. 'Op de basisschool.'

'Wie weet komen krullen wel weer in de mode.'

Ze rook naar Jean Naté. 'Vast, ja.' Ze deed witte lippenstift op en eyeliner.

'Jij hebt tenminste lange benen,' zei ik.

Ze trok haar minirokje omlaag. 'Ja, en daardoor zitten mijn rokken meer dan tien centimeter boven mijn knieën. En daardoor ben ik naar de directeur gestuurd, voor het feit dat mijn rokken te kort zijn. Twee keer.'

Ze wilde niets positiefs horen. Ik denk aan hoe ze nu is, met haar zelfverzekerde uitstraling en het gemak waarmee ze in verschillende rollen en met allerlei mensen haar weg vindt. Maar onder dat gemak en die vaardigheden blijft ze het onzekere meisje, dat in het Courtyard Trailer Park woonde. Toen maakte ze zich druk over haar krullend haar en nu over haar cellulitis.

Laurie zegt: 'Het lijkt zo moeiteloos. Ze is, uh...' Schouderophalend zoekt ze naar het juiste woord. 'Ze kan altijd alles.'

Dan begrijp ik ineens wat ze zegt. 'Het valt ook niet mee om een kersverse moeder te zijn.'

Ze verstrakt een beetje, en als ze zich naar me omdraait zie ik dat haar ogen groot en star zijn, als een hert verblind door koplampen. 'Ik ben ontzettend gelukkig met Olivia, maar...' Ze grist een stuk kip weg en stopt het in haar mond. 'Het voelt alsof ik alleen maar háár ben. Er is geen ík meer. En ik ben zo moe. Ze slaapt 's nachts nog steeds niet door en ik probeer het huis schoon te maken als zij haar dutjes doet. En ik kan haar niet blij maken.'

Ik leg mijn hand op haar schouder. 'Ze heeft een hoop meegemaakt. Weggerukt van haar wortels en verplant. Het komt heus wel goed.' Ik vraag me af of de foetus die je hele lichaam overneemt je daarmee vast voorbereidt op het feit dat je hele leven wordt overgenomen door de baby. Adoptie is een plotselinge ontwrichting. Voor moeder én kind. Om over de biologische moeder nog maar te zwijgen. Ik denk aan Sky en haar test. Als haar zwangerschap afgebroken moet worden, dan wil ze misschien wel adopteren.

'Misschien huilt ze daarom zoveel.'

'Het is pas een paar maanden geleden. Zo ontzettend veel veranderingen voor jullie allebei. Voor jou ook. Hoe graag je haar ook wilde en hoeveel je ook van haar houdt.'

'Ja, dat is logisch, denk ik. Het is alleen veel minder logisch wanneer het over jezelf gaat.'

'Met Juliet is het net zo. Die heeft echt niet in één keer geleerd om de Juliet te zijn die ze nu is. Dat ging stukje bij beetje.'

En ze is niet precies de Juliet die ze pretendeert te zijn. Het trailerpark heeft zijn sporen nagelaten. Niet de plek zelf, maar wel alles wat ermee samenhing: armer zijn dan haar klasgenoten en haar alleenstaande moeder die 's nachts werkte om voor haar drie kinderen te zorgen. Juliet moest alles in haar eentje uitvinden. Pas toen ze een baantje vond als boodschappeninpakker in de supermarkt, kreeg ze een paar dingen die wij allemaal heel gewoon vonden, zoals schoolfoto's. O, ze maakten wel een foto van haar, maar ze kreeg nooit een pakje om mee naar huis te nemen. Wij ruilden allemaal pasfoto's die we op de achterkant signeerden met motto's als 'veel mooier dan je had verw8'.

Ooit zei ze schouderophalend dat ze die van haar al had weggegeven. Het jaar daarop zei ze dat ze van haar moeder alle foto's aan haar nichtjes en neefjes had moeten geven.

'Dan had je er meer moeten bestellen,' zei het meisje dat aan de andere kant naast haar zat.

'Dat zei ik ook tegen mijn moeder.' Juliet rolde met haar ogen met zo'n universele geërgerde blik waarop tienermeisjes het patent hebben. Ik gaf haar altijd toch een fotootje van mezelf. Ik was toen zo'n sukkel, met mijn zwarte bril en wijduitstaand haar. Ooit keek ik in haar portemonnee en zag dat mijn foto, en eentje van haar moeder met haar broer en zus de enige waren die ze had. De rest van de plastic steekhoesjes zat vol met briefjes en bonnetjes. Toen begreep ik de smoesjes die ze vertelde. Daarna ging ik bij haar op bezoek in de trailer.

Het huis waar ze nu woont – perfect geschilderd in neutrale kleuren met alleen de planten en kussens als kleurige elementen – is het bewijs van haar behendigheid. Binnen is het angstvallig netjes en smetteloos. Buiten is een tuin met bloemen in potten, keurig gesnoeide bomen en een enorm gladgeschoren gazon. Zo totaal het tegenovergestelde van de rommelige caravan met twee slaapkamers, die op een terreintje met grind stond en met vier mensen tjokvol was. Ze hielp haar man Dan door zijn rechtenstudie heen, nadat zij haar diploma als verpleegster had gehaald. Haar dochter is nu lerares en haar zoon studeert medicijnen. Ze zijn allebei getrouwd. Haar dochter heeft één kind en de vrouw van haar zoon is zwanger. Een droomgezin in een droomhuis. Veilig. Welvarend. Gelukkig.

Ze werkt hard om dit beeld in stand te houden. Maar er zit ook een andere kant aan. Dat weet ik deels omdat ik er toevallig bij was toen het begon. En deels omdat ik haar altijd al gekend heb. Stephen en ik waren met Juliet en Dan bij een Blues & Jazz Festival. Het is al lang geleden. Voor het knettergek en ellendig werd met Stephen. Toen we allemaal nog geloofden in monogamie, trouw, loyaliteit en dat liefde alles kon overwinnen. Juliet en ik hadden onze mannen met hun bier op hun stoel achtergelaten om dichter bij Al Green te komen. Terwijl we hem aanmoedigden werden we samengeperst tussen een groep andere mensen, maar we stonden wel heel dichtbij. En toen stak hij zijn hand uit. Juliet stak haar hand omhoog en raakte de zijne aan. Ze keken elkaar aan.

Ze zwaaide met haar arm in de lucht en deinde met haar heupen op zijn liedjes. Zijn blik dwaalde van top tot teen over haar lichaam, stopte even bij haar volle lippen en krullende haar. Hij verbrak het oogcontact en liet toen zijn blik over de mensenmassa gaan. Een menigte dansende, stampende mensen stond samengepakt in de felle zon. De mensenmassa schreeuwde over zijn schetterende blazers heen.

Juliet en ik stonden met onze armen omhoog voor het podium te swingen en zongen met hem mee.

En toen was het voorbij. Het was zijn laatste toegift.

'O God, ik moet plassen,' fluisterde Juliet. We liepen naar de mobiele toiletten en gingen in de rij staan. Juliet hield op met praten en staarde naar een vrouw die naar buiten kwam. Ze was aantrekkelijk, een jaar of tien ouder dan wij, en gekleed in een kakibroek, chique sportschoenen, een bedrukt shirt en een klein sjaaltje. Toen ze Juliet zag, liep ze naar haar toe en praatte over het perfecte weer voor het concert, terwijl het vorig jaar alsmaar had geregend. 'Ik moet terug naar Tom. Ik zie je bij het volgende ziekenhuisfeest.' Haar lippen waren net opnieuw glanzend rood gestift.

'Oké,' had Juliet gemompeld, met een blos op haar gezicht en haar armen omlaag bungelend langs haar lichaam. Ze was weer het onhandige schoolmeisje dat over haar te krullerige haar klaagde en smoesjes bedacht omdat ze geen fotootjes had.

'Wie was dat?'

'Dat wil je niet weten.'

LATER DIE WEEK maakten we een wandeling door Gallup Park. Tara was op de crèche en ik had mezelf even vrijaf gegeven van mijn studie voor een middagje met mijn oudste vriendin. We kwamen langs de plek waar het festival had plaatsgevonden. Die was nu verlaten: geen mensen meer, geen dekens, geen stoelen en geen stalletjes die Indiaas en Italiaans eten, delicatessen, bier, wijn en frisdrank verkochten. De stem van Al Green had plaatsgemaakt voor totale stilte, die af en toe werd doorbroken door een kwakende eend.

'Wie was die vrouw?'

Ze wist onmiddellijk over wie ik het had. 'O, God.' Ze kneep haar ogen dicht en slikte. 'Ze is de vrouw van een van de artsen met wie ik werk.'

'En je haat hem?'

Ze snoof en begon grotere stappen te nemen, zodat haar haren op haar schouders op en neer deinden. 'Integendeel. We zijn goede vrienden.'

'Val je op hem?'

'Dat kun je wel zeggen, ja.' In de zomerlucht stapte ze op haar lange benen stevig door, zodat haar weelderige borsten op en neer deinden in het ritme van haar stappen. Ik moest hollen om haar bij te houden.

'Hé, kalm aan.'

Ze vertraagde haar pas. 'Oké.' We liepen naast elkaar langs een bank en gingen de bocht om. 'O, God.'

'Wat is er aan de hand?'

'Shit. Ik heb het mezelf nog niet eens verteld.' Ze draaide zich naar me toe. 'Beloof me. Niemand. Nooit.'

We stopten en keken elkaar aan. 'Juliet. We hebben al jaren elkaars geheimen bewaard.'

Ze knikte. 'Ik ben, wij zijn verliefd, geloof ik.'

'Hebben jullie een affaire?'

'Nee. We doen niets. Werpen alleen maar vurige blikken naar elkaar en praten na het werk op zijn kantoor. En op een middag hebben we vrij genomen en zijn we naar Hudson Mills gegaan. We hebben door het park gelopen en zijn op weg naar huis gestopt voor aardappels-uit-de-oven bij Wendy. En we hebben gepraat over wat we voor elkaar voelden. Over onze verplichtingen aan onze gezinnen. Dus er gebeurt niets.'

'O.' Ik haalde diep adem.

'We hebben besloten elkaar te negeren. Dat houden we een paar dagen vol en dan werpt hij me weer zo'n blik toe, zo'n smachtende blik van ik-wil-je-ik-mis-je, en dan krijg ik kippenvel. En dan stuurt hij een bericht naar mijn pieper met "ik mis je", en een paar uur later piept hij dat ik naar zijn kantoor moet komen. Ik moet voortdurend aan hem denken en elk gesprek blijft maar door mijn hoofd gaan.'

'Als motten die om een vlam vliegen.'

'We willen dit niet. Het is zo verkeerd. Overspel.' Ze huivert.

'Zo verkeerd. Ik word niet goed van mezelf. Ik word al misselijk bij de gedachte. De leugens. De geheimen.' Al lopend houdt ze haar ellebogen vast.

'We voelen allemaal wel eens iets voor een andere man.'

'Maar dit is... ik weet het niet... het is zo dwingend. Zo onweerstaanbaar. Ik wil het leven van mijn kinderen niet ontwrichten. En ik wil Dan niet kwetsen. Maar we hebben één keer gekust. Hij drukte zijn lippen op de mijne, en die zoete mintsmaak in zijn mond, dat gevoel van zijn tong. Ik zweer dat ik hem urenlang gevoeld heb en die nacht had ik een verbijsterende droom.'

'En Dan?'

'Hij vraagt alleen maar waarom ik zo vroeg op ben. Ik kan niet slapen. Om vier uur 's nachts ben ik klaarwakker. Ik zeg hem iets over dat er zoveel te doen is, dat ik het huis moet schoonmaken, de was moet doen en lunchpakketjes moet klaarmaken. Dat soort dingen.'

'Wat is er met Dan? Met Dan en jou?'

Ze keek omlaag naar haar roodgelakte teennagels in haar slippers. Ik keek haar van opzij aan, maar haar ogen waren gesloten. Ze had de Jean Naté verruild voor Charlie. 'Er is niets meer. Er zit geen fut meer in.' Ze haalde haar schouders op. 'Misschien moet je ook niet verwachten dat de seks na vijftien jaar nog fantastisch is. Het gaat alleen maar over de daad, het kwakje. Niet over onze gevoelens voor elkaar. Zelfs niet over seks voor de lol. Gewoon hup, hup en klaar, zodat we kunnen gaan slapen en dan weer opstaan, op naar de volgende dag.'

'Misschien moeten jullie op vakantie. Jullie samen.' We liepen over de houten brug. Een zwanenpaar dreef naast elkaar de rivier af.

'Weet je nog? Parijs, vorige herfst?'

'Ik dacht dat je het leuk had gehad!'

'Ik vond de reis te gek. De musea en de kerken. Door het Quartier Latin lopen en in cafés zitten. Het heerlijke eten. Maar geen grote vrijpret. En ook geen gesprekken. Het was hetzelfde als hier. Druk, druk, druk.'

Ik wist niet wat ik moest zeggen. Maar als ik die dag kon terugspoelen, zou ik niet weten wat ik anders zou zeggen. Ze kon en wilde de dingen met Dan niet verbeteren. Misschien had ze hem in haar hoofd al kleiner gemaakt. Een omkering van de waarneming, die maakt dat de man kleiner lijkt, als een glas dat halfleeg is. Een omwenteling die het onmogelijk maakt om die persoon nog te zien met het positivisme van hoop.

'Hij is gewoon niet opwindend. Hij ziet me niet eens meer.'

Ik voelde de plotselinge prikkeling van kippenvel op mijn arm. 'Wat is er met jullie gebeurd?' Mijn vraag kwam voort uit mijn verlangen naar duurzame liefde en een ongebroken gezin. Alsof ik toen al wist, wat niet zo was, dat het vonnis over Stephen en mij reeds geveld was.

Maar ze gaf geen antwoord en we liepen zwijgend verder. 'Je hebt gelijk. Ik ga echt mijn best doen om te zorgen dat het beter gaat met Dan. Wat sexy lingerie kopen. Een nieuw parfum. Hem een uur lang pijpen en zien of er daardoor iets verandert.'

Het maakte de dingen alleen maar erger. Haar pogingen werden niet beantwoord. Haar attenties maakten geen enkele indruk op hem, hij draaide zich gewoon uitgeput om en viel in slaap. En het barstte los met Tom de dokter.

'Hij begrijpt me. Hij heeft me door. Ik bedoel, hij komt ook uit een, uh, arm gezin. Zijn vader was alcoholist en hij kon alleen maar naar de universiteit omdat hij als footballer een beurs kreeg. Zijn vader vond studeren een enorme tijdsverspilling.' Ze kneep haar ogen dicht en schudde haar hoofd. 'Net als mijn moeder. "Zoek toch een baan."' Juliets stem kreeg de scherpe, krijsende toon van die van haar moeder. '"Wat moet je met een academische titel? Zeker hier met je neus in de lucht rondlopen, omdat je denkt dat je beter bent dan wij."'

We dronken koffie op de markt. 'Kijk wat hij me gegeven heeft.' Ze gleed met haar wijsvinger onder een gouden ketting om haar hals. 'Als ik die draag, denk ik altijd aan hem.' Haar ogen glansden.

Twee jaar later, na middagafspraakjes in motels aan de rand van Ann Arbor, geflikflooi 's middags in de bioscoop en spontane ontmoetingen in het ziekenhuis, huurde hij een appartement. Dat richtten ze samen in. Ze beschreef het bed dat ze kochten en de quilt met bloemen van Monet. Een kleine bank en een tv. Ze hadden zelfs potten en pannen, borden en bestek.

'Hebben jullie de keuken ook ingericht? Dat had ik niet verwacht.'

'Soms koken we voor elkaar. Maar meestal zien we elkaar gewoon een paar middagen per week,' zei ze blozend. 'Dan heeft nooit iets samen met mij uitgezocht. Hij zei dat ik het mocht doen zoals ik het wilde. Maar, Marnie, het is zo leuk om het met iemand samen te doen.' Ze grijnsde.

Dat was twaalf jaar geleden. En de affaire werd deel van haar dagelijks leven.

Vorig jaar gingen we weer eens wandelen. Opnieuw naar het Gallup Park, in de late winter of het vroege voorjaar, en we dwaalden over slingerpaadjes door het bos en langs het natuurpad, dat vol sporen van langlaufski's was. 'We liegen niet meer tegen onszelf en elkaar. Tom en ik. Als we hadden willen weggaan om samen te zijn, dan hadden we dat wel gedaan. Onze kinderen zijn groot, die kunnen geen excuus meer zijn. Toms vrouw heeft haar moeders Alzheimer en de dood van haar ouders overleefd. Ik heb mijn borstkanker overleefd met Toms hulp.'

Na haar borstamputatie kwam Tom bij haar op bezoek en zat ook aan haar zijde bij de chemo en de bestralingen. Als ik bij haar kwam, was hij er altijd.

Als ze Toms naam noemde, ging haar vinger omhoog naar de gouden ketting en gleed eronder, alsof ze zo zeker wist dat hij bij ar was. 'En Dan overleefde zijn bypassoperatie. Daar hielp Tom ok bij, weliswaar achter de schermen, maar hij hielp toch. Tom en k hebben steeds weer dezelfde belachelijke ruzies die nooit echt worden opgelost, net als elk ander stel. Net als Dan en ik. Soms vrijen we niet eens; dan slapen we gewoon in elkaars armen.'

'Waarom gaan jullie ermee door?'

'Omdat we een band hebben. We zijn sterk met elkaar verbonden. En het is mijn...' Ze haalde haar schouders op, op zoek naar het juiste woord. '... leven? Ik ben aan hem gehecht, net als ik aan Dan gehecht ben. Ieder in zijn eigen doosje. En geen van tweeën kennen ze me echt. En ik dacht nog dat Tom anders was. Weet je nog? Ik geef me niet volledig, aan geen van twee.' En dan draait ze zich naar me om, met grote pupillen. 'Ik denk dat jij de enige bent die er enig idee van heeft.'

Intimiteit, denk ik. We worstelen allemaal zo om met iemand echt onszelf te zijn. Misschien kon Juliet het trailerpark niet helemaal achter zich laten en moest ze een beetje ordinair blijven om zichzelf nog te herkennen. En omdat ik haar al uit die tijd kende, bij haar op bezoek ging in die krappe ruimte, kon ze me ook over haar affaire vertellen. Maar het zou ook een uitvlucht kunnen zijn uit al die burgermansperfectie.

Charlene roept. 'Hé, we zitten te wachten.'

Ik neem de kom pitachips en de spinazie-krabdip mee naar binnen en ga zitten. Juliet staat. Ze grinnikt.

'Oké. Dit is een oud familierecept. Mijn oma kwam uit Pennsylvania en ze maakte altijd deze koekjes die mijn grootvader in zijn koffie doopte. Toen ik klein was maakte mijn grootvader ook wat koffie voor mij – vooral veel warme melk met een paar druppeltjes koffie erin – zodat ik met hem mee kon doen. Mijn grootmoeder maakte ze altijd voor Kerstmis en als we op kerstochtend op bezoek gingen, kregen mijn grootvader en ik samen onze doopkoekjes.' Juliet stopt. Haar ogen hebben een vochtige glans.

'Onze kerstfeesten waren niet overdadig. Kleren. Misschien een of twee speeltjes. En de doopkoekjes. En de doopceremonie was het enige wat ik echt met mijn grootvader deelde. Het is absoluut mijn enige herinnering aan hem.' Haar armen zijn over elkaar geslagen en haar stem is kalm. 'Als ik de koekjes maak, doop ik het eerste altijd in de koffie en denk dan aan de keuken van mijn oma, met het linoleum waarvan het patroon versleten was op de plekken waar ze meestal stond, en de peper- en zoutvaatjes in de vorm van poesjes die op de tafel in de eethoek stonden. De geur van mijn grootvader vermengd met koffie en koekjes. En natuurlijk de smaak van het koekje. Ik weet niet of het door die herinneringen komt, of dat ze echt zo lekker zijn. Dat moeten jullie maar zeggen, meiden.'

Ze stopt weer. Meestal is het verhaal over de herkomst van een koekje zo lang genoeg, maar Juliet likt haar lippen. Ze knippert met haar ogen, draait zich om en draait dan weer terug alsof ze zo wil aankondigen dat we nu een andere Juliet te zien krijgen. 'Goed.' Haar stem is nu zachter en hees fluisterend. Ze neemt een slokje wijn en steekt een vinger op. 'Je moet je koekje leren kennen. In mijn koekjes zitten harde pecannoten. Zorg dat je precies de goede hoeveelheid hebt.' Ze trekt een wenkbrauw op. 'Wees lief voor die harde noten.' Haar rauwe stem geeft aan dat we ons in een nieuw strijdperk bevinden en dat het hier echt niet over noten aan een boom gaat. 'Lief, want ze raken gemakkelijk gekneusd. Ik wiegel altijd met het mes als ik hak. Wiegel zachtjes zodat de noten splijten en niet geplet worden.' Ze glijdt met haar hand op en neer, haar vingers tegen elkaar gedrukt, en laat haar heupen meedeinen op de beweging.

'Rooster ze langzaam. Op precies...' Ze pauzeert even en fluistert dan: '... de juiste temperatuur.' Ze draait haar hoofd opzij en kijkt vanuit haar ooghoeken. 'Zorg dat ze niet te heet worden voor je klaar bent om ze te gebruiken.' Ze schudt haar hoofd langzaam en fluistert: 'Je wilt echt niet dat ze te heet zijn.'

Jeannie lacht hard.

Lauries ogen zijn strak op Juliet gericht.

Juliet wacht en zegt: 'Dan meng je het deeg. Ik meng het met mijn handen. Ik moet iets bekennen.' Ze opent haar lippen en likt er traag langs. 'Als ik het deeg gemengd heb, lik ik het van mijn vingers.' Ze steekt haar tong uit en legt het puntje tegen de onderkant van haar wijsvinger. Langzaam, heel langzaam, laat ze haar vinger langs haar tong omlaag glijden. Als ze bij haar vingertop is, duwt ze die in haar mond en zuigt. 'Hmmmm. Je moet zorgen dat het heerlijk is. Dat het precies goed smaakt voor de volgende stap. Vervolgens.' Ze zet haar handen in haar zij en buigt naar voren. 'Ga je de staven maken. Eerst verdeel je het deeg in stukken.' Ze neemt onzichtbaar deeg in haar handen en slaat het plat, naar ons toe. 'De staven moeten minstens vijftien centimeter lang zijn.' Met haar handen geeft ze een afstand van ongeveer vijftien centimeter aan. 'Minstens vijftien centimeter. Soms is langer beter. Soms niet. Het hangt ervan af wat jíj wilt.'

'Ik wil twintig centimeter,' roept Taylor.

'Langer is altijd beter. Ik ga voor vijfentwintig,' zegt Rosie.

'Dan is al je deeg met één staaf op.' Juliet draait zich naar haar om. 'Jij kunt het zo doen, maar ik wil er vier of vijf.'

'Vier of vijf?' gilt Taylor. 'O, hemel! Meer dan een kan ik niet aan, hoor.'

'En je moet hem vijf centimeter breed maken.' Ze spreidt haar duim en wijsvinger tot ongeveer vijf centimeter en beweegt ze op en neer langs de zijkanten van de onzichtbare staaf. Op en neer. 'En vergeet niet om lief te zijn voor de harde noten.'

Intussen lachen we allemaal zo hard dat we elkaars commentaar nauwelijks nog kunnen verstaan.

'Ik heb zo'n zin om die harde noten te proeven.'

'Jij mag de noten houden. Ik wil het deeg. Die staaf van vijftien centimeter,' zegt Allie giechelend.

Juliet duikt in de grote boodschappentas en haalt er pakjes uit in glanzend rood papier met een overdaad aan ineengekrulde glimmend roze linten.

De dozen met koekjes worden rondgedeeld.

Charlene zit naast me. Ze stopt haar doosje in haar tas en leunt achterover om de joligheid te bekijken.

Allie gaat door. 'Denken jullie ooit wel eens na over waar we hier mee bezig zijn? Ik bedoel de freudiaanse symboliek ervan? Hij zei dat elke vrouw het liefst een fallus als cadeau wil. Maar wij maken iets heel lekkers voor elkaar en dan pakken we het mooi in, heel mooi, en meestal in een roodachtige kleur. En dat geven we aan elkaar. Ik heb altijd geweten dat hij ongelijk had.'

Ik kijk onderzoekend naar Sissy om te zien hoe het met haar gaat, wat ze denkt van deze schunnige praatjes, maar ze lacht en maakt grapjes met Allie.

Laurie doet het doosje open en haalt het recept eruit. 'Daarna moeten we het in de vriezer zetten. In de ijskast. Ik geloof dat ik dat heb gedaan sinds we Olivia hebben.'

'Ze zijn heerlijk. Het was niet alleen maar je herinnering. Ze zijn zalig, ook zonder koffie.'

De rood met roze pakjes worden uitgedeeld en ik stop er een in de tas voor de hospice en een in de tas voor Tracy. We maken ze ongeduldig open, nemen allemaal een koekje en slaken kreten van enthousiasme.

'Elegant en volmaakt,' zegt Laurie. 'Net zoals jijzelf.'

'Elegant? Vind je dat ik elegant ben?' reageert Juliet.

'Niet alleen elegant. Ik wist niet dat je dat in je had. Je zou een tv-show moeten doen. Een kruising van Rachel Ray en dr. Ruth.'

Iedereen lacht.

Juliet staat op en loopt naar de keuken. Ik vang een glimp op van haar achterkant: haar hoofd hangt naar voren en één schouder is omlaag gezakt. Ik loop achter haar aan.

'Wat is er?'

'Ik weet het niet. Het is gewoon... ach, op de een of andere manier valt het zwaar, het maken van die koekjes, het denken aan mijn grootvader en Dan en Tom, ik weet niet wat er met dit jaar is. Maar het is zwaar.' Haar woorden komen er als een rap gefluister uit. 'Het is allemaal zo zwaar,' zegt ze weer, en haar schouders zakken omlaag. 'Ik mis hem.' Ze likt haar lippen. 'Maar het gaat niet om hem. Het gaat om de vader die ik nooit gehad heb en de Dan met wie ik dacht dat ik ooit trouwde, en de Tom met wie ik dacht dat ik zou kunnen trouwen. En intussen heb ik alleen maar mezelf, mijn kinderen en mijn uitgestippelde leven. En jou.' Ze doet haar ogen dicht. 'Altijd jou. En mijn moeder, natuurlijk, in een aanleunwoning met thuiszorg. Nog steeds tegen me krijsend.' Terwijl ze praat, rolt ze de gouden ketting tussen haar vingers.

'Wie had kunnen denken toen we bij dat concert waren, dat jij zou zijn waar je nu bent, dat Tara zwanger zou zijn en dat Sky zou moeten doormaken wat ze nu doormaakt?' Ik kijk op mijn horloge. Ik was er vast van overtuigd dat ze nu wel gebeld zou hebben.

'Dat is waar ook!' Juliet slaat zich op haar voorhoofd. 'Ik denk ook alleen maar aan mezelf. Sky hoort vandaag de uitslag. Er gebeurt gewoon te veel.'

'Je was een giller vanavond. Meesterlijk spel.'

'Misschien is het allemaal niet meer dan dat: een spel.'

Dan komt Rosie binnen. 'Spel? Wat voor spel?'

Juliet en ik werpen elkaar een blik toe en Rosie zegt: 'O, ik stoor jullie.'

'We moeten toch terug. Wie is de volgende?'

'Jeannie.' En dan gaat Rosie de kamer weer uit.

Ik zie de ironie van Jeannie als volgende, en denk aan de rauwe lach die Juliet en Jeannie altijd delen. Ze zijn allebei verwikkeld in een driehoeksverhouding en weten dat niet van elkaar. Ik geloof tenminste niet dat Jeannie het aan Juliet verteld heeft. En ik kan me niet voorstellen dat Juliet aan Jeannie over Tom zou vertellen. Ik wend me tot Juliet. 'Zullen we deze week een keer eten, 's middags of 's avonds? Wij tweetjes? Misschien bij het Roadhouse?'

'Natuurlijk.' Juliet omhelst me. 'Ik hou van je,' zegt ze.

'Ik ook van jou.'

'Ik voelde me zo'n stuk ellende toen Stephen jou bedroog. Ik was bang dat je mijn vriendin niet meer wilde zijn.'

'Wat? Ik zou jouw vriendin niet meer willen zijn?'

'Dat jij je raar zou voelen of zo, vreemd, omdat ik iemand iets aandeed wat Stephen jou aandeed.'

'Dat voelde niet hetzelfde. Jij deed het mij niet aan. En Stephen neukte met de hele wereld. Misschien is dat egoïstisch, of egocentrisch, maar zo was het. En bovendien is dat al zo lang geleden.'

'Marnie!' roept Allie. 'Juliet!'

'And here we are. Here we still are.' Ik pak een fles wijn en loop zingend terug naar de groep. 'Ik dacht dat we wel een opkikkertje konden gebruiken.'

'Dat klinkt goed.'

En ik krijg weer een feestgevoel.

NOTEN

Ik biecht hierbij op dat ik een zwak heb voor noten, voor alle soorten. Ze zijn mijn lievelingssnack, en sinds ontdekt is hoe goed ze voor je gezondheid zijn, is het makkelijk om tegenover mezelf te verdedigen dat ik ze eet. Veel te makkelijk!! Koekjes vol noten horen gegarandeerd tot mijn favorieten.

Ik ben dol op noten, maar ik moet toegeven dat ik de zwarte walnoot een beetje verdacht vind. De Amerikaanse zwarte walnoot, die wel veertig meter hoog kan worden en een bladerdek kan krijgen dat zo'n drieëntwintig meter omspant, wordt vaak beschouwd als de nationale boom van de VS. Ik heb er een paar in de tuin staan en het zijn lommerrijke bomen, maar het is moeilijk, vaak zelfs onmogelijk, om er bepaalde planten in de buurt te laten groeien. Voor ik een plant koop, onderzoek ik eerst of de plant er kan gedijen. De judasboom en het gebroken hartje doen het goed, maar seringen en pioenen gaan dood. De noten geven vlekken op je handen, kunnen gebruikt worden om verf te maken, en het hout is nogal kostbaar. De noot is kleiner en heeft een hardere schil dan de gewone walnoot, die in het wild groeide in een omvangrijk gebied van Zuidoost-Europa via Azië tot bijna in China. Wilde walnoten worden al sinds de prehistorie verzameld en gegeten. Het gebruik om er olie van te persen wordt al in het oude Griekenland genoemd. De Romeinen waren bereid hoge prijzen te betalen voor goede walnoten en hadden de traditie om bij bruiloften met walnoten te gooien. Vroege kolonisten in New England brachten de walnoot naar Amerika, ondanks het feit dat we al een paar goede inheemse soorten hadden. Walnoten zijn een uitstekende bron van plantenproteïne en ook omega-3. Walnoten helpen bij het verlagen van LDL-cholesterol (de slechte cholesterol) en het C-Reactief Proteïne (CRP), dat een indicatie is voor een hartaandoening.

De naam pecan is gegeven door de Algonquin indianen, en de pecannoot is de belangrijkste inheemse noot van Noord-Amerika. Pecannoten zijn afkomstig van een bitternootboom die verwant is aan de walnootboom. Pecannoten en bosbessen zijn inheems voor Noord-Amerika en waren belangrijk voedsel voor de inheemse Amerikanen. De bladverliezende boom kan wel driehonderd jaar oud worden en even lang vrucht dragen. Hij kan tot veertig meter hoog worden en drieëntwintig meter breed. Sommige oude wilde bomen produceren nog steeds noten, maar de meeste worden nu gekweekt uit gecultiveerde bomen. Antoine, een Afro-Amerikaanse slaaf uit Louisiana, kweekte pecannoten door een superieure wilde pecannotenboom te enten op een onderstam van een pecannootzaailing. Zijn kloon won een prijs op de Philadelphia Centennial Exposition in 1876, en zijn boom betekende een stimulans voor de pecannotenindustrie. Pecannoten zijn een uitstekende bron van proteïne en onverzadigd vet, en ze verlagen de cholesterol.

Pinda's hoorden bij de lievelingslunch van Sky en Tara in de vorm van pindakaas met zelfgemaakte aardbeienjam. De pinda is geen noot, maar een soort boon of erwt die zijn bloemsteel na de bevruchting in de grond duwt, zodat de peulen en de zaden zich ondergronds ontwikkelen. Hij werd voor het eerst verbouwd in pre-Inca tijden, en waarschijnlijk gekweekt in Argentinië of Bolivia. Hij is een van de belangrijkste planten uit de Nieuwe Wereld. De verbouw in Noord-Amerika werd populair door Afro-Amerikanen die het Kikongo-woord ‘nguba’ meebrachten. Dat werd ‘goober’, een ander woord voor pinda. De pinda was al snel overal te vinden, en werd door de Portugezen naar Afrika gebracht. Tegenwoordig worden ze overal gegeten als pindakaas, satésaus, snack en in Chinees eten. En dat vind ik allemaal lekker. De pinda is een belangrijk voedselgewas dat vitaal is voor de voeding, omdat hij dertig procent proteïne bevat en vol zit met gezonde stoffen, zoals nicotinezuur, anti-oxidanten en het co-enzym Q10. Helaas zijn veel mensen allergisch voor pinda’s en de reactie is zo heftig dat alleen de geur al kan leiden tot levensbedreigende situaties. Ik heb gelezen dat de wijdverspreide pinda-allergieën in de VS terug te voeren zijn op onze gewoonte om de pinda te roosteren, pindaolie te gebruiken in huidpreparaten en het eten van sojaproducten.

De meesten van ons leerden op school over George Washington Carver, die de uitvinder was van driehonderd manieren waarop de pinda gebruikt kan worden. Maar de noten raakten pas wijdverbreid tijdens de Eerste Wereldoorlog, toen de behoefte aan pindaolie enorm steeg door gebrek aan andere plantenoliesoorten. Het Congres van de VS heeft pinda’s bestempeld tot een van de primaire voedselgewassen in de VS.

5

Laurie

KLUIZENAARSKOEKJES

220 g bruine suiker
120 g zachte boter of margarine
4 el koude koffie
1 ei
1 tl bakpoeder
snufje zout
snufje kaneel
snufje geraspte nootmuskaat
220 g bloem
200 g rozijnen of ander gedroogd fruit
100 g gehakte noten

Verhit de oven tot 190 °C. Meng eerst bruine suiker, boter of margarine, koffie, ei, bakpoeder, bloem, zout, kaneel en nootmuskaat. Roer er dan de overige ingrediënten door. Schep koffielepels van het mengsel op een niet-ingevette bakplaat met tussenruimtes van ongeveer 5 cm. Bak ze 8 à 10 minuten, of tot er bijna geen afdruk meer achterblijft wanneer je erop drukt. Haal ze onmiddellijk van de bakplaat af. Goed voor ongeveer 50 koekjes.

'Ik wil graag als volgende,' verkondigt Laurie.

'Eigenlijk is Jeannie nu aan de beurt,' zegt Juliet. 'Hé, Opper Cookie Bitch, kunnen we zomaar van de regels afwijken door niet de kring af te gaan?'

Ze vinden het heerlijk om mij te plagen met de regels.

'O, o. Gaan we de regels overtreden? Dat mag niet, hoor,' hoont Rosie, die met een hand in haar zij de glazen staat vol te schenken met wijn.

Zie je, de regels lokken nog meer grappen uit.

Dan vraagt Rosie wie er nog meer wijn wil en kijkt daarbij Jeannie aan. Maar Jeannie schudt heftig met haar hoofd en kijkt dan een andere kant op. Rosie snapt het niet. Ze voelt zich niet verantwoordelijk en Jeannie vindt het makkelijker om haar de schuld te geven dan haar vader.

'Ik ga als laatste, maar ik zit niet naast Rosie,' helpt Taylor ons eraan herinneren.

'Olivia heeft me misschien nodig en, uh, dan kan Brian bellen.' Laurie klopt op haar middel, waar haar mobieltje zit.

Ik kan het niet nalaten ook even aan de mijne te voelen. Nog steeds stil. Nog steeds geen telefoontje van Sky.

'En ik wil iedereen echt heel graag zijn koekjes geven.' De kleur van de rossige highlights in haar haren komt terug in de bordeauxrode lange blouse die ze draagt. Die blouse had ze vorig jaar ook aan.

'Brian redt het wel. Je mist gewoon je kind,' zegt Allie, niet laatdunkend maar zachtaardig.

'Ik ben zo gek op dit feestje. En ik ben zo gek op jullie en Ann Arbor,' zegt Laurie. Het zweempje weemoed in haar stem verrast me. Onze blikken kruisen elkaar. 'Ik wil er geen seconde van missen. Dit is de start van al die spannende feestdagen.' Haar grijns bevestigt haar enthousiasme.

Ik knik naar Laurie. 'Natuurlijk mag jij nu.'

Laurie loopt naar mijn kantoor en komt terug met haar tassen.

Disney loopt achter haar aan, met glimmende ogen en kwispelende staart.

Laurie is mijn kapster. Een jaar of tien geleden vertoonde Vera zich op een dag met een bijzonder sexy en brutaal kapsel en vertelde me dat Laurie het had geknipt. Sindsdien is Laurie ook mijn kapster. In die tijd studeerde ze nog, maar ze is nooit gestopt met kappen. Laurie heeft me geholpen met mijn overgang van blond haar naar een kleur die steeds grijswitter werd. 'Daardoor komen je blauwe ogen veel mooier uit. En het maakt je levendiger.'

'Weet je zeker dat ik er niet oud uit zal zien?'

'Ja. Juist flamboyanter.'

Langzaamaan maakten we de kleur die ik gebruikte lichter. Geleidelijk maakte ze er meer witte highlights in. En nu is het helemaal wit. In een van de jaren dat ik nog bijna helemaal blond was, nam ik een paar dozijn van onze koekjes voor haar mee. Brian vond ze heerlijk en zij hield van bakken. Dus toen ik wist dat Jackie ging verhuizen, kwam zij bij de club.

Dit jaar heeft ze, na de adoptie van Olivia, haar klantenbestand uitgedund. Door drie in plaats van vijf middagen in de week te gaan werken regelde ze haar eigen zwangerschapsverlof. Haar man is makelaar. Hun inkomen is lager geworden, maar Laurie zegt daar nooit een woord over. Ze gaat niet met ons mee als we onze kooplust gaan botvieren of uit eten gaan, maar dat zou vanwege Olivia kunnen zijn. 'Neem haar toch mee,' zei ik. 'We vinden het heerlijk om haar te zien.'

Het bleef even stil aan de andere kant van de lijn en toen zei ze: 'Nee, liever niet.'

'We delen gewoon wat kleine hapjes bij Zingerman,' probeerde ik nog, maar ze bleef afslaan.

Terwijl ze druk heen en weer loopt om haar tassen te halen en de vrouwen weer verder kletsen met hun buurvrouwen, denk ik aan al die jaren dat ik de verhalen aanhoorde over Brians te kleine hoeveelheid zaadcellen. Ze probeerden van alles: injecties, medicijnen, en zelfs een operatie. Maar niets hielp.

'Misschien een wondertje. Eentje is genoeg.' Haar haardos was toen blond en waaierde uit.

Maar die ene broodnodige snelle zwemmer met uithoudingsvermogen dook niet op en ze besloten te adopteren. Ik zeg dat nu in één zin, maar het kostte hen tien jaar om die beslissing te nemen. Tien jaar van verwachtingen, tranen en het verlies van tienduizenden dollars. Toen nog een paar jaar om erachter te komen dat de wachttijd in de VS vijf jaar was, terwijl die in China korter was. Een week voor haar vertrek naar China liet Laurie me een foto zien van een baby met mollige wangen en stekelhaar dat alle kanten op stond.

'Ik hou nu al van haar,' zei Laurie, terwijl ze met haar hand over de foto streek en haar ogen zich vulden met een mengeling van enerzijds hoop en anderzijds verdriet omdat ze geen eigen dochter ter wereld zou brengen. Ze tikte aarzelend met haar vinger op de foto, deed haar ogen dicht en fluisterde: 'Ik hoop dat dit wel goed gaat.'

Sky en ik hadden ons toen al moeizaam door de dood van haar baby heen geworsteld. Ik vroeg me af of Sky op een dag in Lauries schoenen zou staan. Moest ik me voorbereiden op een kleinkind dat niet van mijn dochter was?

'Ik bedoel, kinderen krijgen is al moeilijk genoeg als je een idee hebt waar ze vandaan komen. Van jou. Van je man. Zelfs dat is eng. Maar dit dan.' Ze stokte en liet haar hoofd hangen.

'Het is een sprong in het ongewisse.'

Liefde groeit door verbondenheid, niet door genen. Maar ik denk wel dat de genetische verbinding het intuïtief begrijpen van temperament en persoonlijkheid gemakkelijker maakt. Voorkeuren, interesses, en zelfs de voorliefde voor bepaalde kleuren, gerechten en hobby's worden deels door de genen bepaald. Eigenschappen waarvan we aannamen dat ze door de omgeving bepaald werden, toen we nog geloofden dat persoonlijkheid gevormd werd door de opvoeding, blijken in werkelijkheid genetisch bepaald te zijn.

Neem het vermogen om ontzag te hebben. Ontzag. Wie had ooit gedacht dat dat genetisch bepaald was? Wie had ooit gedacht dat een schilderij, een zonsondergang of mooie muziek niet iedereen in hoger sferen brengt? Toch kent vijfendertig procent van de mensen die emotie helemaal niet. Dat vertelde Allie me. Ze had het gelezen in een boek over de genetische basis van de persoonlijkheid. Ze was net zo verbijsterd over die informatie als ik. Terwijl ik overweldigd door ontzag in de oneindigheid van Olivia's ogen keek, dacht ik na over die vragen, voor Laurie en Olivia, en Sky en mezelf. Zo bereidde ik me voor op wat voor toekomst er ook maar voor me in het verschiet lag. En zo bereidde ik me er geestelijk op voor dat ik Sky zou moeten steunen bij de adoptieprocedure van een baby, als het nieuws over deze zwangerschap treurig zou zijn.

'Ja. Soms beangstigend. Ik hoop dat ik genoeg van haar kan houden.'

'Die band, die stroom van moederliefde ontstaat door het zorgen.' Dat weet ik. Kijk maar hoeveel ik van Luke hield. 'Je bent er klaar voor.'

We keken allebei naar Olivia's ogen. 'Het is altijd opwindend en beangstigend tegelijk.' Ik wilde dat ze zou snappen dat ze net zo was als elke andere moeder. Het begin is anders, maar in vrijwel alle opzichten zijn de liefde en de angst hetzelfde.

Maar ik was er niet zeker van of ik ons beiden nu niet een sprookje aan het vertellen was.

'Zou het niet fantastisch zijn, echt fantastisch, als we de conceptie gewoon aan en uit konden zetten wanneer we maar wilden? Moet je bedenken hoeveel verdriet we daarmee zouden kunnen voorkomen.'

We stonden zo dicht bij elkaar dat ik de citroen in haar parfum kon ruiken.

Ze zuchtte diep vanwege de wanhopige ironie.

'Van geen enkel kind kun je zeker zijn, of je het nou zelf gebaard of geadopteerd hebt. Het blijft altijd een gok.' Ik dacht aan Tara en de jaren van spanning tussen ons. 'Olivia en jij gaan een groot avontuur aan,' zei ik. 'Een avontuur dat de gewone grenzen overschrijdt.' Ik hield haar handen vast. 'Bijzonder.' En toen omhelsde ik haar. 'Van het ene eind van de wereld naar het andere. En China! Wie weet wat Olivia jou allemaal te bieden heeft.'

Nu dwaalt mijn blik over al die vrouwen, van wie er zoveel al tientallen jaren deel uitmaken van mijn leven. Familie en verwantschap bouw je op uit de toevallige gebeurtenissen in het leven: uit verschillende reeksen van jaren, verschillende genetische omstandigheden, landen en rassen. Zeker dat laatste. Ik bekijk Sissy's gelaatstrekken en stel me die vermengd met de mijne voor. Ik vraag me af of de baby haar verbazingwekkende lach zal hebben, de lach die ook Aaron heeft. Ik vraag me af of hij haar mooie gebit zal erven. Haar mooie wenkbrauwen. Binnenkort zal ik de gelaatstrekken zien die voortkomen uit de toevallige gebeurtenis tussen Tara en Aaron, hoewel elke conceptie in wezen een bijzondere gelukstreffer is.

Als het niet lukt, zal Sky er ergens altijd verdrietig over blijven dat ze geen kind kon baren, dat ze de liefde tussen Troy en haar niet in een kind belichaamd heeft kunnen zien. Maar ze zou op de een of andere manier toch een gezin vormen, een dat kleurrijker zal zijn dan het gezin dat ze zou hebben als ze zelf gebaard had. Als dit embryo mismaakt is, zal ik haar aanmoedigen om te adopteren. Maar ik weet ook dat je vangnet vol gaten zit als je eenmaal moeder bent. Alles is mogelijk, van fantastische tot verschrikkelijke dingen.

Toen Laurie met Olivia was thuisgekomen, belde ze me. 'Je had gelijk. Ik was er klaar voor. Zodra ze me haar gaven, in haar klein roze dekentje en met haar piepkleine vingertjes, werd ik verliefd op haar. Ze keek me aan en ik was de hare. Alsof haar ogen me opzogen en me als haar moeder opeisten.'

Nu staat Laurie daar met een witte taartdoos in haar hand met een plastic venstertje waardoor je de inhoud kunt zien. Er zitten rode en groene linten omheen met gekrulde uiteinden. Laurie is een van de jongste Cookie Bitches. Taylor en zij zijn achter in de dertig. De rest van ons is in de veertig of de vijftig. Ik ben zevenenvijftig. Dat kan ik nauwelijks geloven: het klinkt zo oud. Over een paar jaar kan ik al met pensioen. Pensioen! Dat klinkt oud. Hoe is dat gebeurd? Vera is halverwege de veertig en Allie in de zestig, of bijna. Samen omspannen we alle periodes van de volwassenheid.

'Dit is een belangrijk jaar voor me geweest. Je weet wel, vanwege Olivia, en dit feestje is de eerste keer sinds ze bij ons is dat ik, behalve dan voor werk, niet bij haar ben. En...' Ze stopt en kijkt ons allemaal aan.

Door haar nerveuze aarzelende houding besef ik dat ze iets gaat aankondigen. Mijn hart slaat over en ik buig naar voren.

Ze perst haar lippen op elkaar en zegt: 'Uh, ik hou van jullie, meiden.' Haar stem breekt. Iedereen heeft het nu door en is doodstil. Zonder ons te verroeren bereiden we ons voor op wat ze gaat zeggen.

Ze knipt met haar vingers, haalt snel adem en zegt: 'De koekjes! Terug naar de koekjes. Het zijn gewone koekjes met vruchten en noten, kluizenaarskoekjes, maar dit jaar heb ik veel nagedacht over onze planeet en over Olivia's gezonde, lange leven... De gezondheid van ons allemaal.' Ze zwaait met haar hand langs de kring en zegt zachtjes: 'Dit klinkt vast als een verantwoorde reclame over de toekomst van onze kinderen, maar ik heb het recept veranderd, zodat het beter is voor je gezondheid. Ik heb volkorenmeel gebruikt. En meer walnoten, omdat ze zeggen dat er heel veel omega-3 in zit. En gedroogde kersen in plaats van rozijnen, gekonfijte sukade of ananas. Maar je kunt ervoor gebruiken wat je wilt. Ik ben me te buiten gegaan aan dure organische bruine suiker. Daarom heb ik dit jaar dus juist dit koekje gemaakt. Omdat ik veel heb nagedacht over gezondheid.'

Ze deelt de doosjes uit. Ik stop een doosje in Vera's tas, eentje in de hospice-tas en neem er eentje voor mezelf.

'Gezond of niet, ze zijn zalig.' Charlene heeft er een geproefd. 'En ik ben dol op gedroogde kersen.'

Laurie lacht. 'Ik heb er even over gedacht om gedroogde bosbessen te gebruiken, omdat ik ergens gelezen heb dat bosbessen met walnoten samen extreem gezond zijn, maar bosbessen vond ik niet zo kerstachtig.'

'Ik ben gek op gedroogde vruchten en noten. Ik kan er nooit van afblijven,' zegt Allie met een raadselachtige lach. 'Gezond, maar je wordt er dik van,' voegt ze eraan toe.

'Je wordt van alles dik.' Taylor kijkt naar Allie en haar blik blijft op haar gericht.

Net voordat de deurbel gaat, springt Disney naar de deur. De bontkraag verzacht Vera's gezicht, dat eruitziet alsof het zojuist is opgemaakt. Ze komt niet meteen bij de groep zitten, maar loopt op haar tenen met haar koekjes naar achteren, gaat weer naar buiten, keert terug met een schaal fijne vleeswaren die ze op tafel neerzet, trekt haar jas uit en gaat dan zitten. Vera steekt haar duimen naar mij omhoog, zodat ik weet dat de verkoop gelukt is. 'Gefeliciteerd,' zeg ik geluidloos met mijn lippen.

Fronsend legt ze een vinger op haar wang, op de plek waar mijn blauwe plek zit. De gele camouflage is zeker verdwenen. Schouderophalend gebaar ik met mijn lippen terug: 'Niets aan de hand. Keukenkastje.' Het doet ook geen pijn meer.

Ze doet haar best om de boel niet te verstoren, maar dat lukt niet.

'Ha, Vera. Hoe zijn de wegen?'

Ze knikt naar Laurie, die nog steeds staat, met het laatste doosje koekjes in haar handen.

'Nat, maar niet glad. Ik denk dat het te warm is om echt te bevriezen.'

'We hebben je gemist!' zegt Jeannie.

'Het is laat, maar hier ben ik dan.' Vera draagt een camel rok met franje aan de zoom, hoge bruine laarzen en een kleurrijke blouse, die mooi staat bij haar platinablonde haren. Ik gebaar naar haar stoel. 'Hier zijn je koekjes.'

'Hoe ging het met je werk?' vraagt Rosie.

'De verkoop is gelukt.'

Rosie steekt haar arm uit voor een high five over de salontafel heen.

'Zo, en nu krijg ik in ieder geval nog een stukje van Lauries verhaal te horen.' Door haar opmerking kijken we allemaal weer naar Laurie, die dankbaar lacht.

'Ik wil zo graag over Olivia horen,' beduidde Vera geluidloos.

'Jullie hebben nu de koekjes en jullie hebben het verhaal gehoord. Hoewel er niet zoveel over het koekje te vertellen is. Ik weet zelfs niet waar ik het oorspronkelijke recept vandaan heb. Misschien uit een of ander tijdschrift. Ik heb de koekjes gebakken terwijl Olivia haar slaapje deed. De eerste dag heb ik deeg gemaakt en de volgende dag heb ik ze gebakken. Gelukkig hoef je ze alleen maar van een lepel te laten druipen... Je hoeft ze niet te snijden of te rollen. Ik liet ze afkoelen op de eetkamertafel, want daar kan Olivia niet bij, en op de derde dag heb ik ze ten slotte in de doosjes gedaan.' Ze buigt naar voren om een slok water uit haar wijnglas te drinken. 'Brian heeft ze helpen proeven,' zegt ze grinnikend.

'Goed.' Ze stopt. Langzaam dwaalt haar blik langs de kring. Ze kijkt ons allemaal een voor een aan, terwijl onze tassen half gevuld zijn met koekjesdozen. Jeannie begon zich ook door Laurie te laten knippen en verven, toen ze had gezien hoe mijn haar eruitzag. Toen Laurie voor het eerst naar het koekjesfeest kwam, wist ze dat Vera en Jeannie er ook zouden zijn.

Maar ik wist toen niet dat ze Allie ook kende. Allie was haar therapeut geweest toen Brian en zij achter zijn lage zaadcellenproductie waren gekomen. Allie had me daar nooit iets over gezegd, maar na haar eerste koekjesfeest vertelde Laurie zelf dat ze in therapie bij Allie was geweest. Ze hadden onder de loep genomen hoeveel het moederschap voor Laurie betekende, hoeveel Brian voor haar betekende en ze hadden nagedacht over haar mogelijkheden. Op dit moment blijft haar blik op Allie rusten. Ook Taylor staart haar nog steeds aan en Allie, die nu in het middelpunt van de belangstelling staat, duwt een plukje haar achter haar oor, een gebaar dat op ongemak wijst.

Laurie lacht naar Allie en verplaatst haar blik vervolgens naar Juliet die haar vriendin is sinds ze elkaar bij Lauries eerste koekjesfeest hebben leren kennen. Welke koekjes had Laurie bij zich toen ze de koekjesmaagd was? Dezelfde koekjes, herinner ik me. En ineens weet ik wat ze gaat aankondigen.

Ik haal diep adem en tranen wellen in mijn ogen op. Ze heeft de cirkel rond gemaakt.

'Uh,' probeert ze nog een keer. 'Ik heb nieuws.'

'Zo. Je bent zwanger,' flapt Rosie eruit.

'Nee. Op dit moment heb ik genoeg aan Olivia.'

Ik weet wat ze gaat zeggen. Ik weet alleen niet waar ze naartoe gaat.

'Kijk, jullie weten allemaal hoe slecht het gaat met de economie, want jullie hebben er ook allemaal op de een of andere manier mee te maken. Maar vooral voor ons, vooral voor een makelaar. Huizen gaan wel van de hand, maar de prijzen zijn laag. Het is moeilijker dan ooit om financiering te krijgen en op dit moment zijn er heel veel mensen die niet eens meer proberen om hun huis te verkopen. Je kunt je storten op executieverkopen, maar dat is vaak zo'n treurige bedoening: de mensen luchten hun woede over een oneerlijk systeem en over hun eigen onnozelheid en pech door hun huis te vernielen. Of ze laten het huis achter, inclusief een deel van de inboedel. Als je zo'n huis binnengaat, zie je hoeveel de mensen ervan hielden: de zitjes in de vensterbank bekleed met de lievelingsstof van een kind, een tafel die beschilderd is met de handafdrukken van het hele gezin en bedrukte gordijnen. Rozentuinen die beschimmeld zijn. En het is moeilijk om kopers te vinden.' Als ze bezorgd is, klinkt Laurie als een schooljuffrouw. Dat heeft ze overgenomen van haar moeder die lerares was. 'Kijk,' ze haalt haar schouders op, 'we hebben nu geld nodig. En...' Ze kijkt omlaag. 'Jullie weten dat ik minder werk, een beetje vanwege Olivia, maar eigenlijk vooral omdat mensen niet meer zo vaak naar de kapper gaan. Minder dure highlights. Minder knipbeurten dan eens in de zes weken.'

Vera, Jeannie en ik kijken elkaar steels aan, alsof we een uitbrander krijgen.

Ze ziet onze blikken en zegt: 'Ach, het is gewoon zoals het is. Kijk, we denken er al een tijdje over na... en Brians zus woont in North-Carolina. Dan zijn we van de winter af. Dichter bij mijn ouders, omdat die in Florida zitten. Het is een van de weinige plekken waar de woningmarkt niet zo zwaar getroffen is.' Op haar vingers somt ze de voordelen op. 'Het is Brian gelukt om een samenwerking met een andere makelaar aan te gaan. En zijn zwager bouwt kasten, en Brian kan daar werken tot de nieuwe zaak begint te lopen. En ik kan mijn bevoegdheid halen. Ik heb dus zo'n idee...' Laurie slikt en gaat op haar andere been staan. 'Uh... dat dit mijn laatste koekjesclubfeest is.'

'Wat? Je mag ons niet in de steek laten!' zegt Rosie.

'O, mijn hemel.' Vera's mondhoeken zijn omlaag gezakt.

'O, nee.' Charlene klinkt ontzet.

'Ik vind het zo erg. Zo erg,' zegt Taylor.

'Je kunt altijd nog terugkomen. Dat heeft Lynda gedaan,' zegt Rosie. 'Of heen en weer reizen, zoals Alice.'

'Dat weet ik. Daar heb ik allemaal aan gedacht. Maar ik denk dat ik een filiaal in Charlotte begin. Mag dat?' Ze kijkt me aan.

'Natuurlijk.'

'Dus wanneer ga je verhuizen?' vraagt Rosie.

'We gaan het stapsgewijs doen. Na de feestdagen gaat Brian ons huis te koop zetten. Als het niet binnen drie maanden verkocht is, gaan we kijken of we het kunnen verhuren. Maar hij is dan al in North-Carolina om zijn makelaarskantoor op te zetten, want hij heeft zijn bevoegdheid daar al. Ik blijf hier, in de hoop dat het allemaal goed komt.' Ze kruist haar wijsvinger en middelvinger. 'Maar hoe dan ook verhuis ik in juni daarheen.'

Er valt een stilte binnen de groep.

'Ik kan niet heen en weer reizen zoals Alice. Niet met Olivia.'

Een paar knikken.

'We moeten een gezin zijn. Niet allemaal verspreid.'

Ik bedenk wat Laurie allemaal gedaan heeft uit liefde voor Brian. Eerst de adoptie van haar kind, en nu deze verhuizing. Maar als je een stel bent, beslis je als team. Je offert jezelf op voor je gezin.

'In het ergste geval verkopen we het huis bij opbod. En er is een plan dat het kantoor hier het zal kopen en vasthouden tot de markt weer aantrekt.'

'O, Laurie,' zegt Jeannie. 'Het is vast heel moeilijk om weg te gaan. En wat moeten wij zonder jou?'

'Jullie zal ik het meeste missen, meiden. Mijn vriendinnen. Ik weet dat ik nooit meer zulke vriendinnen als jullie zal vinden.'

'Nee. Niet zoals wij.' We lachen allemaal.

'Maar je vindt vast nieuwe vriendinnen.'

'Andere.'

'Maar niet zoals wij.' Harder gelach.

'Ik heb zoveel met jullie meegemaakt.' Ze kijkt me aan. 'Ik bedoel, jullie kennen mijn hele geschiedenis. Nieuwe mensen zien mij alleen maar als moeder.'

'Je maakt vast nieuwe vrienden.' Ik kijk naar Allie, die zegt: 'Ja, op de crèche en de kleuterschool. Ik heb onafscheidelijke vriendinnen leren kennen op de crèche. En bij de sport van de kinderen. Het moederschap is een magneet voor vrienden, echt waar.'

Dan lacht Allie naar Laurie en gaat zachter praten: 'Even zal het moeilijk zijn, maar je doet het gewoon en dan lukt het je, zoals altijd.' In Allies stem klinkt het belang van de boodschap door.

Lauries ogen vullen zich met tranen. 'Goed, ik wilde het jullie vertellen. Ik wilde het niet voor iedereen verpesten vanavond, maar dit is wel mijn echte koekjesverhaal. Waar ik aan dacht was jullie achterlaten. Ann Arbor achterlaten, de lichtjes in de stad, het langlaufen, de magische berg, het Top of the Park-festival, en de cafés in de zomer. De parken en de galeries. De kapsalon en mijn klanten. En dit natuurlijk.'

'Waarom heb je eigenlijk niet voor Florida gekozen?' vraagt Jeannie. 'Mijn ouders wonen daar en dan zou ik bij je op bezoek kunnen komen als ik naar hen toe ga.'

'Ja, nu pap en mam daarheen verhuisd zijn, is het makkelijker voor ons om weg te gaan en we hebben over Florida gedacht, maar de woningmarkt daar is net zo slecht als hier. Niemand wil de torenhoge verzekeringspremies betalen.' Ze stopt abrupt en tranen wellen op in haar ogen. 'Het is alleen zo moeilijk om al die herinneringen achter te laten.'

'Hé, je neemt die herinneringen toch zeker met je mee?'

'Jawel, maar het gaat om dingen als het Top of the Park. Ik weet dat het leuk is, en ik kijk er elk jaar naar uit. En de Townie Party. En dit. En daar heb ik niets om naar uit te kijken.'

Allie knikt. 'De voorpret is deel van de lol. Maar daar kijk je uit naar al je nieuwe ontdekkingen.'

'Het is nu al anders. Elke keer denk ik: is dit de laatste keer dat ik dit doe, of dat ik die persoon zie, of dat ik hier winkel? Alsof ik niets wil laten gaan, maar ik weet, ik weet dat ik een nieuw avontuur tegemoet ga.' Ze perst haar lippen op elkaar. 'En dit is beter voor ons, voor Brian, Olivia en mij.'

'En je zult nieuwe herinneringen maken.'

'North-Carolina is een fantastische staat. De oceaan, de bergen.'

'En zonder sneeuw!'

Sissy zegt: 'Ik heb mijn hele leven op dezelfde plek gewoond, een eindje verderop in de straat waar ik ben geboren. Mijn hele familie woont daar. Ik kan me niet voorstellen dat ik weg zou gaan, ook al is het om me heen verloederd. Je verandert niet van vrienden omdat de omstandigheden veranderen.' Ze haalt haar schouders op. 'Ik denk dat ik blijf om te zorgen dat het beter wordt.'

'Ik zou ook niet kunnen vertrekken, wat er ook gebeurde,' zegt Jeannie. 'Ik heb mijn hele leven hier gewoond. Ik ben ontzettend honkvast. Ik weet niet of ik mezelf nog zou herkennen als ik ergens anders zou gaan wonen.' Ze lacht naar Sissy.

'God, zeg. Je gaat toch zeker niet naar de Noordpool in de achttiende eeuw of zo? We hebben vliegtuigen. Auto's. En e-mail. En mobieltjes. Je kunt terugkomen,' zegt Rosie.

'Logeer bij ons,' zegt Juliet. 'Wij hebben plaats genoeg sinds de kinderen het huis uit zijn. Je moet komen voor de kunstbeurs. Wat is daar nou aan als wij er niet samen kunnen rondsnuffelen?'

'Hé, vergeet niet dat ik nog niet weg ben. Ik ben hier misschien nog wel tot juni.'

'Jouw huis is zo, zo leuk dat het vast direct verkocht wordt en dan verhuis je al in februari,' klaagt Rosie plagerig.

'Dat hoop ik,' zegt Laurie lachend.

'Dat hopen we allemaal.' Ik hef mijn glas. 'Op nieuwe avonturen in nieuwe steden.'

'We rijden volgend jaar met z'n allen naar je toe en komen je lastigvallen.'

'Graag.'

'Een vrouwenuitje voor de voorjaarsvakantie.'

'Goed idee.'

'En vergeet niet dat ik het idee van de koekjesclub overneem en er daar ook een begin.' Haar ogen worden groot van plezier. 'Kijk, dan ben ik de Opper Cookie Bitch.'

'Op alle Cookie Bitches waar dan ook,' zeg ik.

We klinken met onze glazen.

KANEEL

Met kaneeltoast voor ons deed mijn moeder kaneel eer aan: vers geroosterd brood met boter, kaneel en suiker. Door de warmte smolt de boter en zo werd het mengsel met kaneel en suiker een heerlijke traktatie op een koude winterochtend. Nu strooi ik 's ochtends kaneel in mijn koffie. De doordringende geur ervan maakt dat mijn dag met energie en helderheid van start gaat. Kaneel wordt vaak beschouwd als een geur die bij Kerstmis hoort: veel van onze baksels zijn ermee gekruid en het huis is dan vol met die sterke zoete geur. Tot voor kort wist ik niets over de genezende krachten van deze specerij. Hij helpt ongewenste klontering van bloedplaatjes voorkomen en stopt de groei van bacteriën en schimmels, zoals de lastige candidaschimmel. De antibacteriële eigenschappen van kaneel zijn zo effectief, dat de specerij als alternatief voor traditionele conserveringsmiddelen gebruikt kan worden.

Het eten van kaneel helpt niet alleen bij het verbeteren van het vermogen van het lichaam om bloedsuiker te benutten: de geur van deze zoete specerij stimuleert ook de hersenactiviteit! Kaneel verbetert vooral de concentratie, het feitelijke herkenningsgeheugen, het werkgeheugen en de snelheid van de visuele spierzenuw wanneer je werkt met een computerprogramma. Eet dus kauwgom met kaneelsmaak wanneer je examen moet doen.

Kaneel, dat altijd als iets kostbaars werd beschouwd, heeft een geschiedenis die bol staat van angstvallig bewaakte monopolies die de handel erin en de zoektocht ernaar hebben gestimuleerd, en dat is mede waardoor de Europeanen de Nieuwe Wereld ontdekt hebben. Kaneel is de bast van een kleine groenblijvende boom, die al bekend was in de verre oudheid en inheems was op Ceylon. Vierduizend jaar geleden werd kaneel vanuit China geïmporteerd in Egypte, waar het gebruikt werd voor het balsemen van lichamen. Mozes kreeg de opdracht kaneel te gebruiken bij de heilige zalving, en in het Hooglied ruiken de kleren van de geliefde naar kaneel. Als teken van spijt verordonneerde de Romeinse keizer Nero, nadat hij zijn vrouw vermoord had, dat een jaarvoorraad kaneel verbrand moest worden.

Tot de middeleeuwen was de oorsprong van kaneel voor de westerse wereld een mysterie. De Arabieren zorgden al vroeg voor een monopolie en slaagden erin de herkomst honderden jaren geheim te houden. Indonesische vlotten transporteerden kaneel naar Oost-Afrika en de Arabische handelaren brachten de specerij langs handelsroutes over land naar Alexandrië in Egypte, waar het door Venetiaanse handelaren, die de specerijenhandel in Europa domineerden, gekocht werd. De opkomst van de nieuwe grootmachten op de Middellandse Zee, zoals eerst die van de Mamelukken en daarna die van de Ottomanen, ontwrichtte deze handel, waardoor de Europeanen gedwongen waren op zoek te gaan naar nieuwe routes die naar Azië leidden. Zo voer Columbus naar Azië en ontdekte onderweg de Nieuwe Wereld!

In 1492 dacht Columbus dat hij kaneel had ontdekt op Cuba, maar het was de West-Indische wilde kaneel. Desondanks was deze ontdekking voldoende reden om het eiland voortdurend te bezetten. In de zestiende eeuw vonden de Portugezen wilde kaneel op Ceylon. Toen de Nederlanders in 1636 de macht over dit eiland overnamen, begonnen ze kaneel te verbouwen. Na de Britse overwinning in 1796 kreeg de East India Company de macht en behield die tot in de negentiende eeuw. Echte kaneel werd toen elders gekweekt, en de kaneel van de bast van de kaneelkassieboom, ofwel Chinese kaneel, die gemalen moeilijk te onderscheiden is van echte, werd geaccepteerd door de consumenten. Daarmee was de handel in kaneel eindelijk verlost van zijn monopolies en geheimen.

6

Alice

BOTERBIESJES MET PECANNOTEN

125 g bloem
snufje zout
175 g zachte boter
160 g bruine suiker
1 grote eidooier
85 g fijngehakte pecannoten
halve pecannoten om te versieren

Rooster de 85 gram gehalveerde pecannoten 10 minuten op 175 °C en draai ze elke 3 minuten om. Laat ze afkoelen en hak ze in kleine stukjes.
Zeef de bloem en voeg het zout toe. Zet het bloemmengsel opzij.
Klop de boter en suiker tot een romig mengsel. Roer de dooier erdoor.
Doe het mengsel in een kneedmachine en klop er op lage stand de bloem door. Roer er daarna met de hand de gehakte pecannoten door. Zet het mengsel 1 uur in de koelkast.
Verhit de oven tot 165 °C. Neem een meloenschep met een doorsnee van zo'n 2,5 cm en schep steeds wat van het mengsel op bak-

platen, die met bakpapier zijn bedekt. Zorg voor een onderlinge afstand van ongeveer 7,5 cm. Druk een halve pecannoot op elk bolletje deeg.
Bak de koekjes 6 à 7 minuten, draai dan de bakplaten in de oven en bak nog eens 6 à 7 minuten. Laat de koekjes volledig afkoelen.
Goed voor zo'n 35 koekjes.

Mijn telefoon gaat en mijn hart begint te bonzen. Ik ren naar de keuken, terwijl ik intussen mijn mobieltje uit mijn zak haal. En daarop verschijnt de foto van Alice, genomen toen we afgelopen zomer op een late woensdagmiddag wat zaten te drinken op het terras van Gratzi. De schaduw van de parasol accentueert haar glimlach. Mijn telefoon is zo ingesteld dat altijd de foto's van mijn vrienden verschijnen als ze bellen.

Het is Sky niet. Nog niet.

'We hadden het net over je.' Ik ben nog niet bij Alice op bezoek geweest, dus ik heb geen idee hoe het er bij haar uitziet. Haar man Larry vond de perfecte baan in San Diego en daarom werkt Alice voorlopig hier en vliegt ze om het weekend naar Californië. Af en toe komt Larry een weekend hierheen. Ze hebben een flat gekocht op een paar straten afstand van zee, en als ze op het puntje van haar balkon gaat staan kan ze de Pacific zien. Als we praten, stel ik me de glinsterende zee voor, achter haar.

'Hoe is het feest?'

'Fantastisch. Maar we missen je. Laurie heeft net haar koekjes uitgedeeld. Ze gaat naar Charlotte verhuizen, begin komende zomer waarschijnlijk.'

'O. Wauw. Dat is groot nieuws.' Haar stem klinkt geestdriftig, alsof ze graag wil proeven van de koekjessfeer. 'Ik zou er zo graag bij willen zijn. Ik heb nog gekeken of ik een goedkope vlucht kon krijgen, maar helaas. Bovendien ben ik er over een paar weken alweer, op tijd voor de Townie Party, en dan zie ik jullie bijna allemaal daar. Ik heb er zo'n zin in.'

'Kom dan eerst hierheen, dan gaan we er met z'n allen heen. Larry en jij, en Jim en ik.' Als Jim weg kan, tenminste.

'Dat is een goed plan,' zegt Alice.

'Hé, jongens,' roep ik onderweg naar de woonkamer, Vera passerend die op weg is naar de keuken. 'Alice aan de telefoon.'

'Hallo, Alice,' roept Juliet als eerste, waarna de anderen in koor volgen. Ik houd de telefoon omhoog naar het midden van de kamer, zodat Alice onze hartenkreten kan horen.

'We missen je!'

'Was je maar hier.'

Rosie steekt haar hand uit. 'Ik wil met haar praten.'

Ik geef haar de telefoon. Taylor loopt naar de keuken waar Vera, Charlene en Jeannie een tweede rondje eten halen. Ze storten zich op Vera's salami en kaas. Sissy's sushi zijn op en ik haal de schaal weg. Vera schept wat soep op. Ze heeft nog niet gegeten.

Iedereen heeft duidelijk behoefte om even rond te lopen, met anderen te kletsen, te eten, te plassen, en het koekjesritueel even te onderbreken.

'Volgend jaar ben je wel hier, hè?' zegt Rosie in de telefoon. 'Hé, Laurie gaat verhuizen. Ze gaat een nieuw filiaal beginnen.'

In de keuken haal ik de lege borden van tafel en zet die in de gootsteen, ik pak een schaal fruit en zet die op tafel. Daarna doe ik een doos chocoladeamandelen open, leg ze in een schaaltje en neem ze mee naar de woonkamer.

Rosie geeft de telefoon aan Charlene en komt de keuken binnen.

Ik loop achter haar aan. Als ik de keuken binnenkom, beent Jeannie snel weg van de tafel naar de woonkamer, met een bord in haar ene en een glas in haar andere hand.

'O.' Rosie stopt abrupt, met rechte rug en samengetrokken

schouderbladen. 'Ik botste bijna tegen je aan.' Ze steekt haar kin in de lucht, maar haar stem trilt een beetje.

Jeannie bloost met opgetrokken wenkbrauwen. 'Kun je niet uitkijken waar je loopt?' Ze klemt haar vingers om de versierde steel van haar glas. Haar knokkels zijn zo wit van het knijpen, dat het me niet zou verwonderen als het glas zo breekt. 'Let jij ooit wel eens op een ander?' sist ze.

'Sorry,' zegt Rosie, nu eerder strijdlustig dan berouwvol. Scherp. En ze knijpt haar ogen tot spleetjes. 'Sorry voor alles. Sorry dat ik leef.' Ze heeft er schoon genoeg van om Jeannies zondebok te zijn.

Door die aanvaring knijp ik mijn ogen dicht en pers mijn lippen op elkaar. Vriendinnen maken ruzie. Jaloezie, gekrenkte gevoelens, angst om buitengesloten of opzijgezet te worden vanwege een betere vriendin. Al die gevoelens komen in de loop van de tijd voor, maar worden ook altijd weer opgelost. Rosie en Jeannie waren zulke dikke vriendinnen. Het driespan Rosie, Jeannie en Sue: de drie musketiers. Uit schuldgevoel of gêne nam Sue dit jaar afscheid van de club, zodat er een plek vrijkwam voor Sissy. Ik was opgelucht. Ik kon me die drie samen in één kamer niet voorstellen. Het is zo al moeilijk genoeg.

Daar staan ze dan: Jeannie met een bord vol groente, hummus, pitachips en geroosterde kip. De wijn klotst in haar glas.

Rosie blijft rechtop staan, met kaarsrechte rug en ogen als spleetjes. 'Zo. Jij rent toch ook niet naar je moeder om het te vertellen? Je bent dus net als ik. Je doet hetzelfde, maar je verwijt het mij.'

Rosie heeft gelijk.

Jeannie kijkt woedend en duwt haar kin in de lucht.

'Ik heb die puinhoop niet veroorzaakt,' brult Jeannie.

Haar bord helt opzij, zodat het eten naar de rand glijdt.

Ik stap op haar af.

Charlene duikt achter haar op. Zij heeft de hele scène ook zien gebeuren. 'Jeannie?' zegt ze zachtjes, terwijl ze Jeannies opgeheven arm aanraakt. 'Jeannie?'

Jeannie draait zich om.

Charlene's ogen zijn heel kalm en somber, en diepe rimpels lopen van haar neusvleugels naar haar mondhoeken. Door Charlene's verdriet verdwijnt Jeannies woede voor even. De dood van Charlene's zoon overtroeft Jeannies ellende. Charlene gebaart met haar hoofd naar een hoek. 'Ik heb de hele avond nog niet met je gepraat,' zegt ze alsof er niets aan de hand is. Ze legt haar hand op Jeannies schouder en leidt haar zachtaardig maar gedecideerd weg van Rosie. Ze draaien zich om en gaan dicht bij elkaar staan praten.

Rosie is wit weggetrokken, op twee felrode ronde blosjes op haar wangen na.

Met trillende handen schenkt ze een glas wijn in, neemt een grote slok en knijpt dan haar ogen dicht. Ik steek mijn hand uit om haar arm te strelen.

Ik hou van hen allebei en zal geen partij kiezen. Ik vraag me af of ze ooit nog weer de weg terug naar elkaar zullen vinden.

'Zo. Die komt hier dus nooit overheen.'

'Nooit is heel lang.'

'Ze geeft mij van alles de schuld. Terwijl ik niets gedaan heb.' Rosie slaat meer wijn achterover. 'En ik mis haar.' Hoofdschuddend haalt ze diep adem. 'De Jeannie die ik dacht dat ze was, in ieder geval.'

Allie komt de keuken binnen met de telefoon in de lucht. 'Is iedereen geweest?' Ze zwaait met de telefoon. Een koor van instemming stijgt op.

Er gebeurt nu te veel tegelijk, maar ik moet met Alice praten, dus ik pak de telefoon.

'Ik mis je,' zegt ze. 'Zonder het feest lijkt het net alsof er geen feestdagen aankomen.'

'Maar je krijgt de koekjes, als troost. Die kun je mee terugnemen.'

'Ja. Dat heen en weer gevlieg tussen oost en west valt niet mee. Mijn leven is verdeeld over twee steden, twee huizen, twee groepen vrienden. Hoewel, eigenlijk maar één vriendengroep. Als ik hier ben, is het alleen maar Larry en ik. We hadden gehoopt dat het een oase zou zijn. Die weekenden samen twee keer per maand.'

'Op dit moment zou ik het heerlijk vinden als ik alle tijd had om met Jim te stoeien.'

'Dit weekend wordt er hier alleen maar met de laptop gestoeid.' Meestal doet Alice optimistisch, negeert of ontkent ze de stress van het heen en weer reizen tussen twee steden, twee tijdszones en twee huizen. Dan voegt ze eraan toe: 'Hij had zoveel werk dat ik hem met moeite kon wegsleuren om tv te kijken. Ik had net zo goed in Ann Arbor kunnen blijven. Maar ja, zo zijn we in ieder geval samen. En die werkdruk wordt woensdag minder. Als het goed is hebben we volgend weekend voor ons alleen. Normaal.' Ze grinnikt. 'Wat normaal voor ons ook is. Misschien is dat dit belachelijke gedoe wel.' Ze is even stil en ik hoor haar ademhalen. 'Hoe gaat het met Sky?'

'Ik dacht dat jij haar was.'

'Sorry. Bel je me morgen? Maakt niet uit wanneer. Midden in de nacht mag ook. Beloofd?'

'Ik laat het je weten.'

Ik klap de telefoon dicht en kijk automatisch of ik geen telefoontjes gemist heb. Nee, dus. Even aarzel ik of ik deze pauze zal gebruiken om Sky te bellen, maar ik besluit haar niet lastig te vallen. Het is nu zes uur in Californië. Ze zou het nu moeten weten. Misschien had haar verloskundige een bevalling, en zitten Troy en zij nu zenuwachtig in hun avondeten te prikken. Geduld, geduld, zeg ik tegen mezelf. Ongeduld is mijn slechtste, absoluut slechtste eigenschap.

Dan hoor ik gelach en ga erop af. Jeannie, Sissy en Charlene staan zich voor de koelkast te verkneukelen. Jeannie zegt iets en Sissy lacht er vrolijk om.

Er is niemand in de woonkamer. Ik pak Alice' koekjes en zet op elke stoel een tasje. Toen ik ze van haar opgestuurd kreeg, zaten ze in hersluitbare zakjes, met twaalf witte tasjes erbij, versierd met zilveren krullen en een randje wit bont. Nu staan ze voor alle feestgangers klaar om meegenomen te worden.

Ik loop terug naar de keuken, naar het groepje voor de koelkast. 'Jeannie, ik geloof dat jij nu bent.'

Rosie loopt met een bord naar de woonkamer. Als ze langs ons loopt, kijkt ze omlaag.

'Goed?' vraag ik Jeannie.

Ze lacht overdreven snel: een nerveus trekje. Dan zegt ze: 'Ja, hoor. Ik wil nu wel.' Ze kijkt me aan en knikt.

BOTER

Boter heeft een slechte naam. Je wordt er dik van, door de dierlijke vetten slibben je vaten ervan dicht en ze verhogen de kans op hartproblemen. Toch is boter al duizenden jaren een lang houdbare bron van kostbare proteïne en een smaakversterker in sauzen en gebakken dingen. Tientallen jaren lang heb ik margarine in plaats van boter gebruikt, tot ik er kort geleden achter kwam dat de transvetten in margarine nog schadelijker zijn. Gelukkig bevat margarine tegenwoordig steeds minder transvetten.

Op de lagere school kreeg Sky de opdracht om van room boter te maken. Om de beurt schudden we de room in een glas net zo lang tot de boter 'pakte'. Van haar project leerde ik dat je boter krijgt als je gefermenteerde of verse melk karnt. Boter kan gemaakt worden van schapen-, geiten- en buffelmelk, maar we gebruiken meestal koeienmelk. De boter van verschillende dieren smaakt anders, en ook heeft het voedsel dat een dier eet, vooral sterke kruiden, invloed op de smaak.

Je hebt bijna tien liter melk nodig voor één pond boter. Boter is gekarnde, geschudde room, die gerijpt is door de werking van melkzuurbacteriën die van nature aanwezig zijn in ongepasteuriseerde room. Deze soort melk levert cultuurboter. Zoete roomboter, de soort die in de VS het meest gebruikt wordt, is gemaakt van gepasteuriseerde room, waarna er smaakstoffen aan toegevoegd worden.

Beide soorten boter zijn ongezouten of gezouten verkrijgbaar; zout conserveert de boter. Je kunt boter ook conserveren door hem te klaren, waardoor het water verdwijnt. Verwarm de boter geleidelijk, zodat de emulsie afbreekt en het vet boven komt drijven. Als het water volledig verdampt is, heb je ghee gemaakt. Dat is wat Allie gebruikt in haar ramadankoekjes. In India was ghee een offer voor de goden.

Omdat de room door heel licht schudden al in boter kan veranderen, is boter waarschijnlijk al in de begintijd van zuivelbereiding uitgevonden, misschien in het Mesopotamisch gebied, zo'n tien- tot elfduizend jaar geleden. De eerste boter moet gemaakt zijn van schapen- of geitenmelk, omdat men pas duizend jaar later rundvee ging houden. Voor een oude manier om boter te maken, die nog steeds in delen van Afrika en het Nabije Oosten gebruikt wordt, neem je een geitenhuid en vult die half met melk. Dan blaas je er lucht in en je sluit hem luchtdicht af. De huid wordt met touwen aan stokken gehangen en dan geschud tot de boter pakt.

In de middeleeuwen, vooral in Noord-Europa, werd boter beschouwd als boerenvoedsel. Het werd ook als lampolie gebruikt. Op de Britse Eilanden werd boter in huid verpakt en in veengrond begraven ter conservering. Boter maken was vrouwenwerk, zoals wellicht alles wat met melk te maken had tot het domein van de vrouw behoorde. Het was 'thuiswerk', terwijl 'landwerk', het werk buiten, mannenwerk was. Boter werd tot 1860 met de hand gemaakt. Toen begon het fabrieksmatig maken van kaas en werd het eenvoudig om ook de productie van boter te mechaniseren. Ineens was het niet langer vrouwenwerk en de prijs ging omhoog. In de jaren vijftig van de 20e eeuw werd er meer margarine dan boter verkocht, omdat het goedkoper was en omdat men dacht dat het gezonder was. Op dit moment leveren margarine en boter evenveel geld op, maar van margarine wordt meer verkocht, omdat het goedkoper is. Interessant is dat de boterverkoop gelijk gebleven is of zelfs enigszins is gestegen, terwijl de margarineverkoop is afgenomen.

Op een kookcursus leerde ik dat boter een uitstekend bakmiddel is vanwege zijn rijke smaak en de aantrekkelijke bruine kleur die gebakken voedingsmiddelen ervan krijgen. Boter doorstaat grote hitte echter minder goed dan olie. Koekjesdeeg en sommige soorten cakedeeg rijzen deels door het mengen van boter en suiker, omdat er daardoor luchtbelletjes in de boter ontstaan. Door de hitte van het bakken zetten de opgesloten belletjes uit. In zandkoekjes is het water in de boter het enige vocht. Door het uitrollen van korstdeeg splitst hard vet in laagjes. In de oven smelt het vet en daardoor ontstaat de schilferachtige structuur van korstdeeg. Vanwege de smaak is boter in korstdeeg een heerlijk vet, maar het is moeilijker om mee te werken dan bakvet, vanwege zijn lage smeltpunt. Ik had al tientallen jaren korstdeeg gemaakt voordat me dit werd uitgelegd. Ik deed gewoon wat mijn moeder me had geleerd. Nu begrijp ik waarom het handig is om alle ingrediënten en keukengerei te koelen als je met boterdeeg werkt. Rosie, Juliet en Taylor maken koekjes waarvan het deeg voor het bakken gekoeld moet worden.

7

Jeannie

GELUKSKOEKJES

2 eiwitten van 2 grote eieren
1 tl vanillearoma
1 tl amandelaroma
60 g bloem
100 g suiker
snufje zout
60 g gesmolten boter
kleine strookjes papier met geluksspreuken

Schrijf geluksspreuken op stukjes papier van 9 cm lang en ruim 1 cm breed. Verhit de oven tot 200 °C. Vet twee bakplaten in.
Neem een middelgrote kom, klop de eiwitten met het vanillearoma en amandelaroma schuimig maar niet stijf. Je kunt ook één smaakextract gebruiken, maar neem daar dan 2 theelepels van.
Zeef bloem in een aparte kom en voeg er het zout en de suiker aan toe.
Doe eerst het bloemmengsel bij het eiwitmengsel en voeg daarna de gesmolten boter toe. Roer er een glad beslag van. Het deeg mag niet te dun zijn maar moet wel makkelijk van een houten lepel lo-

pen. Voeg eventueel nog wat water toe.
Let op: als je de koekjes een kleur wilt geven, voeg dan nu de voedingskleurstof toe en roer die door het beslag. Ik neem bijvoorbeeld een theelepel groene voedingskleurstof om groene gelukskoekjes te maken.
Zet de helft van het beslag in de koelkast, daarvan wordt later een tweede lading gebakken, nadat je de eerste lading koekjes hebt gebakken en gevouwen.
Giet steeds een afgestreken eetlepel beslag op de bakplaat. Zorg dat er tussen de koekjes een tussenruimte van minimaal 7,5 cm zit. Naar mijn ervaring werkt een koude bakplaat met bakspray het beste. Laat de bakplaat voorzichtig van links naar rechts en van boven naar beneden hellen, zodat elke eetlepel beslag een cirkel met een doorsnee van 10 cm wordt. Probeer het beslag glad en gelijkmatig te krijgen. Ik heb wel eens een grote ronde bakring gebruikt om de randen rond te steken; met een glas gaat het ook.
Bak ze 5 à 6 minuten of totdat 1 cm van de buitenrand van elk koekje goudbruin is en je ze makkelijk met een spatel van de bakplaat kunt halen. Zet de oven uit en laat de deur openstaan om de nog niet gevouwen koekjes warm te houden.
Haal met een brede spatel (eventueel bespoten met bakspray) snel één koekje van de bakplaat af en leg dat ondersteboven op een houten snijplank of een schone ovenwant. Leg de spreuk snel in het midden en vouw het koekje dubbel. Leg het dan in een muffinvorm en vouw de hoeken om. Laat het gevouwen koekje in de vorm afkoelen tot het hard is, zodat de hoeken niet terugkrullen. Werk zo door tot alle koekjes zijn gevouwen.
Nu kun je met de rest van het beslag een tweede lading maken.

Hier zijn een paar geluksspreuken, die ik gebruikt heb:

Het ontwakend geluk van het ik wordt geopenbaard.
Ik werp dit van me af als een lege huls.
Ik kan het nu niet de baas, maar ik kan wel blijven ademhalen.
We moeten leven als hoveniers, door de bloemen te bemesten en te genieten van de wisseling der seizoenen.
Mogen kerstlichtjes je pad verlichten.
Van geen enkele gebeurtenis kun je de langetermijneffecten voorspellen.
Adem het verleden uit, adem het heden in en stel je de toekomst voor.
Moge ik de tevredenheid kennen, die maakt dat al mijn krachten tot volle bloei komen.
Als je dat waar je naar op zoek bent niet in jezelf kunt vinden, zul je het ook nooit daarbuiten vinden.
Voor alles wat gebeurt, is er een uur, een tijd voor alles wat er is onder de hemel.
Het rad draait. Dit is de donkere tijd. Wat valt er te halen uit de nacht?
Geniet van het leven.

JEANNIE VRAAGT: 'DE koekjes van Alice?' en pakt het witte tasje op.

'Ja,' antwoord ik.

Ze zet haar wijnglas op de salontafel en haalt een koekje uit het tasje. 'Die zijn fantastisch. Die boterbiesjes met pecannoten. Knapperig en vol van smaak. Ze heeft zichzelf overtroffen.'

'Het zijn succesnummers. Ik heb er al eerder een geproefd.'

Dan haalt Jeannie haar tassen met koekjes uit de achterkamer.

Als ze de woonkamer uit loopt, valt me op dat haar jeans ruim zit. En als ze weer terugkomt met haar tassen, zie ik ook dat haar shirt, waarin vorig jaar haar decolleté nog goed te zien was, nu recht omlaag hangt. Ze nestelt zich op de bank en even zijn we alleen in de kamer.

'Jeannie, je moet die situatie echt oplossen, voor je eigen bestwil. Iets bedenken waardoor het beter wordt voor jou.' Ik benadruk het woord 'jou'.

'Het gaat niet om mij. Het gaat om hen.' Ze schudt haar hoofd, zodat haar haren rood fonkelen door het kaarslicht.

'Rosie heeft gelijk.'

Ze knijpt haar ogen tot spleetjes, kijkt me aan en haalt adem. Daarna kijkt ze omlaag.

'Jullie allebei,' zeg ik.

DIT IS HET verhaal. Jeannie leerde Rosie kennen bij een openhuisfeest dat Rosie en haar man gaven vanwege hun nieuwe kantoor. Jeannies man Mark is ook advocaat, daarom waren ze ook uitgenodigd. Jeannie en Mark hebben één dochter, Sara, die nu zeven is. Sinds de middelbare school heeft Jeannie in de zaak van haar vader gewerkt, een autodealer. Voor Sara werd geboren was ze er hoofd verkoop. En ook nu nog werkt ze een paar dagen per week in de zaak als verkoopster. Ze gaat ervan uit dat zij het bedrijf overneemt als haar vader met pensioen gaat. Op het feest werden Jeannie en Rosie onmiddellijk vriendinnen. Sue en Rosie waren al hartsvriendinnen sinds de middelbare school. Sue en Rosie namen Jeannie op in hun bondje. Met z'n drieën gingen ze winkelen en naar de Jazzercise-fitnesstraining. Op vrijdagavond aten ze in de Earle mosselen en dronken ze wijn. Als we konden, gingen een paar van ons ook en dan wisten we dat ze om halfzes in de wijnbar zaten, aan de tafel die het dichtst bij de deur staat. Dan lachten ze altijd en wenkten de nieuwkomers. Samen organiseerden ze een geldinzameling voor het plaatselijke theater en zetten ze een hulporganisatie op voor Katrina. Ze gingen zelfs naar Sara's hockeywedstrijden. Met z'n drieën. Drie hockeymoeders voor de prijs van één!

Rosies energie en organisatietalent waren een aanvulling op Jeannies creativiteit en hulpvaardigheid. En Sue, de perfecte verkoper, slaagde erin elk idee dat de andere twee verzonnen te slijten en er steun voor te krijgen binnen haar netwerk. Als Jeannie voorstelde om te gaan duiken, omdat het Cozumel-rif naar verluidt zo mooi is, ging Rosie op zoek naar duikwinkels en all-in hotels, en zorgde Sue dat ze een speciale korting kregen. Wij keken toe hoe ze door het leven denderden, waarbij de een de ander versterkte.

Driehoeksverhoudingen zijn meestal wankel, maar deze leek stevig te zijn. Geen van de drie leek bang of bezorgd te zijn over haar positie tegenover de anderen. Alle negatieve dingen die vrouwenvriendschappen altijd teisteren, ontbraken. Ze hadden nooit ruzie.

Ik heb een foto van hun voeten nadat ze bij de pedicure geweest waren. Het standpunt van waaruit de foto was genomen was zo precies, dat je onmogelijk kon vaststellen wie de foto genomen had. Ik moest erachter zien te komen welk paar bij welke vrouw hoorde, want ach, zo vaak kijk ik niet naar voeten. Om één enkel zit een zilveren schakelketting. Ik weet dat die van Sue is. Van één voet zijn de teennagels paars gelakt. Die is van Jeannie, denk ik. Zelfs nu is haar tie-dye T-shirt in allerlei schakeringen paars en hebben haar haren een bordeauxrode glans. Hun tenen raken elkaar in een cirkel van voeten. De nieuwe nagellak glanst in de zon. Ze staan op gras. Het moet wel bij Jeannie zijn, want haar tuin is zo netjes dat we altijd pesterig vragen of ze het gras soms met een nagelschaartje knipt.

Maar Jeannie zorgde per ongeluk voor een slang in de tuin en die slang was haar eigen vader.

Sue was op zoek naar een baan. En Jeannies vader, Jack, was net bezig met het uitbreiden van zijn verkooppersoneel in het dealerbedrijf. Jeannie kende Sue's buitengewone verkooptalent en stelde haar voor om te solliciteren bij het bedrijf. Ze deed een goed woordje bij haar vader en het hoofd verkoop van dat moment. Sue werd aangenomen.

Sue leerde razendsnel en maakte snel carrière. In haar tweede jaar won ze een volledig betaalde reis naar Barcelona voor twee en ging met Rosie. Ik vroeg me af of Jeannie zich buitengesloten of jaloers voelde. Zij was tenslotte degene die Sue haar baan bezorgd had. Maar misschien was Jeannie wel gevraagd en had ze ervoor bedankt vanwege Sara.

Nu is Jeannies vader uiterst charmant. Een van die zeldzame mannen die ik, als hij niets doet, over het hoofd zou zien als hij niet zo'n viriele uitstraling had. En als Jack eenmaal in beweging komt is hij fascinerend. Zoals elke goede verkoper richt hij zich volledig op degene met wie hij praat. Vrouwen kijkt hij recht aan, zodat hij niet de indruk wekt dat hij hun lichaam bestudeert of ze in gedachten uitkleedt, en vindt dan al snel iets wat belangrijk voor ze is. Hij stelt vragen. Hij lijkt er helemaal bij te zijn, gefascineerd door het onderwerp en geboeid door de antwoorden. Jack is altijd op jacht naar gemeenschappelijke passies.

Wat willen vrouwen? We willen gehoord worden. En gekend. En gewaardeerd. We willen dat iemand ons, ons leven en ons lichaam opwindend vindt. Jack straalt dat uit. En als je met hem praat, voel je je eerst gewaardeerd en daarna besef je dat zijn scheve grijns een glimp laat zien van de stoute jongen die erachter schuilt. Dan krijg je zin om die paar sproeten overdekt met zacht rossig haar op zijn armen te strelen.

Toen Sue voor hem ging werken, was ze net weer alleen nadat ze een eind gemaakt had aan een relatie van twee jaar, omdat de man aan de coke was. De problemen waren begonnen toen haar vriendje veel te laat of helemaal niet kwam opdagen als hij had gezegd dat hij zou komen.

'Dit is niet genoeg voor me. Het is toch niet te veel gevraagd als ik mijn vriendje meer dan één keer per week wil zien,' klaagde Sue.

Hij was er vaak niet, omdat hij dan ging drinken met zijn maten of aan het werk was. Hij leek nerveus als ze samen waren. Hij had zelfs geen zin om te vrijen.

'Is er een andere vrouw? Vertel het gewoon.'

'Jij bent de enige vrouw die ik wil. Ik heb het gewoon druk, dat is alles.' Hij veegde zijn neus af met de achterkant van zijn hand.

'Er is iets mis. Alsof de fut eruit is.'

'Ik heb geen enkel probleem met jou, Sue.' Hij trok zijn jeans weer op, dook met zijn hand in zijn zak en pakte zijn sokken.

Er viel een klein plastic zakje uit. Dat lag glanzend op haar groene kleed. Eerst dacht Sue dat het een sieradenzakje was. Toen ze het oppakte, zakte er wit poeder naar beneden. 'Wat is dit?'

Hij keek haar aan en haalde zijn schouders op.

'Ben je daarom je zo onbereikbaar?'

Hij gaf geen antwoord.

Sue begreep direct dat ze geen relatie kon hebben met iemand die drugs gebruikte. Ze was niet het zorgende, reddende type. Het leven was te kort en ze werd er niet jonger op. 'Ik wil hier niets mee te maken hebben. Je kunt kiezen, en wel nu.'

'Stel geen ultimatums.'

'Ga dan alsjeblieft weg.'

Ze huilde het hele weekend. De volgende ochtend zag Jack haar rode ogen en ontfutselde haar zonder moeite het hele verhaal.

Je kent het scenario wel: de vriendschap op het werk die te innig wordt, lunches die steeds een beetje langer duren. Toen Jack opmerkte dat turquoise mooi stond bij het groen van haar ogen en zei dat hij hield van haren die bijna maar net niet helemaal zwart waren, kocht Sue turquoise sieraden en verfde haar haren donker.

Dit hoorde ik allemaal pas later. Veel later. In het begin vond Jeannie het fijn dat Sue zo goed in de zaak paste. Als hij nieuwe medewerkers kreeg, zorgde Jack dat hun trouw en liefde voor hem veranderde in betrokkenheid bij het bedrijf. Hij straalde zijn aura in het hele bedrijf uit. De glimmende auto's die zonder flauwekul en onderhoudsarm gemaakt waren, leken verwachtingen te wekken van groene energie, efficiency en eerlijkheid in de gluiperige wereld van de autoverkoop.

Zo kreeg de vriendschap tussen Jeannie en Sue een tweede gemeenschappelijk strijdperk. Ooit zag ik Rosie op een vrijdagavond met haar ogen rollen toen ze begonnen te praten over de nieuwe Astra. 'Niet weer over werk. Dit is het borreluurtje,' zei ze en ze veranderde van onderwerp.

Ik denk niet dat Jeannies vader ooit een toonbeeld van echtelijke trouw is geweest. Een man met zo'n verleidelijke charme als hij, heeft de ene na de andere vrouw die hoopt dat zijn intense aandacht alleen en exclusief voor haar is. Maar ongeacht de strijd om zijn aandacht bleef hij getrouwd met Jeannies moeder. En de vrouwen dropen een voor een af.

Maar Sue was anders. Ze was twintig jaar jonger, terwijl hij net begon aan de laatste zucht van zijn viriliteit. Een vrouw die zijn werkijver deelde. Een werkvrouw.

Sue en Jack brachten uren in zijn kantoor door, met de deur dicht.

'Heb je hulp nodig?' vroeg Jeannie haar.

'Hulp?'

'Hé, als je een probleem hebt met hoe de dingen gaan, kom je gewoon naar me toe.' Jeannie kneep even zachtjes in haar arm. 'Ik kan je alle kneepjes van het vak leren. Ik werk hier tenslotte al eeuwen.'

'Heeft je vader soms iets tegen je gezegd?' Sue fronste haar wenkbrauwen.

'Nee. Helemaal niet.'

'Het gaat wel lekker, geloof ik.' Met een lach om haar glanzend rode mond onthulde Sue haar perfect witgemaakte tanden. Ze zag er altijd uit alsof ze net een week in de zon gelegen had. Ze accentueerde haar donkere haren met zilveren kettingen om haar hals, polsen en enkels. Haar geestdrift en vastberadenheid werden wat verzacht door haar kleine postuur. En tegenwoordig droeg ze alle mogelijke tinten turquoise en donkerblauw, waarbij haar weelderige donkere haardos mooi afstak.

De ontmoetingen gingen door.

Toen ik Jeannie vroeg hoe het ging, zei ze: 'Ik weet het niet. Ik heb me met Rosie en Sue altijd lekker gevoeld, maar nu voel ik me bijna buitengesloten door mijn eigen familie.'

'Wat bedoel je?'

'O, het heeft alleen maar met werk te maken. Mijn vader besteedt altijd veel tijd aan nieuwe medewerkers.'

Maar een zweem van onbehagen klonk door in haar woorden. Een jaar later waren er geen lange lunches meer. Op een dag moest Jeannie haar vader iets vragen, maar kon hem niet bereiken. Hij was niet op kantoor. Hij was niet thuis. Hij nam zijn mobiel niet op. Ze dacht dat Sue het misschien wist, maar die kreeg ze ook niet te pakken. Jeannie besteedde er geen aandacht aan, maar een maand later gebeurde het weer.

Op een avond was Sue niet bij het vrijdagse borreluurtje. 'Waar is Sue?' vroeg ik.

'Geen idee.' Jeannie keek me niet aan en klemde haar vingers om de steel van haar wijnglas.

'Zeker een auto aan het verkopen,' zei Rosie. 'Ze is zo, zo bezeten van haar werk.' Ze keek steels naar Jeannie. Het was een vluchtige blik die gevolgd werd door een blos die alleen ik maar zag.

'Hé. Daar kan ik niets aan doen,' zei Jeannie.

'Dat weet ik,' zei Rosie bijna fluisterend.

De koude rillingen liepen over mijn rug.

Acht of negen maanden later ging om zeven uur 's morgens de telefoon. Eerst dacht ik dat het in mijn droom gebeurde, dat de telefoon een mauwend poesje was, dat per ongeluk in een kast was opgesloten. Voor ik de deur van de kast kon opendoen, besefte ik dat het de telefoon was.

'Marnie?' Jeannies stem was dik en haar neus zat dicht.

'Jeannie?'

'Sorry. Ik weet dat het heel vroeg is, maar kunnen we misschien samen ontbijten?'

'Kom maar hierheen.'

'Oké. Ik breng Sara naar school en dan kom ik meteen.'

Ik haalde gembermuffins uit de vriezer en maakte koffie. Ik trok mijn lavendelblauwe badjas aan. Het was vroeg in de herfst en de bloemen waren verwelkt. Alleen gele en paarse chrysanten stonden nog in bloei. Hun felle kleuren werden afgezwakt door een zilverachtige regen terwijl de vogels waarschuwden dat de winter eraan kwam.

Jeannie had een muts over haar haren getrokken, een onmiskenbaar teken dat het nodig gewassen moest worden. Haar ogen waren gezwollen.

'Hier is koffie.' Ik zette een beker voor haar neer op de salontafel.

Ze haalde een doos tissues uit haar tas en zat daar alsof ze niet wist waar ze moest beginnen. Disney lag op de grond naast haar, keek haar met treurige ogen aan en had zijn aapje naast Jeannies voeten op de grond laten vallen.

Ik schoof de muffins naar haar toe en ging in kleermakerszit aan het andere einde van de bank zitten.

'Wat is er gebeurd?'

'Sue heeft een relatie met mijn vader. Ze neukt met mijn vader.'

'Wat?' Ik probeerde haar handen te pakken, maar ze trok er een weg, pakte een zakdoekje en snoot haar neus.

'Ze zegt dat papa weggaat bij mama.'

'Heeft Sue je dat verteld?'

Jeannie schudde sniffend haar hoofd. 'Ik kwam achter hun relatie en heb Rosie gebeld. "Wat is er tussen Sue en mijn vader, en zeg me verdomme niet dat het over werk gaat."' Jeannie legde haar hoofd in haar handen. 'Rosie was eindelijk eerlijk tegen me. "Ik kan niet tegen je liegen," zei ze. Na jaren van doen alsof alles kits was.' Jeannie tilde haar hoofd op en stamelde met verstikte stem: 'Rosie weet al twee jaar dat Sue een affaire met mijn vader heeft en dat hebben ze allebei voor me verzwegen. En Sue altijd maar zo vriendelijk, zo opgewekt en zo leuk tegen me doen.'

'Jeannie.' Ik omhelsde haar, en tegen mijn schouder en badjas barstte ze in huilen uit.

'Hoe konden ze me dat aandoen? Mijn vader? Mijn vriendinnen? Alle drie. Tegen me liegen? Me verraden? Hoe kon mijn beste vriendin met mijn vader neuken? Hem van mijn moeder afpakken? Hoe kon mijn andere beste vriendin dit geheim voor me houden? Ze zijn al minstens twee jaar samen. Misschien wel langer. Hoe lang werkt ze nu al voor hem? Vier jaar? Wie weet wanneer het precies begonnen is. Rosie is net zo schuldig.' Jeannies woorden werden door haar snikken gesmoord.

'Rosie? Hoezo?'

'Ze weet het al twee jaar. Ze hebben samen een flat waar ze elkaar zien. Ik heb in een leugen geleefd. Ik dacht dat ze mijn vriendinnen waren, terwijl dit intussen allemaal achter mijn rug om gebeurde.'

Ik sloeg mijn handen voor mijn ogen, in een poging het verhaal tot me door te laten dringen.

'O, God,' jammerde ze. 'De een neukt met mijn vader en de ander doet haar best om te zorgen dat ik er niet achter kom.'

'Begin bij het begin.'

Ze haalde diep adem en leunde achterover op de bank, starend naar het zwarte tv-scherm. 'Ik vermoedde al een tijdje iets. Maar je kent mijn vader. Altijd de verkoper. Altijd bezig om zijn personeel over te halen tot aanbidding van de leider. Ik had gedacht, gehoopt denk ik, dat Sue deel uitmaakte van het geijkte patroon.' Ze verfrommelde het zakdoekje. 'Maar zijn aandacht voor haar duurde veel langer dan het gebruikelijke eerste jaar. En ze verdwenen altijd op hetzelfde moment.' Ze schokschouderde. Haar stem was monotoon alsof ze het verhaal tegen zichzelf afstak om er vat op te krijgen, terwijl haar vingers maar aan het zakdoekje bleven friemelen. 'Eerst dacht ik dat het toeval was, maar...' Ze slaakte een zucht. 'Toen veranderde ik van werkdagen, dat moest vanwege Sara's hockeytraining, en ontdekte ik dat ze op die dagen allebei twee uur weg waren. En hun telefoons niet opnamen. Ik was heus niet aan het vissen, hoor.' Ze draaide zich naar me om. 'Ik wilde het helemaal niet, het kwam helemaal niet in me op dat mijn beste vriendin met mijn vader zou kunnen slapen. Dat mijn vader met mijn beste vriendin zou slapen. Het kwam gewoon niet in me op.'

'Jeannie,' fluisterde ik vol medeleven.

'Maar toen had ik op een van mijn werkdagen een afspraak bij de opticien. De wachtkamer is in een winkel, met van dat getinte glas waardoor je wel naar buiten maar niet naar binnen kunt kijken. Ik zag papa uit het flatgebouw aan de overkant van de straat komen. En twee minuten later ook Sue. Ik kijk naar haar. Ze kijkt eerst de ene en dan de andere kant op, en loopt dan vrolijk weg. Met haar haren zo typisch dansend op haar schouders.'

Jeannie klakte met haar tong. 'Ik voelde me misselijk worden. Ik heb die afspraak uitgezeten, maar ik weet niet meer hoe. Ik zat daar maar, omdat ik niet wist wat ik anders moest doen. Te verstijfd en te verward om tot iets anders in staat te zijn dan wat er als volgende op mijn lijstje stond, terwijl intussen mijn wereld in duigen viel.'

'Hoe gaat het met je moeder?'

Jeannie was bleek, met kapotgebeten nagelriemen en nagels vol streepjes. 'Ze weet er nog niets van. Ze is vol van de reis die ze naar Italië gaan maken en haar Italiaanse les.' Ze begon weer te snikken en schudde toen haar hoofd. 'Marnie, wat moet je doen als je tegelijk je beste vriendinnen en je vader kwijtraakt?'

'Je bent je vader niet kwijt.' Ik nam een slok koffie. 'Heb je het er met hem over gehad?'

'Ik heb geen idee hoe ik het onderwerp moet aansnijden. Het is zo eng. Dat hij slaapt met mijn beste vriendin. Alsof ik het zelf ben.'

'Jij bent Sue niet.'

Jeannie schudde haar hoofd weer. 'Ik begrijp niet hoe Rosie dit kon doen.'

'Ik denk dat ze zich er tussenin voelde staan. Dat ze haar belofte aan Sue niet mocht breken.'

'Dat is wat ze zei. Dat ze een jaar geworsteld hadden met hun gevoelens voor elkaar voordat ze met elkaar naar bed gingen. God. Papa is waanzinnig verliefd op mijn beste vriendin.' Ze kneep haar ogen tot spleetjes en achteroverleunend keek ze me recht aan, met opgetrokken wenkbrauwen. 'Heeft ze het aan jou verteld? Wist jij het?'

'Nee, ik wist het niet.'

'Shit. Zijn we voor of nadat Sue met mijn vader begon te neuken naar Cozumel geweest?'

Ik herinnerde me dat ik altijd een nieuw verleden probeerde te verzinnen wanneer Stephen ontrouw was.

Jeannie zoog haar lippen naar binnen, zodat ze smal werden en bij de hoeken omlaag krulden. Ze had donkere kringen onder haar ogen. Ze sloeg haar armen om haar knieën en rolde zich op tot een bal. 'Als ik aan mama denk, zinkt de moed me in de schoenen.'

Ik wist niet wat ik moest zeggen en nam daarom maar een slok koffie en een hap van mijn muffin. De scherpe smaak van gember paste perfect bij de situatie, de combinatie van de scherpte en een bijna weeë zoetheid. Eten is altijd een fantastische afleiding en troost, maar niet meer voor Jeannie. Ze hield zichzelf bijeen met haar armen. 'Ik weet niet eens hoe ik morgen naar mijn werk moet gaan. Hoe kan ik nou net doen alsof er niets aan de hand is?'

'Hoe weet je dat hij bij je moeder weggaat?'

'Ik vroeg Rosie of er nog meer was. Ze zei dat hij Sue beloofd had om na Italië bij mama weg te gaan.'

Ik schraapte mijn keel. 'Dat zou best eens zo'n standaardleugen kunnen zijn die getrouwde mannen aan hun maîtresses ophangen. Bij elke afspraak weer beloven dat ze hun vrouw zullen verlaten.' Ik dacht aan Juliet en dat Tom haar beloofde dat hij weg zou gaan na het eindexamen van zijn zoon, en daarna na het eindexamen van zijn dochter. En Juliet maar wachten, terwijl het ene na het andere afgesproken moment voorbijging.

'Moet ik het mijn moeder vertellen en haar hart breken? Maar als ik dat niet doe, ben ik net zo slecht als Rosie. Confronteer ik mijn vader ermee? Moet ik gewoon stoppen met mijn baan en weglopen? Dat wil ik eigenlijk het liefst.' Ze richtte hele lichte, bijna gele ogen op me en bleef me strak aankijken. 'Ik heb zin om Sara op te halen en naar de kust te rijden. Welke kust dan ook. Om een nieuw leven te beginnen.'

'Je hebt hier veel te veel op het spel staan. En je man dan? Ga je dan weg bij Mark? Heb je het hem verteld?'

Mijn vraag bleef in de lucht hangen, totdat ze zei: 'Hij is bezig met het voorbereiden van een proces. Ik kan hem nu niet lastigvallen. Ik moet altijd wijken voor zijn baan. Ik hou me bezig met Sara, en met Rosie en Sue. En nu. Wat nu?'

Ik probeerde haar te helpen met het op een rijtje zetten van haar opties. Ze zou het haar moeder kunnen vertellen. Ze zou haar vader ermee kunnen confronteren. En Sue. Ze kon stoppen met haar baan. Ze kon met haar man praten. Ze kon van alles doen.

Maar ze deed niets.

Behalve afvallen. En toen vond ze een yogacursus op de vroege ochtend.

Als ze haar asana's gedaan had, als ze had gedoucht, als ze Sara te eten had gegeven, haar lunch had gemaakt en haar naar school had gebracht, kwam ze bij me langs voor een ontbijt dat ze nooit opat. Haar lichaam werd magerder, en langer, zeker weten. Haar nieuwe slanke ik bewoog zich met verbijsterend gracieuze bewegingen.

'Misschien zou je eens naar een therapeut moeten,' suggereerde ik. 'Dan kun je beslissen wat je wilt doen.'

'Rosie heeft het vast aan Sue verteld en die heeft het vast tegen mijn vader gezegd, maar hij doet heel gewoon, alsof er niets aan de hand is.' Ze keek me niet aan, maar staarde naar een plek op de muur. Met monotone stem zei ze: 'Ik denk dat Sue probeert niet op de zaak te zijn als ik er ben, want ik zie haar nauwelijks. Mama blijft maar klagen over hoe hard papa werkt. In de tussentijd heb ik het gevoel alsof ik in een toneelstuk speel. Mijn vader is niet meer de oude. Niets is meer zoals het was, maar we doen alsof dat wel zo is. Het voelt heel onwerkelijk. Alsof ik onder water loop en praat.' Ze trok de toast met jam in stukken, en keek toe hoe haar vingers met de kruimels speelden. 'Zwevend door verschillende lagen van de werkelijkheid. Het gewone werk, het oude vader-dochtergedoe, het feit dat we allebei weten dat hij met mijn beste vriendin slaapt, maar er nooit over praten. We glijden tussen levens in verschillende dimensies door. En als ik bij papa en mama ben, lijkt het als vanouds, maar toch is het anders. Alsof ik in lagen gaas gewikkeld ben.'

'Maar je gaat niet meer met Sue en Rosie om. Dat is veranderd.'

'Als ik ze zie, dan...' Ze zocht naar een woord, en ging toen verder. 'Ik zag ze op Main Street lopen, druk in gesprek. Ze zagen me niet. Ik was onzichtbaar. Ik hoorde Sue lachen, met die daverende lach, je weet wel, alsof de hele wereld om te lachen is, en ik had het gevoel alsof ik daar ter plekke op de stoep moest kotsen. Het zweet brak me uit. Ik dook een winkel in om me te verbergen.'

Ik legde mijn hand op haar arm.

'Ik me verstoppen. Ongelooflijk. En ik weet, ik weet dat ik vast zit. Ik kan niet bedenken of ik het mijn moeder wel of niet moet vertellen. Als ik het wel doe, stort ze in. Maar misschien laat hij haar niet zitten. Ik kan het niet bedenken.'

'Misschien doe je wel precies wat je hoort te doen. Laat ze het zelf uitzoeken. Laat je vader zelf beslissen en laat het op zijn beloop.'

Ze ging door alsof ze me niet gehoord had. 'Als mijn moeder erachter komt dat ik het haar niet verteld heb, haat ze mij net zo erg als ik Rosie nu haat. "We wilden je beschermen," zei Rosie. "We houden van je. We wilden je niet kwetsen, en je moeder ook niet. Het is gewoon gebeurd,"' zei Jeannie met Rosies schorre stem.

Dat was een maand geleden. 'Hoe gaan we dat doen met het koekjesfeest?'

'O, mijn God. Komt Sue?'

'Ze heeft afgezegd. Zei dat ze het zo druk had op haar werk dat ze er maar beter een tijdje mee op kon houden. Dat was al in de lente of de zomer. Ze voelde zich vast te gegeneerd of schuldig om te komen. Ze hing bijna onmiddellijk nadat ze het verteld had op. We hebben een nieuwe koekjesmaagd. Sissy. De moeder van Tara's vriend. Mijn co-grootmoeder. Als zo'n woord bestaat.'

'Je zet mij er toch niet uit, hè?'

'Natuurlijk niet!'

'Ik let niet op Rosie, ik ga gewoon met de anderen om.'

Ik trok een scheef gezicht bij de gedachte aan het komende feest, dat tot nu toe altijd gewoon met vriendinnen was geweest die het fijn vonden om elkaar te zien. 'Je ziet eruit alsof je wel wat koekjes kunt gebruiken. Je bent nu echt te mager.'

'Ja, dat komt door al dat trainen.'

'Maar misschien is dit probleem tegen die tijd wel opgelost. Toch?'

'Waarom gaan we vrijdag niet wat drinken en mosselen eten? Wij samen.'

'Gaan zij nog steeds?'

'Ik was er twee weken geleden, maar ik heb ze niet gezien.'

Fronsend schudde ze haar hoofd.

'Zullen we dan gaan winkelen? Ik vind het zo leuk om met jou te gaan en de uitverkoop is te gek.'

'Misschien.'

Maar we gingen nooit. Ze kwam alleen maar na haar yoga ontbijten en speelde dan met haar eten.

En nu zijn we hier. Er is in drie maanden niets veranderd, behalve dat Rosie haar vastberadenheid om de vriendschap weer te herstellen kwijt is en dat de val waarin Jeannie is beland nu vast deel uitmaakt van haar leven, net als haar passie voor yoga. Ik kijk even naar haar: ze heeft zich in kussens genesteld, in de hoop dat die haar tegen de wervelwind beschermen, en zit daar met haar uitstekende jukbeenderen en waakzame ogen.

Ze blijft zeggen: 'Het gaat niet om mij. Het gaat om hen. Het is hun fout. Zij moeten het oplossen.'

Met zachte stem zeg ik rustig en zo aardig mogelijk: 'Zij kunnen het niet voor jou oplossen. Zij zullen het voor zichzelf moeten oplossen. Hoe jij reageert, wat jij doet, is jouw zaak. Jij geeft de schuld aan de boodschapper en je bent woedend op Sue.'

'En op mijn vader. En ik vrees voor mijn moeder. En ik probeer uit te vogelen wat ik nu moet doen.'

'Je kunt alleen jezelf redden.'

'Of ik het mijn moeder moet vertellen,' zegt ze, alsof ik haar onderbroken had, 'en of ik de confrontatie met mijn vader aan moet gaan.'

'Je kunt de tijd niet terugdraaien, Jeannie. Je kunt dit niet oplossen zonder mensen te kwetsen van wie je houdt. Ook als je zou beslissen om ze te laten doen wat ze moeten doen en je er niet mee te bemoeien, is dat wel een beslissing die jij moet nemen. Heb daar vrede mee. Hou op met schipperen in een poging voor iedereen een oplossing te vinden, die ook nog voor jou werkt.'

'Je klinkt net als Allie.'

Ik ga verder: 'Jij. De fantastische, vrolijke en goed georganiseerde Jeannie die je bent.'

Op dat moment komen Charlene, Sissy en Laurie uit de keuken. Charlene voelt de abrupte stilte en trekt zich terug.

'Ik? Vrolijk?'

'Ja, en creatief,' doet Charlene er nog een schepje bovenop.

'En waanzinnig leuk,' zegt Juliet, die samen met Allie en Taylor terugkomt.

Allie omhelst Jeannie terwijl ze naast haar gaat zitten.

'Kijk, de koekjes van Alice. Wat een leuke tasjes! Zo vrouwelijk,' zegt Laurie.

'En nog lekker ook,' zegt Charlene.

'Hé, het is weer koekjestijd,' zegt Jeannie grijnzend. Haar lach is overdreven vrolijk en dooft als een nachtkaars uit wanneer iedereen naar zijn stoel loopt. Rosie komt als laatste binnen en gaat stilletjes zitten.

Jeannie kijkt naar Rosies strak ineengestrengelde handen, haar enigszins neergeslagen ogen en melancholieke blik. Als Rosie opkijkt, dwaalt Jeannies blik onmiddellijk af. Ze peilt de stemming, geladen en onwennig, maar hij hangt open en bloot tussen hen.

Ik ontspan als Jeannie opstaat met een wokbakje van de afhaalchinees in haar hand, dat versierd is met handgestempelde groene en rode hartjes en boompjes. Om het handvat zijn linten geknoopt. Het ziet eruit als een vrolijk kerstcadeautje.

Ik vraag me af of ze het klaar zal spelen. Of het haar zal lukken om haar woede en verdriet opzij te zetten en vrolijkheid tevoorschijn te toveren. Allie en ik weten wat er aan de hand is. Rosie natuurlijk ook. Misschien is Allie naast Jeannie gaan zitten om haar zo het gevoel van een beetje extra steun te geven. Allie kijkt haar aan en grijnst. En knipoogt.

'Oké. Ik kon maar niet bedenken wat voor koekje ik dit jaar zou maken. Het lijkt een jaar waarin de toekomst open ligt en er van alles kan gebeuren.' Ze kijkt eerst Charlene aan en dan mij. 'Ik bedoel, dat er voor ons allemaal zoveel veranderingen gaande zijn. Voor de hele wereld eigenlijk.'

Ze kijkt ons allemaal om de beurt aan en zegt: 'Marnie wordt grootmoeder, Laurie gaat weg, Alice vliegt heen en weer, en Taylor, nou ja, het bedrijf heeft zijn vestiging opgedoekt. Charlene is aan het herstellen van een tragedie. En wie weet, wie kan weten, hoe het met ieder van ons verder gaat?' Haar stem trilt een beetje.

Ik voel aan mijn mobieltje, maar dat is nog steeds stil en zwijgzaam. Ik kijk op mijn horloge. Het is bijna halftien. Sky zou nu gebeld moeten hebben.

'Ik aarzelde of ik weer de citroenkoekjes van vorig jaar zou maken, die iedereen lekker vond, maar ik besloot om deze te proberen.'

Jeannie stopt even en kijkt mij aan, en Charlene en Vera. 'Ik hou van jullie.' Ze spreidt haar armen uit. 'Mijn vriendinnen.'

Mijn ogen worden vochtig, omdat ze zo dapper is en zo haar best doet, ondanks alle strubbelingen.

'Zoals ik al zei, begon ik over de toekomst te denken en jullie weten dat ik me op de yoga heb gestort. Voor elke les zingen we mantra's en dan merk ik dat ik de hele dag aan die zinnen blijf denken. En ik dacht dat we, met alles wat er gaande is, allemaal wel een beetje geluk konden gebruiken.'

'*Ohm*,' zingt Juliet plagerig, met haar handpalmen tegen elkaar, terwijl haar gouden ketting glinstert in het licht van de flakkerende kaarsen.

'Leer jij Sanskriet?' vraagt Laurie.

'Nee, alleen de spreuken. Zoals "adem hier doorheen". En daarom heb ik besloten om gelukskoekjes te maken. En ik heb de geluksspreuken opgeschreven.'

'Dat vind ik nog eens leuk. Laten we onze eigen geluksspreuken opschrijven en dan zorgen dat ze uitkomen,' zegt Vera. 'Geld.'

'Daar doe ik aan mee. Een interessante baan met goede arbeidsvoorwaarden,' roept Taylor.

'Geen oorlog meer,' zegt Allie.

'Ik heb verschillende recepten uitgeprobeerd en het beste uitgekozen. Het moeilijkste is om ze uit de oven te halen, om te draaien, de spreuk erin te stoppen, op te vouwen en dan hard te laten worden in een muffinvorm. Dat moet je allemaal doen als ze nog warm zijn, dus je kunt er maar een paar tegelijk doen.' Ze geeft een doos aan Allie die hem naar links doorgeeft, waarna hij de hele kring rondgaat.

'Leuk, die gestempelde hartjes en boompjes,' zegt Vera.

'Dat was om de gelukskoekjes een beetje kerstachtig te maken.' Jeannie draait haar hoofd heen en weer terwijl ze de doosjes een voor een aan Allie overhandigt.

Rosie zet het hare behoedzaam op haar knieën, alsof het nog heet is. Het doosje wiebelt op haar knie en dan trekt ze het op haar schoot.

Charlene doet haar doosje open en haalt er het knapperige halvemaantje uit. 'Hé, dat is groen.'

'Ik heb ze rood en groen geverfd.' Ze keert zich naar mij toe. 'Ik wilde dat ze er kerstachtig uitzagen.'

'Zitten er spreuken in?' vraagt Vera.

'Ja. Wat is een gelukskoekje zonder spreuk?'

Ik vraag me af of ze in Rosies doos misschien kwade spreuken en vervloekingen heeft weten te smokkelen. Zoiets als: 'Moge de duivel voor je deur staan', 'Moge je bed als brandend stro zijn', of 'Mogen al je kinderen dood geboren worden'. Ik stel me voor dat Rosie die laatste wens krijgt, en ik word overspoeld door verdriet. Ze kijkt in het niets, terwijl ze de doos tegen zich aan klemt. Misschien is het wel een subtiele vervloeking, zoals: 'Dat wat je verstuurt zal weer bij je terugkomen'. Of: 'Mogen al je wensen vervuld worden'.

Zou Jeannie tot zo'n gemene wraak in staat zijn?

Nee. Rosie had tenslotte elke doos kunnen krijgen.

'Het rad draait. Dit is de donkere tijd. Wat valt er te halen uit de nacht?' leest Charlene hardop. 'O, wat een perfecte spreuk voor mij.' Tranen wellen in haar ogen op. 'Ik krijg er kippenvel van. Dat is precies waar ik de afgelopen tijd over gedacht heb. Ongelooflijk.'

Rosie trekt haar doos open, op zoek naar verlossing en vergeving. 'Ik werp dit van me af als een lege huls,' zegt ze knipperend. 'Zo.' Ze kijkt op om te bedenken wat het betekent en dan lacht ze alsof het Jeannies wens is, niet haar voorspelling.

Misschien is dat ook wel zo.

'Ze zijn nog heerlijk ook!' roept Charlene uit. 'Amandel.'

'Dan heb je een rode gegeten. De groene zijn met vanille. En een paar hebben beide smaken.' Ze duikt in haar tas, maar er zitten geen doosjes meer in. 'Iedereen heeft, hè? En de hospice?'

'Yep.' Ik klop op de tas voor de hospice. 'En Tracy en Allie hebben ook. Je bent helemaal klaar.'

'Heeft elk koekje dezelfde spreuk?' vraagt Taylor.

'Nee, jullie hebben allemaal twaalf verschillende gelukskoekjes. Ik heb er van elke spreuk dertien geschreven.'

'Logisch. En het klopt ook,' zegt Juliet. 'We delen onze levens met elkaar en dus ook onze lotgevallen.'

'Zo heb ik er nog niet tegenaan gekeken,' zegt Jeannie. 'Het is niet zo makkelijk om ze te bedenken.'

'"Mogen kerstlichtjes je pad verlichten." Dat is perfect,' zegt Sissy. 'Ik kijk zo uit naar de feestdagen.' Ze kijkt me aan. 'En naar onze nieuwe kleinzoon.' Ze stopt even en proeft haar koekje. 'Weer een nieuw mens om van te houden en vreugde te geven.'

Jeannie gaat weer zitten, schuift de kussens opzij, wendt zich naar mij en naar Allie met een ontspannen glimlach op haar gezicht.

Het is haar gelukt. Ze heeft gedaan alsof. Ze is er doorheen gekomen.

VANILLE

Ah, die verleidelijke, sterke geur van vanille. En de verhalen die ermee verband houden zijn al net zo romantisch en sensueel als de geur. De eersten die vanille kweekten waren de Totonaken, die in Mexico leefden, in wat nu Veracruz is. Zij geloofden dat prinses Xanat, die van haar vader niet met een sterfelijke mocht trouwen, met haar geliefde het woud in vluchtte. De ongelukkige geliefden werden gevangengenomen en onthoofd. En waar hun bloed op de grond vloeide, begon de vanille-orchidee te groeien.

De orchidee heeft dikke vlezige stengels en lange leerachtige bladeren. Kleine, groenachtige bloemetjes, een soort orchideeën, gaan 's morgens vroeg open en bloeien dan maar acht uur. De karakteristieke geurelementen zitten in de vrucht; de bestuiving van de kostbare en kieskeurige bloem levert maar één vrucht op. Vanillebloemen zijn hermafrodiet: ze hebben zowel mannelijke als vrouwelijke organen, en om zelfbestuiving te voorkomen, scheidt een membraan die organen. Eeuwenlang probeerden mensen op andere locaties dan Veracruz vanille te kweken. Spaanse ontdekkingsreizigers brachten de plant naar Afrika en Azië, maar hij wilde daar geen vrucht dragen. De Fransen lukte het ook niet. Helaas was de vanille-orchidee voor zijn bevruchting verslingerd aan een plaatselijke soort bijen. Ze probeerden die bijen van Veracruz naar andere gebieden te verplaatsen, maar daar konden ze niet gedijen. Bovendien leek kunstmatige bestuiving niet te werken. Op die manier behield Mexico driehonderd jaar lang zijn monopolie op vanille. Het was de duurste specerij na saffraan.

De orchidee groeide en bloeide, maar zonder de bij ontwikkelde zich geen vrucht. Totdat Edmond Albius, een twaalf jaar oude slaaf die op het eiland Réunion leefde, ontdekte hoe je de bloem met de hand kon bestuiven. Met een schuin afgesneden stukje bamboe tilde hij heel voorzichtig het membraan tussen de helmknop en de stempel op. Heel voorzichtig bracht hij met zijn duim de pollen van het mannelijke naar het vrouwelijke deel over, en geloof het of niet: de bloem droeg vrucht. Door zijn procedure kon vanille nu ook op andere tropische plekken verbouwd worden. Vanwege de korte bloeitijd van de bloem controleren kwekers hun plantages dagelijks op open bloemen en bestuiven ze dan onmiddellijk, een arbeidsintensieve klus. Tegenwoordig is Madagaskar de belangrijkste producent. Kunstmatige vanille en recordoogsten hebben ervoor gezorgd dat de prijs omlaagging.

Vanille wordt gebruikt voor parfum, aromatherapie, om ons te verlokken tot het eten van toetjes, en het is enigszins verslavend omdat het de adrenaline verhoogt. Onze voorouders dachten dat het een afrodisiacum was en dat het impotentie kon genezen, zodat het de eerste viagra werd.

Soms doe ik vanille-extract op als parfum. En is dat niet wat Scarlet O'Hara ook deed om Rhett Butler te verleiden?

8

Allie

VRUCHTENSNOEPJES VOOR CHANOEKA

150 g rozijnen
170 g dadels
170 g gedroogde pruimen
100 g walnoten of pecannoten
85 g gekonfijte gember
poedersuiker

Doe de vruchten, noten en gember in de keukenmachine en draai er een pasta van. Rol van de pasta met vochtige handen balletjes ter grootte van een walnoot en haal ze daarna door de poedersuiker.

MAHYOOSA'S

450 g ontpitte dadels
1 el boter
120 g ghee (geklaarde boter)
120 g volkorenmeel
½ tl kardemom

65 g gehakte gemengde noten (zoals amandelen en cashewnoten)

Doe de dadels en de boter in de keukenmachine en draai er een pasta van. Zet die weg. Neem een middelgrote steelpan en smelt de ghee op een niet te hoog vuur. Strooi het meel erin terwijl de ghee smelt en blijf roeren tot de massa na ongeveer 5 minuten lichtbruin is.
Voeg de kardemom en de dadelpasta toe. Zet het vuur laag, roer regelmatig en laat het mengsel pruttelen tot het glad is. Doe er de noten bij.
Haal de pan van het vuur en laat de massa afkoelen tot handwarm. Haal er met je hand een hoeveelheid ter grootte van een eetlepel uit en rol er een balletje van. Leg het balletje in een papieren caisse.
In een luchtdichte doos blijven de koekjes een paar weken goed. Goed voor zo'n 36 koekjes.

Als Allie opstaat om haar tassen te gaan halen, springt Taylor ook op met fladderende sjaal. 'Ik help wel even.' Ze beent weg. De twee boodschappentassen kunnen makkelijk door één iemand gedragen worden, maar Taylor draagt er ook een.

Er is iets veranderd in hun relatie. Waarom is me dat niet eerder opgevallen? Taylor lijkt onafscheidelijk van Allie, zelfs tijdens dat ene moment dat Allie nodig heeft om haar koekjes te halen. Is Taylor verliefd op Allie? Dat lijkt idioot. Zou Taylor het beseffen? Of zijn het alleen maar Taylors gevoelens van bewondering en dankbaarheid die haar adorerende smeltende blik teweegbrengen? Het past niet bij Allie, die geen misverstand laat bestaan over hoe dol ze is op mannen. Allie lijkt zich er niet bewust van te zijn, maar dat is niets voor Allie. Integendeel. Ze merkt juist altijd kleine dingetjes van mensen op, en past die dan als puzzelstukjes in elkaar om zich een compleet beeld te kunnen vormen. Allie interpreteert niet, tenzij je erom vraagt. Ze is niet bemoeizuchtig, maar gewoon ontzettend geïnteresseerd en altijd door alles en iedereen gefascineerd. Ze is een perfecte therapeut die van mensen houdt, niet om macht geeft, en ook de professionele relatie niet gebruikt als afweermiddel tegen een vertrouwelijke relatie.

Met een ontspannen blik brengt ze haar tas binnen en gaat aan het uiteinde van de bank zitten. Taylor ploft in de klapstoel die ze vlak naast Allie geschoven heeft. Ze is nu verrassend energiek, terwijl ze er bijna de hele avond knap lusteloos bij heeft gezeten. Misschien maakt ze zich zorgen of is ze van streek door de situatie op haar werk. Aan de andere kant van Allie zit Jeannie die een slok wijn neemt. In Allies halflange haren zitten goudgetinte highlights en ergens op de avond heeft ze nieuwe lippenstift opgedaan, in de hoop haar dunne lippen zo een beetje meer volume te geven. Ze vertelde me dat ze alsmaar vergeefs op zoek is naar een lippenstift of lipgloss die ervoor zorgt dat haar lippen er voller uitzien, vooral haar bovenlip. Zij is de enige die het opvalt. Wij zien alleen maar haar brede lach en haar oneindig jeugdige uitstraling. Het vet dat haar in haar tienerjaren opzadelde met pukkels, heeft het goedgemaakt door haar nu een rimpelloze huid te bezorgen, die maakt dat ze er jonger uitziet dan ze is. Ze is begin zestig, maar men schat haar vaak in de veertig.

Ze heeft een minnaar van begin dertig. Dat is geen geheim. We zijn allemaal gek op T.J. Hij is slim, maar wild: de perfecte combinatie voor haar. Hij lacht zich dood om haar grappen, en door zijn lol om haar rare gevoel voor humor zijn wij haar grapjes nog meer gaan waarderen. Ze zijn nu drie jaar samen, waarvan ze de laatste twee voortdurend uit elkaar gaan, waarna ze zich keer op keer weer door hem terug laat halen. Die dans houden ze misschien nog wel tien jaar vol, tot Allie er definitief een punt achter zet.

Eigenlijk is hij meer dan een geliefde: hij heeft ruim een jaar bij haar gewoond. Ze hebben zoveel lol samen en ze lijken zo gelukkig, dat ik niet begrijp waarom ze niet besluiten om bij elkaar te blijven. Dat heb ik haar al zo vaak gezegd. 'Er zijn zoveel mensen die dat doen. Waarom jullie dan niet?'

'Mannen kunnen altijd kinderen krijgen. Hij wil kinderen.'

'Er zijn toch andere manieren om kinderen te hebben?'

'Mijn dochters hebben aangeboden om zich kunstmatig te laten insemineren met zijn zaad, zodat we een kind van hem zouden kunnen krijgen, maar dat vond hij een te bizar idee.'

'Adoptie? Pleegkinderen?'

'Hij wil een gewoon gezin. Met kinderen. En hij is bang dat ik doodga als hij rond de vijftig is en dan alleen komt te staan.' We zaten toen op haar veranda, tussen de bomen. Op haar marmeren tafel stond een kan ijsthee en een schaal met bosbessen en schijven meloen. Allie droeg een felgroen T-shirt en een ketting van strandglas, die mooi paste bij het groen van haar ogen. Ik snap er dus niets van dat ze denkt dat ze er saai uitziet.

'Een weduwnaar van in de vijftig hoeft toch niet alleen te blijven. Er zijn duizenden vrouwen die hem maar al te graag willen hebben.'

Allie stak haar kin in de lucht en lachte.

'Jullie hebben het zo goed samen. Je moet nu maar eens ophouden met piekeren over hoe je van hem af komt en juist bedenken hoe je verder met hem gaat.' Op een briesje kwam de zware muskusachtige geur van de sneeuwbalstruik langs drijven.

'Jij wist toch zo zeker dat ik me zou gaan vervelen.'

Dat is zo. Dat is wat ik in het begin dacht. Allie leerde T.J. via internet kennen. Hij was op zoek naar therapeuten om meer over het werkgebied te weten te komen en daar was zij, grijnzend in haar bibliotheek, met ondeugende ogen vol leven en enthousiasme. Die moet het heerlijk vinden om therapeut te zijn, had hij gedacht toen hij haar website uitploos. Hij wilde contact leggen, keek of ze online was en stuurde haar een bericht. En Allie voelde dat hij meer wilde dan wat simpele informatie en gaf hem antwoord, in een van haar avontuurlijke waarom-ook-nietbuien.

De vrijdag daarop ontmoetten ze elkaar in de Cavern Club en dansten op Lady Sunshine and the X Band. Ik was erbij, net als Tracy, Silver, Vera en Finn, en we dansten op 'Hold on, I'm Coming'. T.J. zag er ballerig uit, maar danste ongeremd. Rook uit de bar hing als een wolk over de dansvloer. De bar ging dicht en we gingen naar Fleetwood om te ontbijten.

Haar zoon was ouder dan T.J. 'Ik ga hem echt geen papa noemen.'

'Mam, denk je dat hij in je geïnteresseerd is vanwege je geld? Dat hij je op de een of andere manier belazert?' vroeg haar dochter.

'Nee, hij gebruikt me voor de seks. Ik gebruik hem voor zijn geld,' zei Allie gevat, maar haar dochter kon er niet om lachen.

Yep. T.J. was rijk. Hij had geld geërfd en dat was veilig vastgezet in dividend opleverende aandelen. Toen was het veilig tenminste. Maar nu?

T.J. was neurowetenschapper en probeerde erachter te komen of hij door wilde gaan met precieze en waanzinnig zorgvuldige operaties op rattenhersens, of liever zou overstappen naar de creatieve vrijheid van de therapie.

'Jij bent een stuk wijzer. Laat hem geen neurotische beslissingen nemen,' zei een bevriende therapeut tegen haar.

Haar vriend bedoelde dat zíj de neurotische beslissing was. Allie was natuurlijk oud genoeg om zijn moeder te kunnen zijn. Ze was zelfs ouder dan zijn moeder, die hem zo jong had gekregen dat ze niet meer voor hem kon zijn dan een wilde vriendin.

Maar ik zei: 'Je zult hem kwetsen. Je gaat je vervelen en dan laat je hem zitten.'

Zo kreeg Allie, die gewoonlijk zelf het advies gaf, het nu zelf.

Van alle kanten. Kwets hem niet. Bescherm hem tegen jezelf.

Intussen veranderde de flirt van twee weken in een volwaardige liefdesaffaire, die groeide tijdens een eerste autoreis naar Californië en vervolgens tijdens een tweede naar New York City om haar jongste dochter naar de universiteit te brengen. En daarna trok hij bij haar in. Allie was gelukkiger dan ik haar ooit had gezien en haar rusteloosheid was verdwenen.

'Weet dat ik altijd van je zal houden. Weet dat je altijd zult blijven voortleven in de herinneringen aan alles wat we samen hebben gedaan.' Die onsterfelijkheid zegde hij haar toe, maar zichzelf kon hij haar niet toezeggen. Zijn ogen waren lichtblauw, de kleur van een bewolkte lucht, toen hij haar dit vertelde en haar handen vasthield.

'Je blijft me maar herinneren aan mijn dood,' kaatste ze terug en ze trok haar handen los.

'Ik dacht dat ik je juist verzekerde van mijn oneindige liefde.'

Maar hij ging nooit een echte verbintenis aan, alsof vormloze oneindige liefde al voldoende verbintenis is.

Misschien is dat ook wel zo.

Daarom probeerden ze uit elkaar te gaan. Ze zei: 'Deze Chanoeka nog en dan is het afgelopen. Na Nieuwjaar ga ik met Zoe naar Antigua en daarna gaan we ieder onze eigen weg.'

Ze kocht een zonnecrème factor 50 en een nieuwe zwarte bikini.

Hij stuurde haar e-mails met de boodschap dat hij de grootste vergissing van zijn leven had begaan. Hoeveel zielsverwanten kom je tegen? Hoeveel kansen op geluk? Hij had alle tijd van de wereld, ze moest gewoon afspraakjes met anderen maken en als ze iemand anders vond zou hij verdwijnen. Op die manier zou hij haar een beetje langer hebben.

Idioot. Onmogelijk. Ze zaten vast in een liefde die nooit een gelofte werd. Klem in een relatie, die als enig doel had zichzelf op te heffen.

Ik hoorde erover terwijl het zich ontwikkelde: ze vertelde me erover op haar veranda, bij mij thuis als ze kwam eten, of tijdens een van onze lange wandelingen.

Maar Allie is Allie... altijd over zoveel dingen opgewonden – de kunst die ze maakt, haar cliënten of politiek – dat de ellende van de situatie haar nooit onderuit dreigt te halen. Dus nu slaapt hij een paar nachten per week bij haar. Als ze samen zijn, zijn ze gelukkig. En ze maakt afspraakjes met anderen, een beetje halfhartig en lukraak. Ze zit op swingdansles, op stijldansen, ze werkt voor de Democratische Partij, gaat naar natuurkundelezingen op zaterdagochtend en is geboeid door de snaartheorie, quarks, het oneindige, zich voortdurend uitbreidende universum, de natuurkunde van de werking van de hersenen en de regeneratie van het hart.

'Ik dacht altijd dat iemand die de hele dag op zijn gat naar de problemen van mensen zit te luisteren voorzichtig zou zijn.'

Ze lachte. We zaten weer eens op haar veranda, blauwe gaaien cirkelden rond, een kolibrie zoemde bij haar voederbakje. 'Nee hoor. Ik heb het tegenovergestelde geleerd. Ik heb geleerd dat doen wat je hoort te doen zo verschrikkelijk fout kan gaan, dat je net zo goed kunt doen wat je zelf het liefst wilt.'

Ik knikte en zuchtte terwijl ik aan Alex en Sky dacht.

'Ik doe wat ik wil, binnen redelijke grenzen, waarbij mijn opvatting van "redelijk" aardig breed is.'

Allie is eigenlijk gewoon een avonturier met een gevoelig hart, die zich niet echt druk maakt over wat de mensen denken of hoe ze indruk op ze kan maken, en dat betekent vrijheid.

Toen Jim en ik net iets met elkaar hadden, ging ik naar Allie. Als er iemand iets wist over met een jongere man gaan, was zij het tenslotte wel. Ik moet toegeven dat ik aarzelde omdat Jim twaalf jaar jonger was dan ik. Twaalf jaar! Ik keek naar de crêpepapieren huid boven mijn knieën, de rimpels op mijn handen, de ouderdomsvlekken op mijn armen die ik omdoopte tot nieuwe sproeten en de uitgedroogde huid op mijn borst vanwege jarenlang bakken op het strand. Stel dat hij mij boven zich zou zien – mijn gezicht door de zwaartekracht afhangend in nieuwe plooien en zakken, mijn afgezakte kont en slappe borsten – en dan totaal impotent zou worden door de geur van de naderende ouderdom. Misschien wilde hij wel alleen maar in het donker de liefde bedrijven.

Hoe kleedde Allie zich uit voor zo'n jonge man?

Wat deed ze aan de cellulitis op haar achterste? Haar rimpelige dijen en knieën?

Die dag liepen we rond Hudson Mills, met Disney aan de lijn. We waren allebei van plan af te vallen, maar los van fitness deden we daar eigenlijk niets aan. Maar dat was oké. Ik probeer al drie jaar vijf kilo af te vallen en Allie valt er elk jaar zes of zeven af, die er dan ook gewoon weer bijkomen. 'Het maakt niet uit of we het nou echt halen en ook zo houden,' zei ze ooit eens. 'Het belangrijkste is dat we eraan blijven werken. En we zijn nu toch fitter en gezonder dan wanneer we zouden stoppen met proberen?'

Het was opvallend warm zo midden in de winter, alsof we even respijt kregen van razende winden en zware grijze luchten.

'Hij wilde niet geloven dat ik zo oud was. Hij dacht dat ik om een of andere bizarre reden tegen hem loog, maar toen hadden we al gevreeën. Toen hij zei dat hij tweeëndertig was, zei ik: "Je hebt mijn website toch uitgeplozen? Nou, reken maar uit. Ik ben oud genoeg om je moeder te kunnen zijn."' Allie lachte. 'Toen we iets van een halfjaar geliefden waren, vertelde hij me dat hij had gedacht dat we niet meer dan twee keer per week seks zouden hebben, omdat mijn menopauze al voorbij was. "Twee keer per week? Wat dacht je van twee keer per dag!" Ik heb geen idee waar dat sprookje vandaan komt dat oudere vrouwen geen seks willen. We krijgen er gewoon de kans niet voor vanwege de problemen van de mannen.'

De sneeuw die door de zon zacht geworden was en nog aan

kluitjes aarde kleefde, rook naar natte grond. Disney snuffelde aan de grond en de overgebleven sneeuw, op zoek naar oude vrienden.

'Ja, ik herinner me mannen van dertig nog goed. Die kunnen het dag en nacht doen.'

Allie keek me even aan met een blik van 'Godzijdank' en zei: 'Maar daar gaat het niet om, toch? Seks is uiteindelijk alleen maar seks, zelfs al springen alle stoppen en maakt de aarde een sprongetje. Het gaat om al die andere aspecten van de samenkomst tussen twee mensen. De onzichtbare ruimte die ontstaat door de projectie van de gevoelens en ideeën over elkaar. Spiegels van en voor elkaar. De hoop, de angst en de overdracht van gevoel.'

We liepen even zwijgend verder, terwijl onze sportschoenen tegelijkertijd het asfaltpad raakten. Toen brak er een stuk ijs van een tak en viel in stukken op de grond.

'Maar seks kan wel een fantastisch bindmiddel zijn,' voegde Allie eraan toe.

'Mannen zijn zo visueel ingesteld. Ik zie me echt geen sexy dansje voor hem doen.'

'Hij zou het fantastisch vinden. Hé, ik heb een fantastische cd met van die ouderwetse vaudevillemuziek. Waarom huren we geen stripper in die ons leert hoe we dat moeten doen? De pot op met al die Jazzercise en stepaerobics. Laten we leren hoe we moeten strippen en heupwiegen.'

We lachten allebei. Allie zou waarschijnlijk in haar woonkamer oefenen en er T.J. op een avond mee verrassen.

'Ik heb geprobeerd om van die kwastjes op tepellapjes te laten ronddraaien, maar dat is me nooit gelukt.' Allie schudde haar hoofd, zodat haar haren vanonder haar gebreide muts dansten.

'Maar ik kan het vast wel! Ik was hoelahoepkampioen.'

'Dat kon ik ook al nooit,' zei ze. 'Raar, hè? Aan de ene kant schamen mannen van onze leeftijd zich zo voor hun biologische problemen – hoe is het ook weer? Vijftig procent van de mannen van vijftig hebben de gevreesde erectiestoornis – en aan de andere kant fantaseren ze over een jongere vrouw die dat oude lid weer opkikkert. Zij gaan hun veranderende seksualiteit dus te lijf door vrouwen van hun eigen leeftijd uit de weg te gaan. Ze zijn bijna bang voor een verstandige vrouw van hun eigen leeftijd. Terwijl we nog heel goed zijn in het seksgebeuren; alleen het babygebeuren gaat niet meer. Je zou toch denken dat mannen eens een keer slim werden en het spel en de grote lol daarvan konden inzien. Wat we allemaal willen, mannen en vrouwen, is intimiteit, maar onze seksualiteit is ons de baas. Nee, die is ons niet echt de baas, maar zet wel onderweg allerlei obstakels op ons pad.' We liepen weer een eindje, waarna ze zei: 'Maar het is wel een fantastische prikkel, of die nou samenbrengt of juist uit elkaar drijft.'

Ongeveer vijf minuten later, nadat we even de toiletten langs het pad hadden aangedaan, zei ze, terwijl we om de rivier, die nog stijf bevroren was, heen liepen: 'Maar ons zal dat leeftijdsgedoe uiteindelijk nekken. T.J. en mij. Er is dat kinderding. En het feit dat ik zal doodgaan en hem dan achterlaat. Daar is hij constant mee bezig. Waarschijnlijk is hij degene die er uiteindelijk uitstapt.'

'Hij kan toch kanker krijgen, of een hartaanval, en eerder doodgaan dan jij? Hij kan toch ook trouwen met een vrouw van zijn eigen leeftijd die zou kunnen doodgaan? Dood en ellende kun je niet voorspellen. Kijk maar naar mijn leven.' We dachten allebei aan Alex.

Ze deed een paar stappen. Een rode kardinaal vloog voor ons uit. 'Ja, maar hij is een statisticus. Hij berekent de kansen en misschien is dat alles waar je op kunt wedden. De kansen. En, zoals ik al zei, er is dat kinderding. Daar hoeven Jim en jij je geen zorgen over te maken.'

'Niet in de zin dat we ze niet kunnen krijgen, nee. Maar ze bepalen andersom nu wel de tijd die we samen hebben.'

'Over een paar jaar zijn ze weg.' Ze liep met haar handen in haar zakken en haar blik op de weg gericht.

Ik weet dat ze gelijk heeft. Maar ik weet ook dat kinderen altijd invloed op hun ouders blijven houden, hoe oud ze ook zijn. En ook toen dacht ik erover na, lang voor Sky zwanger was van die baby en Tara ook zwanger werd, hoe diepgaand kinderen in ons leven ingrijpen en hoe moeilijk het voor een stiefouder is om daar zoveel ruimte voor te maken. Hoe moeilijk het voor een stel is om het eens te worden over ouderschap en opvoeding, zelfs als het over je eigen biologische kinderen gaat.

'De ironie is dat iedereen denkt dat een stel door de kinderen dichter bij elkaar komt, maar onderzoek wijst uit dat stellen zonder kinderen gelukkiger zijn. Als je het afmeet aan het aantal scheidingen tenminste.'

Allie reageerde precies op de vragen in mijn hoofd. 'Ik ben gek op jouw onderzoekswerk.'

'Die warboel van boekenkennis?' Ze lachte, haar muts zakte scheef, haar haren waaiden op en haar gezicht was subtiel maar volledig opgemaakt. Toen trok Disney me over het pad.

Kort geleden, in de week voor Thanksgiving, vroeg ze: 'Heb je hem al verteld dat je van hem houdt?'

Ik schoof ongemakkelijk op mijn stoel heen en weer. Allie was bij me komen eten op een doordeweekse avond. Ik had geen zin om alleen te eten. Ze nam een salade mee met gedroogde kersen, blauwe kaas en walnoten. Ik stond op om wijn te halen toen ze het onderwerp aansneed.

'Je hebt je eigen vraag nog niet beantwoord. Betekent Jim een nieuwe kans op intimiteit, een poging tot een vaste relatie, of opnieuw het omzeilen van een vaste verbintenis?'

'"Ik hou van je" klinkt zo permanent terwijl we geen idee hebben of er wel iets permanent is.' Ik haalde de appelkruimelschotel uit de oven.

'Niets is permanent,' zei ze, met haar blik scherp op mij gericht terwijl ik in de keuken rommelde en uiteindelijk weer ging zitten.

'We zijn allemaal niet meer dan stappen op de weg. Een paar hele grote stappen. Van tientallen jaren. Maar zelfs als er sprake is van bijna voor altijd, is er altijd die kwestie van de dood, die een van de twee op een dag zal overkomen.'

Ik prikte een stukje kip aan mijn vork en schepte er wat rijst bij op. 'Vertel mij wat over die kwestie van de dood. Daarmee gaat een hoop ellende en zorg gepaard.'

'Yep,' zei Allie instemmend, met een spruitje op haar vork. 'Toen mijn huwelijk strandde voelde ik het verlies van het gedeelde leven. Maar alleen-zijn heeft ook zijn mooie kanten, en het geeft vrijheid. En een overweldigende eenzaamheid. Het ene voor het andere, en alles heeft zijn prijs. Als je een partner hebt, is je leven voor iemand belangrijk. Je bent elkaars getuigen. Je aanschouwt elkaar. Aanschouwt,' zei ze langzaam. 'Je bent een tijdje minder alleen.'

Ik voelde me treurig, moet ik toegeven. Treurig over mijn alleen-zijn, treurig over dat ik erop had gerekend dat iemand bij me zou blijven, zonder dat er een of andere ramp gebeurde. Ziekte. Dood. Ontrouw. Ik denk dat ik een beetje als T.J. ben, maar ik heb niet het excuus van de leeftijd, alleen maar dat van mijn verleden. 'Hij is te veel weg,' was alles wat ik tegen haar zei.

Allie keek naar me, hoe ik mijn servet gladstreek, hoe ik met mijn eten zat te spelen, hoe ik van mijn wijn dronk, hoe ik mijn haar van mijn voorhoofd streek. 'Niet weg vanwege jou,' zei ze. 'Vanwege zijn baan. Vanwege zijn kinderen. Maar is het zo? Hou je van hem?'

'Ik ben nog steeds verliefd op hem. Het komt door zijn leuke lach en zijn manier van flirten. We hebben zoveel plezier als we de dingen doen waar we allebei gek op zijn. En hij is zo'n goede vader en hij speelt helemaal niet de baas over me. Als we samen zijn, is het perfect. Ik denk voortdurend aan hem. Ik zou het vreselijk vinden als hij wegging.'

'Dus?'

Toen ging de telefoon. Even respijt van haar vraag.

TAYLORS OGEN ZIJN half geloken en haar wimpers werpen een weelderige schaduw op haar wangen, terwijl ze van opzij naar Allie kijkt. Allie draagt een zwart topje en een groen tie-dye wikkeltruitje. Zwarte jeans. Er is altijd iets bijzonders aan de manier waarop ze zich kleedt: een combinatie van couture en postorderkleding, maar altijd comfortabel en behaaglijk.

Hoe kijkt zij naar Taylor op dit moment? Denkt ze dat het de soort verliefdheid is die een jongere vrouw soms opvat voor een oudere vrouw, meestal na raad of advies? Of is het seksuele aantrekkingskracht? Allie lijkt zich totaal niet ongemakkelijk te voelen, dus misschien is er iets wat ik niet weet.

Iedereen zit op zijn plek te praten en te lachen. Ik kijk op mijn mobieltje, maar dat is stil. Geen telefoontje. Ik stel me voor hoe Sky alsmaar rustelozer en ongeruster wordt naarmate ze langer moet wachten op het nieuws van de dokter. En dan stel ik me voor hoe Troy en zij tijdens het eten met glazen spa klinken op hun gezonde baby. In de vreugde hebben ze mij vergeten. Ik denk aan Allies statistische gegevens – het hogere percentage scheidingen bij stellen met kinderen –, aan de ellende die Sky en Troy moeten doorstaan om een kind te krijgen, aan Laurie en Olivia en aan T.J.'s verlangen om een kind van hemzelf te krijgen.

Ik kijk de kamer rond en zie de teddybeer, die Jim vandaag kwam brengen, met zijn hartjes en kerstboompjes onder de boom zitten alsof hij er altijd al is geweest. Hij past er goed bij. Een van zijn pootjes steekt omhoog, klaar voor een high five; een ander pootje ligt op Tara's beer, die zo eindelijk wat liefde krijgt. We worden verliefd en doen er alles aan om onze liefde in een nieuw leven belichaamd te zien. Ik betrap me erop dat ik me afvraag hoe een kind van Jim en mij eruit zou zien. Wat voor interesses en talenten hij of zij zou hebben. Als we de liefde bedrijven, wil ik altijd dat onze huid oplost en we echt één zijn in een orgasme dat onze individualiteit wegvaagt. Een kind zou een concreet bewijs van die samensmelting zijn. Daarna zou het opgroeien, zich losmaken van ons verlangen hem als bewijs van onze liefde te zien, en een eigen bestaan gaan leiden.

JEANNIE ZIET ER nu ontspannen uit en haar wenkbrauwen zijn recht. De zorgelijke boze blik is verdwenen. Haar aandacht verplaatst zich naar Allie, als die opstaat.

'Er is dit jaar voor mij niet zoveel veranderd, zo'n jaar dat te snel voorbijging zonder dat er iets werkelijk is opgelost met T.J. We schipperen nog steeds, maar volgend jaar wordt anders.'

'Proost.' Rosie heft haar glas en de lichte witte wijn klotst heen en weer.

'Naomi gaat afstuderen. Maar die is het huis al uit. Ik heb nog steeds mijn patiënten en klieder nog steeds met verf. Dus dit was zo'n jaar dat vooral ging over de wisseling van de seizoenen en de liefde van familie en vrienden. Het trok in een waas voorbij, alsof de tijd werd ingekort en we overschakelden naar lichtsnelheid. En ik ben bang dat ik de uitdaging die zich voordeed niet ben aangegaan.' Ze perst haar lippen op elkaar.

We weten allemaal dat ze het over T.J. heeft.

Allie duikt in haar tas en haalt er een rode kerstsok uit.

'Jeetje. Ik vind het altijd fijn als je de verpakking als decoratie kunt gebruiken,' zegt Laurie. 'Of voor iets praktisch.'

Allie geeft de rode vilten sok aan Taylor, die hem even vasthoudt voor ze hem aan Sissy doorgeeft.

'Hmm. Ik zal jullie over mijn koekjes vertellen. Een paar maanden geleden stond er in het *Ann Arbor News* een recept voor koekjes uit Saudi-Arabië om het einde van de ramadan te vieren. Toen ik het recept las, realiseerde ik me dat ze heel erg leken op de Chanoeka-koekjes die mijn moeder altijd maakte. Dus ik prikte het recept op mijn prikbord, terwijl ik bedacht hoeveel zelfs het voedsel van Arabieren en Joden op elkaar lijkt. Die twee broederstammen die elkaar duizenden jaren bevochten hebben.'

Allie blijft de rode sokken uitdelen. 'In dit jaar van eenheid en hoop op vrede heb ik beide koekjes gemaakt. De joodse hebben suiker op de buitenkant en de Arabische meel, maar ze zijn met vrijwel dezelfde ingrediënten gemaakt. Voor de Saudische had ik een nieuw ingrediënt nodig: ghee, ofwel geklaarde boter, en je gaart het deeg op het fornuis. Maar bij beide koekjes draait het om gedroogde vruchten. Dat is het belangrijkste ingrediënt en de belangrijkste smaakmaker. Zo vergelijkbaar. En de sokken? Ach, ik bedacht dat het wel aardig was om joodse en moslimkoekjes in een symbool van Kerstmis te verpakken. Drie van de grote religies in de wereld in één: dat past mooi bij de hoop op vreedzame verandering hier en in de hele wereld.'

Als ik er een in de tas voor de hospice heb gedaan, open ik mijn pakje en proef een van de Chanoeka-koekjes. 'Die zijn vast ook heel gezond.' Een zoete lekkernij met een zweem van specerijen en gember.

'Ze zijn gemaakt van gedroogde vruchten en noten. Maar er zitten wel veel calorieën in.'

'Je hebt jezelf overtroffen dit jaar,' zegt Vera. 'Koekjes met een vredesboodschap.'

Allie lacht. 'Ik weet dat het sentimenteel klinkt, maar ondanks de economie en de donkere kou denk ik aan al onze stappen voorwaarts naar gelijkheid en wereldvrede. En is deze viering – of het nou Kerstmis is of Chanoeka – niet de viering van de terugkeer van het licht, midden in de duisternis? Net na de zonnewende, de kortste dag van het jaar, worden de dagen langer en kijken we opnieuw uit naar de lente en vernieuwing. Net als de koekjes, die meer op elkaar lijken dan dat ze van elkaar verschillen.'

We zijn allemaal even stil, terwijl ieder er een proeft. 'Ik heb een Saudisch,' zegt Jeannie.

'Ik een joods,' zegt Rosie, terwijl ze naar Jeannie kijkt en een toost uitbrengt op het verschil. Alsof ze daarmee wil zeggen: als er hoop is dat die twee landen vrede kunnen sluiten, dan kunnen wij het misschien ook wel. We hebben allemaal onze gebreken.

Jeannie knikt naar haar terwijl ze hun lekkers eten en elkaar aankijken.

Wauw, denk ik. Wauw. Zie ik dat goed? Gebeurt dit echt? Ik bekijk ze vanaf de andere kant van de kamer: Rosie met de glittertjes in haar korte haar, en Jeannie met nog steeds die blik van een opgeschrikte hinde.

We houden allemaal een koekje omhoog. 'Op de vrede,' zegt Charlene, en ze stopt hem in haar mond.

'En op de terugkeer van welvaart,' zegt Laurie.

'Hé. Laten we nog even doorgaan. Wat dacht je van interessante banen voor iedereen?'

'En gezondheidszorg.'

'Zorg voor Moeder Aarde.'

'Liefde accepteren,' zegt Allie met haar arm over de groep vriendinnen zwaaiend.

'Een kleine ecologische voetafdruk.'

'Geen fossiele brandstoffen meer.'

We lachen allemaal.

De telefoon trilt, ik voel aan mijn heup en storm naar de slaapkamer. Het is Jim.

'Hi.'

'Hé, jij daar. Heb je al iets van Sky gehoord?'

'Ik dacht dat jij haar zou zijn.'

'Dat spijt me.'

'Ik vind het altijd fijn om met je te praten.'

'Hoe is het feest?'

'Goed. Leuk.'

'Ik wilde je vertellen dat de kinderen komende vrijdag bij hun moeder zullen zijn. Dat betekent dat onze afspraak definitief door kan gaan.'

Ik houd mijn adem in. Ik hoor het gelach van de groep in de kamer ernaast, en ik ruik de geur van de anjers en rozen naast mijn bed dat vol ligt met alle jassen. Ik weet wat ik moet doen, wat ik heel nodig moet doen. Een van mijn kanten kussens is op de grond gevallen. Ik pak het op, leg het tegen het hoofdeinde en kijk naar de berg jassen op mijn bed.

'Heb je al een andere afspraak?' Hij lacht, maar het klinkt nerveus.

'Ik hou van je.'

Er valt een dodelijke stilte aan de andere kant.

Hij heeft me niet gehoord.

'Ik beloof je alleen maar een afspraakje op vrijdag en dan hou je al van me?' Hij maakt er een grap van om zijn plotselinge gêne te verbergen. Hij zegt het niet terug.

Ik ben te laat. Ik had het hem veel eerder moeten zeggen, toen hij het voor de eerste keer tegen mij zei, maanden geleden. Het momentum is weg. Te laat. Hij heeft afstand van me genomen. Mijn timing is verkeerd. Zo heb ik mezelf alleen maar kwetsbaar gemaakt.

Shit. Mijn hart gaat sneller kloppen.

De kinderen waren zijn excuus. Zijn manier om afstand te houden. Hij wil niet meer dan wat we hebben.

'Dat heb ik op Valentijnsdag gezegd. Nu is het bijna Kerstmis.' Hij zegt het teder, bijna fluisterend. 'Sinds dat moment heb ik op je gewacht. Heb ik je tijd gegeven, ondanks mijn idiote leven.'

Ik adem uit. 'Ik hou van je.' Ik zeg het nog een keer, me afvragend of het de tweede keer anders voelt. Dit keer is mijn stem zacht en articuleer ik elk woord zorgvuldig. Ik. Hou. Van. Je. Dit keer sta ik stil en hoor ik weer de manier waarop hij het maanden geleden gezegd heeft. Diep, met dat zweempje zachtaardige hoffelijkheid.

'Bel me als het feest voorbij is, maakt niet uit hoe laat. Ik wacht op je. En, Marnie,' hij aarzelt even, 'ik hou van jou. Ik hou ook van jou.'

OVER DADELS

Dadels behoren tot mijn lievelingsvruchten, een traktatie die ik mezelf gun aan het eind van een maaltijd, wanneer ik naar iets zoets verlang. Soms stop ik een amandel, een pecannoot of een walnoot in de holte waar de pit heeft gezeten.

Mijn grootmoeder was dol op dadels en vertelde me dat de dadelpalm de levensboom was, het voornaamste voedsel in de woestijn van Afrika en het Midden-Oosten, en een essentieel gewas waar menselijk leven van afhankelijk is. Omdat dadels al zo lang geteeld worden, minstens achtduizend jaar, is het moeilijk er precies achter te komen waar hun oorsprong ligt. Maar naar alle waarschijnlijkheid was dat in de beroemde Vruchtbare Sikkel, de oase die zich uitstrekt van Noord-Afrika tot de Perzische Golf. Dadels waren, samen met olijven, vijgen, granaatappels en druiven, de tweede golf van gekweekte gewassen op onze planeet. Het nadeel van de dadelpalm was dat het na het planten een paar jaar duurde voor er voedsel van afkwam, dus verbouw ervan werd pas mogelijk toen mensen zich hadden gevestigd in dorpen. Afbeeldingen van dadelpalmen staan op reliëfs uit de vroegste tijd van de Egyptische en Mesopotamische beschaving.

Dadelpalmen kunnen groeien uit zaad, maar omdat de vrucht dan kleiner en de boom mannelijk kan zijn, worden ze meestal door stekken gereproduceerd, zodat de plant net zoveel vruchten voortbrengt als zijn voorganger. Het duurt vier tot zeven jaar voor een dadelpalm vrucht draagt en dan dragen ze zeven tot tien jaar lang vrucht. De meeste vruchten die we kopen zijn aan de boom in de zon gedroogd. Minder rijpe vormen van de vrucht worden ook gegeten. In de moderne kwekerij worden dadelpalmen met de hand bestoven. Eén mannelijke boom kan honderd vrouwelijke bomen bestuiven. Sommige mensen denken dat een wijde verspreiding van zaad de manier is waarop het voor alle soorten op aarde werkt. Maar niet bij dadelpalmen: de mannelijke bomen hebben extra hulp nodig en om de vrouwelijke bomen te bestuiven klimmen getrainde arbeiders op ladders of ze gebruiken, zoals in Irak, een speciaal stuk gereedschap dat aan de boom wordt vastgemaakt.

Dadels zijn nog steeds een essentieel landbouwproduct in Irak, Arabië en Noord-Afrika. In islamitische landen behoren dadels en yoghurt of melk tijdens de ramadan traditioneel tot de eerste maaltijd na zonsondergang. Dadelpalmen worden ook gekweekt in zuidelijk Californië en Arizona, nadat ze er in het midden van de achttiende eeuw werden geïntroduceerd. Als we dadels eten, eten we het geschenk van de levensboom.

9

Sissy

CHEESEBURGERKOEKJES

650 g koekjes met een wat bolle bovenkant (bijv. roomboterkoekjes of eierkoeken die je met een glas uitsteekt tot een kleiner formaat)
1 eiwit, losgeklopt
35 g sesamzaad
450 g poedersuiker
4 à 5 el melk
½ tl amandelaroma
gele voedingskleurstof
rode voedingskleurstof
groene voedingskleurstof
80 g kokos
550 g ronde chocoladekoekjes

Verdeel de roomboterkoekjes over twee platen. Op de ene plaat liggen de koekjes met de platte kant en op de andere met de bolle kant naar boven. Op elke plaat ligt een gelijk aantal koekjes: 35 à 40. Strijk met een kwastje een beetje eiwit op de koekjes die met de bolle kant naar boven liggen en strooi er sesamzaadjes op.

Maak glazuur (de 'kaas'): roer 4 eetlepels melk en het amandelaroma door de poedersuiker. Voeg zo nodig meer melk toe. Doe er gele en rode voedingskleurstof bij tot het glazuur de oranjegele kleur heeft van Amerikaanse cheddar.
Kleur de kokos: stop de kokos in een pot met een deksel en doe er groene voedingskleurstof bij. Schud de pot tot de kokos de kleur van sla heeft.

Het opbouwen
De 'kaas'-glazuur is de lijm. Strijk glazuur op de koekjes die met de platte kant naar boven liggen. Leg daarop de chocoladekoekjes. Strijk daarna glazuur op de chocoladekoekjes en doop die in de groene kokos. Strijk dan wat glazuur op de platte kant van de vanillekoekjes waarop je sesamzaad gestrooid hebt en zet die koekjes op de 'sla' van het andere koekje. Nu is je miniatuur cheeseburgerkoekje klaar. Leuk, hè?

SISSY NODIGDE ME uit om op Labor Day bij haar thuis te komen barbecueën met haar familie. Dat was waarschijnlijk haar manier om mij op haar eigen terrein te leren kennen. Tara en Aaron woonden verderop bij haar in de straat en in Tara's buik was ons kleinkind al goed zichtbaar: haar buik was bol, nog niet zo enorm als nu, maar wel onmiskenbaar. Aan de overkant van de straat stond een dichtgespijkerd huis, dat bijna helemaal overwoekerd was door een trompetklimmer. Vuilniszakken stonden langs de straat te wachten om opgehaald te worden. In de straat waren skaters in de weer. Special Intent – Aarons artiestennaam –, Red Dog en Tara waren druk bezig met hun demo-cd. Sissy – chocoladebruin, met voluptueuze borsten en een kleurige kralenketting die als een krans om haar hals lag – verwelkomde me met een hartelijke lach. Ze spreidde haar armen wijd uit, omhelsde me en gaf me een kus. Ik rook een parfum van rozen en citroenen. Ze wilde me Aarons wereld laten zien, of misschien was ze alleen maar uit op een grootmoederalliantie. Hoe dan ook, zij was degene die zelfverzekerd en dapper genoeg was om haar hand naar mij uit te steken.

Ik zie mezelf graag als iemand die geen enkel probleem heeft met minder conventionele omstandigheden, maar met Tara viel me dat eerlijk gezegd niet mee. Ze was altijd tegendraads en ging tot het uiterste om de dingen te doen zoals zij vond dat ze moesten. Ik wist niet of haar keus voor Aaron rebellie was of echte liefde. En een keus was het zeker, niet het gevolg van de 'shit happens'-houding die zoveel kinderen hebben. In het begin wist ik dat nog niet, maar nu wel.

Ik herinner me nog precies de dag dat Tara Aaron leerde kennen. De week ervoor had Tara haar haren zwart geverfd.

'Het maakt je ouder, je verliest er je onschuld mee.'

Tara rolde met haar ogen. 'Dat gaat het nou precies om, mam.'

Ze werkte toen twee keer per maand op zaterdag als vrijwilliger voor de YMCA en die dag werd ze naar de *Habitat for Humanity* gestuurd, een organisatie die huizen bouwt en opknapt voor mensen in nood. Ze was vijftien. Die avond vertelde Tara tijdens het eten dat ze die dag had geschilderd en een nieuwe vriend had ontmoet.

'Mooi.' Een vriend die vrijwilligerswerk doet voor *Habitat for Humanity* moest wel een gewetensvol tiener zijn, dacht ik.

'Yep. Hij komt uit Detroit. Hij is zwart. Hij zit op de trainingsschool.'

'Wat?' Trainingsschool is een eufemisme voor jeugdgevangenis. 'Hoe kan hij dan vrijwilliger zijn?' Terwijl ik sla opschepte hoorde ik bravoure in haar woordenstroom.

'Hij zit in een speciaal werkprogramma waarin hij wordt voorbereid op zijn vrijlating, en we hebben vandaag een kamer wit geschilderd en zo, en over mijn school gepraat en over muziek. Hij is ook musicus, mam.' Tara's ogen waren groen: het soort groen dat ze krijgen als ze gelukkig is. Zelfs haar zwarte haar had daar niets aan veranderd. 'Hij schrijft rapteksten. Je vindt hem vast leuk.'

'Waarom zit hij in de gevangenis?' Het was lente, de zon ging net onder, en een roze gloed lag over de tafel en haar arm.

Tara haalde haar schouders op. 'Dat heb ik hem niet gevraagd, mam. Aaron heeft mijn adres en hij gaat me schrijven.' Het moment van harmonie was in één klap voorbij.

'Wie weet,' zei ik.

Maar hij schreef echt. Er kwam een sierlijk gekalligrafeerde brief, met halen en krullen boven de ranke lussen van elke hoofdletter. Tara greep de envelop en grinnikte. 'Ik zei toch dat hij zou schrijven.' En ze rende de trap op naar haar kamer. De hele avond was ze bezig met hem te beantwoorden in haar ronde handschrift, met rondjes als punten op de i's.

Het brieven schrijven nam toe. Ik stelde meer vragen. Wanneer komt hij vrij? Hoe oud is hij? Waar wonen zijn ouders?

'Hij is zeventien.'

Twee jaar ouder dan Tara. 'Gaat hij eindexamen doen?'

'Hij komt volgend jaar vrij. Ja, hij gaat eindexamen doen. Hij moet daar naar school, of zo. Hij is slim, mam. Echt slim. En ik vraag hem niets over zijn ouders.' Ze was even stil, gravend in haar geheugen. 'O, zijn moeder is verpleegster. Dat heeft hij verteld. Maar over zijn vader heeft hij niets gezegd.'

'Waarom zit hij vast?'

'Weet ik niet.' Tara wendde haar blik af.

'Weet je dat niet? Heb je hem dat niet gevraagd dan?'

'Hij zei dat hij me dat zou vertellen als hij me weer ziet.' Ze draaide zich om en wilde de kamer uit lopen.

'Wauw. Dat kan niet goed zijn, Tara,' riep ik haar na terwijl ze wegliep.

Toen Sky belde, onderwierp ze Tara aan een kruisverhoor over hem. Ik hoorde aan Tara's antwoorden dat ze terughoudend was, maar wel meer tegen Sky zei dan tegen mij. 'We hebben zoveel gemeenschappelijk. Innerlijk lijken we heel erg op elkaar,' hoorde ik haar zeggen.

Toen de herfst kwam schreven ze elkaar nog steeds. Tara bleef vrijwilligerswerk doen bij de YMCA, maar Aaron kwam niet meer terug bij de *Habitat*. 'Ik wil Aaron uitnodigen voor het reüniebal.'

'Reünie? Ik dacht dat hij op de trainingsschool zat,' zei ik. We waren in de keuken spaghetti aan het maken.

'Dat is ook zo, maar hij denkt dat hij misschien een weekendverlof kan krijgen of zo. Sinds hij daar zit heeft hij helemaal geen problemen meer veroorzaakt en dan verlenen ze speciale privileges. Mag hij hier logeren?'

'Bij ons?'

'Waar anders? Detroit is te ver weg. Je vindt hem vast aardig, mam. Zijn rappersnaam is Special Intent en hij schrijft alsmaar teksten voor me. Wil je ze horen?'

Met samengeknepen ogen keek ik naar mijn dochter. Ging Tara er nu gewoon naïef van uit dat ik het goed vond of stelde ze me op proef? Een kind in de jeugdgevangenis die een rap-ster wil worden? Maar ik wist heel goed dat de relatie verbieden Tara's nieuwsgierigheid alleen maar zou aanwakkeren.

'Ik zal erover nadenken,' zei ik en ik voegde eraan toe: 'Weet je, op jouw leeftijd zijn jongens niet meer dan het snoepje van de week.' Ik strooide basilicum in de saus. Onze gesprekken vonden altijd plaats tijdens het eten. Tara kwam af op het lokmiddel van eten en wilde dan misschien wel praten. Grappig hoe verschillend mijn dochters zijn. Sky vertelde me altijd alles en Tara zo weinig mogelijk.Tara rolde met haar ogen en wierp haar hoofd opzij. 'Dit duurt al vijf maanden of zo, mam.' Ze was bezig met het scheuren van de sla voor een salade.

'In een relatie op afstand raak je niet zo snel verveeld of geërgerd,' waarschuwde ik haar.

Met een geïrriteerde trek om haar mond stond Tara met haar hand in haar zij, en zei: 'Kijk trouwens maar naar Sky en Troy.'

Daar had ze me te pakken. 'Ik wil gewoon niet dat je teleurgesteld wordt,' zei ik langzaam, roerend in de saus. Ik deed mijn best nonchalant te klinken, maar zo voelde ik me niet. Ik had afspraakjes gehad met mannen van een ander ras, maar om de een of andere reden was daar nooit echt iets uit voortgekomen. Ik was opgegroeid met de subtiele racistische opmerkingen van mijn vader en ik wist dat hij, als hij nog had geleefd, geschokt zou zijn door Tara's vriendje. Als kind was ik het niet met hem mee eens, en nu zeker niet meer. En misschien zou zelfs mijn vader in deze tijd wel van mening veranderd zijn. Mijn zorg werd vooral versterkt door het feit dat Aaron in de gevangenis zat. Door de opeenstapeling van lastige omstandigheden: ras, klasse en het stigma van opsluiting.

Tara beschouwde mijn laatste opmerking als een goedkeuring. 'Heb jij een kaart? Hij moet weten hoe hij hier komt en zo.'

'Kan hij dat niet op internet vinden?'

'Als dat kon, zou hij het zeker gedaan hebben, mam.'

'In de auto, Tara. Neem die uit de auto maar.'

De reünie was over twee maanden. Ik wilde haar geen reden geven voor rebellie. Het was al gespannen genoeg sinds Tara in de puberteit beland was en had besloten dat ze het leven op haar eigen voorwaarden wilde leven.

De brieven bleven komen. Twee, soms drie keer per week een dikke envelop. Tara las me een paar van zijn teksten voor. Het waren in ieder geval niet de door mij verfschuwde teksten vol met vrouwenhaat en het N-woord. Hij leek een doel te hebben.

'Het klinkt wel alsof hij boos is op de wereld.'

'Ik denk dat hij daar gelijk in heeft.'

'Weet je,' ik deed mijn best om kalm en zacht te praten, 'de meeste mensen die in de gevangenis hebben gezeten komen er weer in terug. Ik geloof meer dan vijfenzestig procent. Wees niet blind voor wat dat betekent. De gevangenis doet geen enkele poging om mensen te rehabiliteren; je leert daar alleen maar geweld en hoe je een nog betere crimineel kunt worden.'

'Hij niet. Je kent hem niet. Bovendien zit hij in een speciaal programma.'

'Ik maak me zorgen. Over jou, mijn geliefde dochter.'

TARA VOEGDE FELBLAUW gekleurde plukjes aan haar zwarte haar toe. Ze liet nog drie gaatjes in haar oren maken, nam piercings in haar wenkbrauw en in haar lip en deed daar zilveren ringetjes in.

Toen ik haar zo zag, zei ik: 'Dat ziet er niet uit. Alsof je uitschot wilt zijn.'

'Iedereen doet het.'

'Niet iedereen.'

'Alle kunstenaars en musici.'

Ze probeert gewoon dingen uit, hield ik me voor. Altijd de grenzen opzoeken. Maar ze was tenminste niet begonnen aan plugs om haar oorlellen op te rekken. Haar cijfers waren briljant en ze zat bijna altijd piano te spelen, muziek te componeren en te zingen. Het was niet makkelijk geweest met de scheiding tussen Stephen en mij en hij zag haar nauwelijks.

Een paar weken later vroeg ik: 'Wanneer komt die Aaron?'

Tara haalde haar schouders op. 'Ze hebben de brieven gelezen en toen ze de plattegrond zagen, dachten ze dat hij van plan was te ontsnappen en daarom is hij zijn minimum beveiligingsstatus kwijt en is hij uit het speciale programma gezet. En nu is er geen enkele kans dat hij hierheen kan komen voor de reünie.'

'Wat ellendig, schat.'

Mijn stem klonk zo uitdrukkingsloos dat Tara opkeek om te

zien of ik sarcastisch of opgelucht was. Ik vond het oprecht ellendig voor Aaron, maar ik had gehoopt dat de passie en de aantrekkingskracht verdwenen zouden zijn als ze elkaar weer hadden gezien.

'Aaron zegt dat het door die stomme instelling komt. Dat ik me niet rot moet voelen,' zei Tara.

'Heeft hij je verteld waarom hij daar zit?'

'Ik heb hem toch niet gezien, mam. Luister je dan nooit naar wat ik zeg, of zo?'

'Wat ga je nu doen met de reünie?'

'Jennie, Robin en ik gaan met Shorty, Ted en Kevin. Geen afspraakjes, hoor. Gewoon als vrienden. We gaan een limo huren en uit eten bij de Macaroni Grill. Ze zijn allemaal teleurgesteld dat ze Aaron nu niet kunnen ontmoeten.'

'Hoe ga je dat betalen?'

'Mam. Ik heb het gespaard van mijn verjaardagsgeld van de zomer. Aaron en ik wisten dat we erheen wilden gaan.'

Ze verraste me. Van een tegendraadse, ogenschijnlijk onbesuisde tiener was ze ineens veranderd in een jonge vrouw die vooruitdacht en offers bracht om haar doel te bereiken.

Met Aaron had ik het bij het verkeerde eind. Aaron verdween niet van het toneel als uitgedoofde tienerliefde. Integendeel. Tara werd een typische hiphoprepresentant van de 21e eeuw: een ongetrouwd, zwanger, achttienjarig blank meisje met een zwarte, net vrijgelaten, zogenaamde rap-ster. Alleenstaande moeder. Een allegaartje van baantjes waarmee ze het nauwelijks konden redden. Dromen van roem en geld. Als het niet zo treurig was, zou je erom moeten lachen. In de tussentijd vonden mijn dochter en haar vriendje elkaar op een door henzelf geschapen terrein.

Tara was altijd al hartstochtelijk met muziek bezig geweest. Het was alsof ze Stephens niet gerealiseerde droom om rockster te worden had overgenomen en tot de hare had gemaakt. Of het nou zijn genen waren, zijn aanmoediging of een onbekende factor in haar, maar haar geestdrift en buitengewone toewijding voor muziek waren al duidelijk toen ze nog maar een dreumes was. 'Klinkt dit niet als regen, mammie?' vroeg ze, terwijl ze heel zacht twee noten op een speelgoedxylofoontje speelde. Toen ze zes was, maakte ze achter de piano melodieën door het gefluit van een vogel na te doen, met haar voetjes in de lucht bungelend, omdat ze nog niet bij de pedalen van de piano kon.

Vervolgens kwam Aaron in beeld en sloten ze zich samen in die droom op. Toen kwam hij vrij, ging in Detroit bij zijn familie wonen en zagen ze elkaar zo vaak als ze maar tijd, een auto en geld voor benzine voor de reis hadden.

'Waarvoor zat hij nou eigenlijk?'

'Dat is een idioot verhaal, mam.' Tara ontweek mijn blik.

'Ik ben een en al oor.' Ik deed het boek dat ik aan het lezen was dicht.

Tara ging tegenover me zitten, frunnikte aan een plooi in haar jeans en de blauwe plukken in haar haren lichtten kleurig op.

Ik wachtte.

'Je kunt het ook zelf aan Special vragen, hoor, hij vertelt het je gewoon. Hij is geen gesloten iemand, hij praat over dingen.' Ze streek over haar broek alsof ze zo mijn zorgen kon gladstrijken.

'Jij bent hier. Vertel jij het maar.'

'Nou, hij was met een paar vrienden en ze stopten om pizza te halen of zo. Hij zat op de achterbank van de auto en ging niet eens die pizzatent in. Hij weet niet zeker of het een opwelling was of zo, of dat zijn vrienden de beroving van die pizzatent van tevoren bedacht hadden. Een juut buiten dienst haalde daar net een pizza voor zijn gezin. Die trok zijn pistool en arresteerde ze. Hij zag Aaron op de achterbank van de auto zitten en arresteerde hem toen ook.'

'Werd hij beschuldigd van medeplichtigheid?'

Tara keek langs me heen. 'Aaron had vijf zakjes wiet van tien dollar bij zich die hij had gekocht voor dertig dollar.'

'Moest hij daarvoor zitten? Voor dertig dollar aan wiet?'

'Daar komt het wel op neer. En omdat hij op het verkeerde moment op de verkeerde plek was.'

Ik keek haar scherp aan; er was meer aan de hand. 'Ging hij dat doorverkopen? Was dat de deal?'

Tara haalde haar schouders op.

'Is hij een klein dealertje?'

'Dat was toen.'

'En nu?'

'Nee.'

'Was hij het toen?'

Ze schudde haar hoofd.

'Dat kind van Harv en Kim, hoe heet ze ook alweer?'

'Katie...'

'Kreeg voorwaardelijk en een taakstraf voor heel wat meer wiet dan dat. Hoeveel had zij? Honderd gram? Is dat het hele verhaal? Had hij al eerder problemen gehad?'

'Nee. Eerste aanhouding. Maar mam.' Tara klonk geërgerd, alsof zij de volwassene was en ik de tiener. 'Katie is blank en ze had een advocaat. Katie woont in Ann Arbor, niet in Detroit.'

Ik keek op en zei, meer tegen mezelf dan tegen haar: 'Ongelukkige omstandigheden. Roekeloze daden. Pech. Verkeerde beslissingen.' Toen ik me naar haar toe keerde, zat ze me aan te kijken, nog steeds frunnikend aan haar broek. 'Ik wil niet dat je daarin verstrikt raakt.'

'Aaron had een deal kunnen maken. Dan had hij tegen zijn vrienden moeten getuigen. Een verklikker zijn. Dat kon hij niet doen. Dus gaven ze hem de maximumstraf of zo.'

'Vind je dat eervol en deugdzaam?'

'Jij niet dan?'

'Het hangt ervan af hoe je het bekijkt. Wat voor gevolgen heeft die gevangenisstraf voor zijn toekomst? Wat betekent het voor zijn familie?'

Tara trok haar schouders naar achteren en stak haar kin in de lucht. 'Ik vind het goede eigenschappen als je trouw bent en meer om anderen geeft dan om jezelf.'

'Soms.' Ik knikte. 'Waren zij trouw naar hem toe? Als hij echt niet wist dat die beroving zou gaan gebeuren, waarom hebben ze hem dan niet beschermd? En nu heeft hij een strafblad.'

Tara dacht even na. 'Een jeugdstrafblad of zo. Maar ja. Het was stom voor zichzelf en zo, maar goed voor zijn vriendjes.' Ze ontspande haar schouders. 'Hij heeft in de bajes zijn diploma van de middelbare school gehaald en aan zijn muziek gewerkt. Hij zegt dat er soms iets goeds uit iets slechts voortkomt en soms iets slechts uit iets goeds.'

Bij de barbecue op Labor Day hoorde ik hem voor het eerst zingen. En het was de eerste keer dat ik Sissy ontmoette en door haar lach verwelkomd werd. Ze had glanzend paarse lippenstift op, een kleur die ik plechtig beloofde uit te proberen.

We zaten buiten. Iemand had een oude bank, kleine tafeltjes en plastic stoelen bijgetrokken. Sissy droeg een bloes met een V-hals, waarin haar decolleté te zien was. Om haar armen droeg ze schuifarmbanden en ze had grote ringen in haar oren. Sissy's vriendin Darling was er ook, in een roze T-shirt en met een basketbalpet van de Detroit Pistons op, die Sissy hielp met het keren van de ribbetjes. Het rook er naar sauzen en sissend vet van de grill. Buren namen kip, macaroni, kaas en cake mee, en nog meer stoelen en dekens. Toen de schemering viel, begon iedereen Aaron aan te vuren om te zingen.

Red Dog knikte naar Sonny, een jongen van een jaar of tien. 'Je moet helpen. Als ik naar je wijs zeg jij: "*Jail, what is it good for? Absolutely nothing.*"'

'Kom op, Dog. We doen het.' Aaron ging naast Red Dog staan. Tara zette haar keyboard aan.

Denk je soms dat zitten
Echt chill vet is
Met deze rap zeg ik je
Dat 't bullshit is
23 vast
1 vrij
Klem in een 3 bij 2
Enkel een betonnen graf

Red Dog wees naar Sonny.

'*Jail, what is it good for?*' schoot Tara hem te hulp.

'*Absolutely nothing,*' brulden we allemaal als antwoord.

Elke dag vraag je je af
Hoeveel zon je krijgt
Eten, drinken, pitten
Waar je ook moet schijten
Je herinnert en je mist
Alles wat je dierbaar is
Als het ineens goed menens is
Met de bajeswetten.

'*Jail! Huh, uh, Good God, y'all?*' gromde Sissy.

'*What's it good for?*' riep iedereen. '*Absolutely nothing.*'

'Stoer, man! Rappen en in de lik zitten.' Sonny schraapte zijn keel.

'Wat?' riep zijn moeder.

'Het is niet cool om de lik in te draaien,' zei Aaron en hij ging naast Tara zitten, die languit op een blauwe deken lag, met haar hand met zwart gelakte nagels om de bult die haar baby was.

'Hoor je wat hij zegt? Het is niet cool om naar de lik te gaan.'

'Daar ging de rap over. Tijdverspilling en zwaar. Ik heb geleerd dat ik echt niet terug wil. Ik heb geleerd dat je goed moet weten wie je trouw bent. Je moet niet trouw zijn aan vriendjes die jou niet trouw zijn en daar kom je pas achter als het leven een hard spelletje met ze speelt, als het erop aankomt.' Special leunde achterover op één elleboog. 'Ik denk dat ik ook geleerd heb dat de buitenlucht te fijn is om te verspelen. Dit is mijn leven, mijn enige leven, en ik wil geen minuut van mijn tijd meer verspillen, opgesloten in een 3 x 2.' Hij keek naar Tara op de deken, met haar zwangere buik. 'Ik wil er zijn om voor mijn mini-ik te zorgen en te kijken waar ik met mijn muziek kan komen.'

Ik wist niet wat ik ervan moest denken. Het stond buiten kijf dat Aaron serieus was over zijn leven en dat hij dol was op Tara. Het stond buiten kijf dat hij een doel had. Ik voelde de liefde, de genegenheid en het respect tussen hen.

'Kijk, mama.' Sonny keek omhoog. Ongemerkt was het helemaal donker geworden. De donkere hemel was bezaaid met sterren. Er viel een stilte toen we naar de Melkweg keken, met zijn overdreven schitterende diamanten.

'Mensen zagen altijd figuren in de sterren, zoals koningen, zeemeerminnen, goden en godinnen, en daar bedachten ze verhalen over,' zei ik.

'Ik zie daar geen mensen,' zei Sonny. 'Ik zie een auto.' Hij wees naar de hemel en gaf de omtrek van een auto aan. 'Zie je? En kijk. Daar is een geweer. Een machinegeweer, geloof ik.'

'Ja, dat ziet eruit als een halfautomatisch,' zei Red Dog grinnikend.

'Wat doen ze daar in de lucht?' vroeg Sonny zich af.

'Dat is Big Mickeys BWM SUV daar, en hij rijdt rond op zoek naar de gast die hem samen met zijn vrouw en zijn kind vorig jaar vermoord heeft,' suggereerde Red Dog.

'En dat is zijn uzi. Die heeft hij op de stad gericht en hij wacht op Big D,' voegde Sonny eraan toe. 'Om hem te pakken voor de vriendjes die hij heeft omgelegd. Mickey beschermt zijn buurt nog steeds.'

'Beschermen? Schatje, die gasten zorgen alleen maar voor hun eigen hachje. Kijk daar eens.' Sissy wees naar een ster en haar paarse nagel lichtte op als een amethist. 'Weet je wat ik zie? Ik zie Martin Luther King die in 1963 hier in Detroit zijn redevoering houdt. Zie je zijn hand in de lucht? Dat is die heldere ster daar.' Sissy's vinger schoot naar een andere ster. 'Wat zei hij? "We gaan demonstreren en zo laten we een nieuwe dag van vrijheid ontstaan. En zo zorgen we dat de Amerikaanse droom werkelijkheid wordt." Dat zei hij hier toen ik een meisje was. Mama nam me mee om hem te horen, en daar is hij nu, hoog in onze hemel. Om te kijken of het werkelijk uitkomt. En misschien, heel misschien, gebeurt dat ook wel.'

Iedereen keek naar de beschermende sterren.

'Hij is daarboven. Martin Luther King, en niet een Big Mickey die nog steeds ruziet over wie in welke buitenwijk drugs mag verkopen.' Sissy knikte.

'Ook Tupac en Biggie zijn daar boven om ons te inspireren met hun woorden,' zei Red Dog. 'Met de twinkelende sterren als achtergrondkoor.'

Aaron lag op zijn rug, met zijn handen onder zijn hoofd, naar de hemel te staren. 'Yep. En daar, precies daar,' Aaron wees naar een groep sterren die bijna in het zenit stond, 'is pa. Zie je hem? Zie je zijn ogen? Die melkachtige vlek boven hem is zijn afrokapsel en die ster daar is zijn snor. Hij zegt daarboven: "Je doet het goed, jongen. Gewoon liefde, gewoon liefde." Weet je nog dat hij dat altijd zei, mama? "Gewoon liefde, gewoon van elkaar houden en dan komt het allemaal, allemaal goed"?'

'Yep. Dat zei Garvey inderdaad altijd. In plaats van "ik hou van je" zei hij "gewoon liefde, gewoon liefde". En ook "wees lief voor elkaar", als hij vertrok.' Sissy leunde achterover in haar stoel met haar blik omhoog naar de sterren en een blikje Budweiser in haar hand.

'Weet je nog die gitaar die hij voor me gekocht heeft? Dat hij bij de tweedehandszaak *Diamonds 2* zijn ouwe trouwe horloge inruilde voor die gitaar zonder snaren?'

'De man was op zijn manier gul,' zei Sissy. 'Dat was zijn goede kant, zijn simpele liefde. Dat was ik vergeten. Ik denk altijd alleen maar aan dat hij altijd ergens heen ging, maar ik wist nooit waarheen. Tot hij uiteindelijk voorgoed en voor eeuwig wegging.'

'Vriendin, hij ging niet weg. Garvey ging dood.' Darling pakte een pindakoekje.

'Het is makkelijker boos te zijn dan erom te janken.' Sissy nam een slok uit haar blikje. 'Ben vergeten hoe lief hij kon zijn door al dat weggaan. Dat past beter bij de rest van mijn leven.'

'We verzinnen alsmaar verhalen,' zei Tara. 'We zíén ook niet in een onafgebroken stroom van beelden, maar in foto's. In ons brein knopen we dan die beelden aan elkaar om er een film van te maken. Zelfs als we dromen zijn het losse beelden en daar maken we dan een samenhangend verhaal van.'

'Om te snappen wat er gebeurt, herzien we ons verleden misschien wel in het licht van wat we nu weten,' voegde ik eraan toe. 'Misschien bestaat ons leven uiteindelijk wel uit de verhalen die we onszelf erover vertellen. Zolang we in het toneelstuk zitten, weten we alleen maar wat we ervaren. De mensen in ons leven veranderen als ons inzicht verandert.' Ik nam een slokje bier.

Sissy leunde achterover en keek me aan. 'Daar heb je gelijk in. We houden altijd vast aan de strohalmen van wat we weten. En dat proberen we dan te begrijpen, en te bedenken wat onze volgende stap moet zijn.'

Tara en Aaron lagen dicht tegen elkaar aan op de deken.

Ik leunde achterover en keek naar de sterren. 'Ik moest maar eens naar huis gaan. Morgen moet er weer gewerkt worden.'

Terwijl ik uit de tuin het huis in liep om mijn spullen te pakken, hoorde ik Sissy lachen en Sonny om nog een lied vragen.

Als ik dan denk aan wat ik mis
Hoe kon ik weten wat liefde is
Zo vaak heb ik gelogen
Toch liet je me niet stikken
Soms moest je snikken
Dat is waar ik goed van baal
Ik zag dwars door de obstakels
Door de warboel van beton en staal
Dat jouw liefde
Echt is, geen fantasieverhaal
Als een engel
Sloop je binnen
Ongemerkt, zonder kabaal
Kroop jouw liefde
In mijn hart

Aaron zong de melodie en Red Dog de tweede stem.

Op dat moment dacht ik aan de liefde tussen Aaron en Tara, hun gedeelde droom en passies, de onmiskenbare verbondenheid tussen Sissy en haar vrienden. De barbecue had voor elkaar gekregen wat Sissy wilde: ik was minder bezorgd over de liefde van Tara en Aaron. Ik zag dat hij bij haar, en goed voor haar wilde zijn. Dat verlangen is mooi, maar van daaruit is het een lange weg die jarenlang duurt. Vooral als je zo jong en vanuit zulke verschillende achtergronden van start gaat. Ach, misschien niet eens zo verschillend. Sissy en ik zijn allebei alleenstaande moeder, met kinderen van verschillende mannen. Sissy en ik rekenen er min of meer op dat we om de een of andere reden altijd in de steek worden gelaten. Wat zal dat voor invloed hebben op die twee? Misschien klampen ze zich wel extra stevig aan elkaar vast. Of ze laten elkaar juist makkelijker gaan.

Terwijl ik mijn handtas en de tas met de nu lege taartvormen pakte, dacht ik aan de vanzelfsprekende genegenheid die iedereen hier voor elkaar had. Jim was die avond met zijn kinderen bij zijn moeder. Ik vroeg me af of wij een leven konden opbouwen met net zoveel genegenheid en acceptatie. Eenzaam zijn in een huwelijk is erger dan alleen zijn.

Een lied zweefde door de avond.

Geloof in mij
En ik beloof je
Van één ding kun je zeker zijn
Mijn liefde overwint
Jouw leed
En pijn.

Ik weet nog dat ik me op die avond, drie maanden geleden, afvroeg of iemand dat ooit nog voor elkaar kon krijgen. Sinds Stephen heb ik niemand die kans gegeven. Misschien zou Jims liefde mijn pijn kunnen overwinnen. Misschien had ik vanavond daartoe wel de eerste stap gezet door hem te vertellen dat ik van hem hou. Heel misschien.

En nu zijn we hier en is de herfst overgegaan in de winter. Sissy heeft haar tassen met koekjes gehaald.

'Tijd voor de ontmaagding van de koekjesmaagd,' grapt Rosie.

'Maak je geen zorgen. We zullen voorzichtig doen,' zegt Juliet en Jeannie begint te lachen.

'O God, zeg, fok haar niet zo op,' zegt Vera. 'Ik kan me mijn ontmaagding nog levendig voor de geest halen. Ik was zo bang dat mijn koekjes niet volgens de regels zouden zijn en dat de verpakking niet in de smaak zou vallen. Dat ik niet zou voldoen. Het was weer helemaal als op de middelbare school.'

'Het gevoel dat je niet aan de eisen voldoet, en dat je er door de Opper Cookie Bitch wordt uitgezet,' zegt Taylor.

'Kom, kom. Ik heb er nog nooit iemand uitgezet. Behalve als iemand niet kwam opdagen of geen koekjes stuurde. Ik zeg soms alleen maar dat de koekjes die iemand heeft gemaakt niet goed uitpakten.'

'Ja, zoals die citroenrepen die wel heerlijk waren, maar allemaal aan elkaar vast kleefden.'

'En het jaar waarin er vijf waren die koekjes met stukjes chocola hadden gemaakt.'

Met haar felgekleurde sjaal die de oranje tinten in haar haren mooi laat uitkomen, kijkt Sissy ons een voor een aan.

'Maar nu willen we wel graag het verhaal,' zegt Charlene.

'Oké.' Sissy spreidt haar handen wijd uit. Haar bewegingen zijn rustig en ze lijkt net zo op haar gemak als bij de barbecue op Labor Day. 'Ik kreeg een kick van het idee dat ik op dit punt in mijn leven nog ergens maagd in kon zijn. Nu is het tijd om me ook in dit laatste te laten ontmaagden.' Ze knikt rap met haar hoofd alsof ze een uitroepteken plaatst, en we lachen allemaal. 'Ik moet een verhaal vertellen over mijn koekjes, dus hier komt het. Het is een verhaal over Aaron, de vader van Tara's baby. Mijn jongste. Bij hem draaide alles om woorden.' Ze gaat zitten, leunt voorover en keert zich naar mij toe, alsof ik alleen in de kamer ben en dit verhaal voor mij bestemd is. 'Aaron is de slimste van mijn vijf kinderen. Ik kan niet anders zeggen. Ik weet niet waarom, maar het is zo. Hij keek altijd anders naar de wereld en zag dingen waar een ander geen aandacht aan besteedt. Hij hoorde ritme. Zelfs een autotoeter.' Sissy klakt met haar tong. 'Toen hij nog maar een baby was sloeg hij, als een toeter toet-toet-toet deed, in hetzelfde ritme op de tafel, of op de vloer.' Met haar hand maakt ze een trommelbeweging.

Net als Tara en haar xylofoon, denk ik.

'En hij vroeg zich van alles af over woorden.' Hoofdschuddend blaast ze wat lucht uit. 'Hij kon alleen maar aan woorden denken en maakte me gek met zijn vragen. "Wie gaat er over de woorden, mama?" vroeg hij me. "Wie is de baas? Wie geeft alles een naam?"

Ik zei tegen hem: "Adam. God liet Adam alles een naam geven."' Sissy knijpt haar ogen tot spleetjes, alsof ze Aaron weer als jongen probeert te zien. Een groepje moedervlekken op haar wang danst met de beweging mee. 'Heel vreemd jongetje. Alsof de kracht van dingen in het woord zat. Hij liep rond en vroeg me voor alles het woord, alsof hij ze in een doosje verzamelde.' Ze stopt.

Ik zak onderuit en haar blik glijdt naar Juliet en Allie, de twee vrouwen met wie ze vanavond de meeste tijd heeft doorgebracht. 'Als hij ontdekte dat er twee woorden zijn voor hetzelfde ding... zoals regen, buitje, regenbui en motregen, vroeg hij waarom Adam er zoveel namen aan had gegeven. Ik probeerde hem uit te leggen dat elk van die woorden net iets anders betekent. Daarna ontdekte hij dat er ook één woord voor twee verschillende dingen kan zijn. Zoals nagel. Dus hij weer: "Waarom is er maar één woord voor ijzer waar je met een hamer op slaat en het ding aan het uiteinde van je vinger? Waarom husselt Adam die twee dingen door elkaar?"

Schatje, je bent jaloers op Adam.

Hij keek me aan, deed zijn ogen dicht om heel hard na te denken en zei toen: "Ja, mam, dat klopt, geloof ik."

"Wees niet jaloers op wat God besloten heeft."' Sissy zwaait met haar vinger alsof de kleine jongen Aaron in levenden lijve voor haar staat, bij ons op het koekjesfeest.

'"Ik denk dat ik mijn eigen woorden ga bedenken," zei hij toen.

Dat werd een puinhoop. Een tijdje husselde hij woorden door elkaar en niemand begreep hem meer. De school belde: "Miss Peoples, Aaron heeft logopedie nodig." Ik zei dat hij helemaal geen logopedie nodig had, maar een draai om zijn oren, omdat hij jaloers was op Adam.'

We grinniken.

'Ik praatte niet meer tegen hem tot hij het in gewone woorden zei. Ik gaf hem zelfs geen eten meer, tenzij hij er in gewone woorden om vroeg.' Sissy neemt een slokje wijn. 'En hij kreeg honger, reken maar. "Melk. Hotdogs. Spaghetti. Hamburger. Kip," zei hij.

Ik gaf het hem. "Met gewone woorden krijg je je zin, zie je wel? Zie je wel, schatje?"

Hij keek alsof hij zijn beste vriend verloren had. Dus ik probeerde er iets aan te doen. "Weet je dat jij zelf namen geeft als je zelf woorden maakt? Dan ben je dus een beetje als Adam. Zo voeg je iets toe aan Gods woorden. Je mag geen dingen bedenken die niemand begrijpt."'

Zijn bevlogenheid begon al zo vroeg en werd steeds sterker. Net als bij Tara. Grappig dat mijn dochters allebei hun wederhelft op de middelbare school hebben leren kennen en relaties zijn aangegaan die jarenlang geduurd hebben. Misschien is dat een vorm van rebellie tegen mijn voortdurende jagen en zoeken.

'Je denkt misschien dat het daarmee klaar was.' Sissy's handen liggen op haar knie terwijl haar stem bijna onhoorbaar wordt. Ze zit op het puntje van haar stoel en praat tegen de salontafel. 'Maar als dat kleine mannetje iets in zijn hoofd had, liet hij dat echt niet los. Hij worstelde net zo lang tot het opgelost was. Het jaar daarop vond hij op school het woordenboek. O, boy. Daar gingen we weer. "Weet je, Adam heeft alles helemaal geen naam gegeven. Dit boek, het woordenboek, heeft alles een naam gegeven."

"Kijk, het zit zo," zei ik. "Adam gaf alles een naam en toen heeft een Engelsman alle namen van Adam in dat boek gezet en het woordenboek genoemd. En als je een woord hoort dat Adam heeft bedacht en je weet niet wat het betekent, dan zoek je het op in dat boek."

Aaron keek me aan met van die eindeloos vragende ogen, zoals kinderen die hebben, en ik wist dat hij me niet geloofde, dus ik ging verder. "Jongen, kijk me niet zo aan en kom niet met zulk gedrag bij me aan." Hij keek omlaag en ik zei: "Schiet op en vraag me iets. Hup. Bedenk een woord." Hij knipperde naar me en zei: "Niets. Ik denk aan niets."

Ik zocht het op in het boek. Wees ernaar. Niets. Geen enkel ding. Geen enkele zaak. Het niet-zijn, niets-zijn.

"Wat is dat, mama? Niets-zijn." Dus dat zocht ik ook op.

"Ooooohh. Mama. Die woorden horen bij elkaar… Ik wil dat je me dat boek voorleest, mama. Ik wil al die woorden leren."

Ik zei hem dat hij dit boek zelf moest lezen. Hier. Ik gaf het aan hem terug. Hij zat toen pas in de tweede of de derde, maar hij ging op die woorden zitten puzzelen. Die jongen en woorden. Hij had zichzelf Word Serious moeten noemen.'

Sissy leunt achterover en neemt een slok rode wijn. Haar ogen schieten door de kamer, om te zien hoe haar verhaal ontvangen wordt. We kijken naar haar op, in afwachting van de volgende woorden. 'Dat is mijn zoon. Aaron Marcus Peoples. Special Intent.' Sissy leunt weer achterover en lacht. 'Misschien is dat zijn speciale bedoeling: om met zijn woorden de wereld te helpen verklaren.'

Sissy duikt in haar papieren boodschappentas en haalt er een tasje van McDonald's uit.

'Het is een koekjesfeest. Geen fastfoodfeest,' grapt Rosie.

Sissy geeft het geel met rode tasje aan Laurie die hem doorgeeft aan Vera, waarna het verder de kring rondgaat. 'Het eerste lied dat Aaron maakte ging over hamburgerkoekjes. Koekjes en hamburgers, zijn lievelingseten. Ik ben vergeten hoe het ging, maar het was een kleine rap. Dus deze heb ik voor hem gemaakt.' Ze duikt in het tasje en haalt er een klein hamburgertje uit. 'Dat was deels mijn manier om hem ertoe aan te zetten in gewone taal te spreken.' Ze houdt hem omhoog zodat we hem kunnen zien. 'Kijk, het is een hamburger gemaakt met koekjes uit de winkel. De lagen zitten aan elkaar vast met oranje glazuur, dat eruitziet als kaas.'

'O, kijk. Er zitten zelfs sesamzaadjes op de broodjes,' roept Taylor uit.

Sissy deelt de McDonald's tasjes uit. Zodra ik het mijne heb en ik er een in de hospice-tas heb gestopt, doe ik hem open en haal er een miniatuurhamburger uit. 'Waanzinnig! Hij ziet eruit als een echte hamburger!' Ik proef het zoete knapperige chocoladekokoskoekje. 'Heerlijk.'

'Wauw,' roept Juliet lachend, 'jij krijgt de prijs voor de allerbeste koekjesmaagd.'

'Ze zijn te gek.'

'Het is vooral een kwestie van assembleren. Net als in de auto-industrie,' zegt Sissy lachend.

'Wat creatief.'

'Je bent fantastisch,' zegt Charlene. 'En ik vond je verhaal ook te gek.'

'Laten we deze koekjesmaagd houden,' zegt Jeannie grinnikend. Het is lang geleden dat ik haar spontaan heb zien lachen. Tegenwoordig forceert ze een lach wanneer dat gepast is, maar verder nauwelijks.

'De hospice zal die hamburgers te gek vinden. Ik zie al voor me hoe ze zullen gniffelen om die verrassing,' zegt Allie.

'Mijn hemel, zo te gek!' roept Rosie uit.

'We zijn allemaal creatief. Ieder op zijn eigen manier.' Eén vriendin voortrekken kan ertoe leiden dat anderen zich te min voelen, of jaloers worden. Ik groeide met zoveel broers en zussen op, dat ik altijd elke schijn van voortrekken of voorkeur probeer te voorkomen. 'Ze zijn bijna te leuk om op te eten, maar ze zijn heerlijk.'

'En zo leuk in dat McDonald's tasje. Hoe ben je daar aan gekomen?'

'Ik piekerde over de verpakking. Ik was met een van mijn kleinkinderen bij McDonald's en zag toen die tasjes. Ik heb er gewoon om gevraagd en uitgelegd waar ze voor bedoeld waren. Ze gaven me een hele stapel. Ik geloof dat ze het leuk vonden om hieraan mee te werken.'

Sissy nodigde mij uit voor een Labor Day barbecue en ik nodigde haar uit voor mijn koekjesfeest. Onze levens beginnen zich te vermengen. En onze co-grootmoeder relatie zal altijd blijven bestaan, wat de jaren ook voor ongein uithalen met Tara en Special Intent. De baby krijgt ongetwijfeld een heleboel familieliefde. Sissy's gezicht straalt door haar lach en het kaarslicht schittert in haar oorbellen van rode edelsteen. Tijdens ons kennismakingsritueel hebben we ook de vriendschap en genegenheid in onze twee verschillende werelden leren kennen.

Nu zegt Sissy: 'Weet je, ik wist het niet zo goed met dat Cookie Bitch-gedoe, maar jij...' Ze knikt naar me en stopt dan, alsof ze besloten heeft niet te zeggen wat er in haar hoofd opkwam. 'Ik vind het fijn dat ons kleine beetje genen nu voor de eeuwigheid vermengd is.'

Sissy's woorden doen me denken aan mijn grootmoeder. Ik zat op haar schoot en ze vertelde me over de eerste vrouw op aarde. Alle mensen op de wereld stammen van haar af, die evolutionaire Eva van zo lang geleden, die haar nageslacht voedde en beschermde, en zo ons bestaan veiligstelde. En mijn kinderen en hun kinderen zullen doorgeven wat ik hun van mijn lichaam en van mijn ziel heb gegeven. Dat was het idee van mijn grootmoeder over de betekenis en de bedoeling van seks en voortplanting. En het lijkt nu wel of Sissy met haar woorden over eeuwigheid dat gesprek van toen heeft afgeluisterd. Misschien is het overbruggen van verleden en heden wel de kern van grootouder zijn. Het overspannen. Ja. Dat is het woord.

SUIKER

Vroeger was suiker net zo duur als goud. Dankzij het slavenwerk in de Cariben werd de productie van suiker zoveel goedkoper, dat die bereikbaar werd voor algemeen gebruik. We zijn gek op suiker. Het zoete van suiker zorgt voor een stoot energie die nu heel gewoon is in drankjes, snoep en toetjes. Maar we beschouwen het niet meer als heel vanzelfsprekend omdat iedereen weet, tegen de tijd dat hij op de middelbare school zit, dat je van te veel suiker dik wordt en er gaatjes van krijgt. Overmatige consumptie is ook van invloed op diabetes mellitus, ofwel suikerziekte. Suiker heeft dus ook minder aangename kanten: de tol die de arbeiders die het produceerden in het verleden hebben moeten betalen, en de tol die degenen moeten betalen die er te veel van eten.

Suikerriet groeit in tropische klimaten en kwam oorspronkelijk uit Zuid- en Zuidoost-Azië. In vroeger tijden zogen mensen op suikerriet voor de zoete smaak. Ongeveer 1700 jaar geleden werd in India het sap voor het eerst omgezet in suiker. Moslims verfijnden de productie. Alexander de Grote stuurde vanuit India wat suiker naar Europa. Aan het eind van de 14e eeuw ontwikkelde men een betere pers, die de sapopbrengst van het riet verdubbelde. Suikerplantages breidden zich uit naar de Canarische Eilanden en daarna brachten de Portugezen de suiker naar Brazilië. Columbus zorgde voor riet op de Cariben. Daar werd het al snel het belangrijkste voedselgewas en het maakte de Cariben tot de grootste producent van suikerriet. Slavenarbeid maakte goedkope suiker mogelijk en tegen de 18e eeuw werd het voormalige luxeproduct in alle lagen van de bevolking geconsumeerd.

Geen gewas heeft zo'n invloed op de vorming van de maatschappij gehad. De productie van suiker vereist een enorme hoeveelheid arbeidskracht, die eerst geleverd werd door Afrikaanse slaven, daarna door contractarbeiders en ten slotte door vrije arbeiders. De suikerindustrie zorgde voor het ontstaan van multi-etnische bevolkingsgroepen. Op dit moment is er sprake van een overaanbod van suiker en de bevolkingsgroepen in de suikerrietproducerende landen voelen scherp hoe afhankelijk ze van het product zijn.

In de late 18e eeuw begonnen Europeanen te experimenteren met de productie van suiker uit andere gewassen dan riet. De bietsuikerindustrie begon tijdens de Napoleontische oorlogen, toen Frankrijk was afgesneden van de import van Caribische suiker. Vandaag de dag wordt dertig procent van de suiker uit bieten geproduceerd.

Kristalsuiker wordt in kristallen van verschillende groottes geleverd. Er zijn grof gemalen suikers met grote kristallen, zoals greinsuiker (ook wel parelsuiker, hagelsuiker of decoratiesuiker genoemd) die voor 'parelschittering' zorgt en gebruikt wordt om gebak te versieren. Suikers voor tafelgebruik hebben gewoonlijk een korrelgrootte van ongeveer 0,5 mm doorsnede. Poedersuiker (0,06 mm), 10x suiker of glaceersuiker (0,024 mm) worden gemaakt door de suiker tot een fijn poeder te malen.

Bruine suiker wordt in een later stadium van het raffineren gemaakt, wanneer de suiker fijne kristallen vormt die een aanzienlijke hoeveelheid melasse bevatten. Bruine suiker wordt ook gemaakt door witte geraffineerde suiker te bedekken met een laagje stroop van rietmelasse. Meer melasse zorgt voor meer kleur en smaak aan de suiker, en ook voor meer vochtvasthoudende eigenschappen. Daarom hebben bruine suikers de neiging hard te worden als ze aan de buitenlucht worden blootgesteld. Al zo vaak heb ik geprobeerd hard geworden bruine suiker weer in een bruikbare staat terug te brengen door die net zo lang met een hamer te bewerken tot hij weer fijn genoeg was om in een keukenmachine te stoppen.

10

Vera

DUBBELDIP CHOCOLADE-PINDAKAASKOEKJES

150 g bloem
1 tl bakpoeder
½ tl zout
120 g zachte boter
100 g kristalsuiker
110 g lichtbruine suiker
130 g pindakaas, met of zonder stukjes
1 ei
1 tl vanillearoma
270 g pure chocolade, in stukjes
270 g melkchocolade, in stukjes
4 tl plantaardige olie

Verwarm de oven op 175 °C. Meng bloem, bakpoeder en zout in een kleine kom. Klop in een grote kom de boter, kristalsuiker en bruine suiker met een mixer op de middelste stand tot een luchtig mengsel. Klop de pindakaas, het ei en de vanille erdoor en voeg geleidelijk het bloemmengsel toe.

Neem een volle eetlepel deeg en rol er een balletje met een doorsnee van 4 cm van. Leg de balletjes op 5 cm van elkaar op niet-ingevette bakplaten. (Als het deeg te slap is om er balletjes van te rollen, leg het dan een halfuur in de koelkast.) Doop een vochtig gemaakte vork in kristalsuiker en druk die kruislings op elk balletje zodat er lichte groeven ontstaan. De koekjes moeten ongeveer 1 cm dik worden.

Bak de koekjes ongeveer 12 minuten of totdat ze gaar zijn. Laat ze 2 minuten op de bakplaten rusten. Leg ze dan op een rooster en laat ze volledig afkoelen.

Smelt de stukjes pure chocolade au bain-marie met een theelepel olie. Doop elk koekje aan één kant tot een derde in de chocola en leg het op bakpapier. Laat de koekjes rusten tot de chocolade hard is (ongeveer een halfuur).

Smelt ook de stukjes melkchocolade au bain-marie met een theelepel olie. Doop het andere uiteinde van elk koekje tot een derde in de chocolade en leg het op bakpapier. Laat rusten tot de chocolade hard is (ongeveer een halfuur).

De koekjes zijn in de vriezer circa 3 maanden houdbaar.

Goed voor ongeveer 24 koekjes (van 7,5 cm doorsnee).

Als Sissy klaar is met haar verhaal, valt er een stilte. We denken niet zo vaak aan ons lichaam als onderdeel van het evolutieproces. We richten ons op ons individuele, unieke zelf en zien het universele niet. De boodschap van mijn grootmoeder wordt in ons dagelijks leven vergeten. Af en toe, wanneer een van ons zit te klagen, zeggen we misschien: 'O, wat zit ik toch te zeuren? Dat overkomt toch iedereen.' Of: 'Ik moet gewoon tevreden zijn. Ik heb twee gezonde kinderen, terwijl Joannie vandaag chemotherapie heeft en de mensen in New Orleans nog steeds geen huis hebben.' We zijn zo in de ban van onze unieke en bijzondere baby's, dat we vergeten dat we met het baren een bijdrage aan de evolutie leveren. En nu sta ik op het punt om mijn eigen evolutionaire Eva te worden.

Ik kijk op mijn telefoon, maar geen berichten.

Ik kijk op mijn horloge. Het is kwart voor tien. Bijna zeven uur dus in Californië. Je zou denken dat de dokter nu toch wel gebeld had.

Zachtjes, eerst zo zachtjes dat ik het nauwelijks hoor, begint Al Green te zingen op mijn iPod. Ik was vergeten dat hij aanstond, omdat hij zo zacht stond en we helemaal in beslag genomen waren door het uitdelen van de koekjes.

'Hé, is dat wat ik denk dat het is?' kwinkeleert Juliet. 'Dat is mijn liedje en een perfect moment om even de benen te strekken!'

Allie loopt naar de versterker en zet de muziek harder, zodat ze Al Green kan horen beloven dat het allemaal goed komt. Juliet zingt mee, begint te heupwiegen, met haar schouders te swingen en pakt mijn hand om me naar zich toe te trekken. Met haar handen op mijn rug kijkt ze me aan. De parfumgeur van Charlie is intussen vervangen door Addict.

'Weet je nog?' vraagt ze. 'Toen, zo lang geleden op het jazzfestival.' Hoofdschuddend draait ze me onder haar arm door. 'Ach nee, het lijkt wel alsof het gisteren was.'

De rest volgt ons voorbeeld. In de hoek swingen Taylor en Allie, met Taylors hand op Allies rug. Allie stapt naar achteren, Taylor draait haar rond, trekt haar dan weer met zwaaiende heupen naar zich toe, en dan liggen ze weer in elkaars armen.

Sissy deint met haar heupen, swingt met haar schouders en heeft het subtiele ritme goed te pakken. Vera staat op.

En de blazers tetteren.

Disney buitelt lachend en kwispelend tussen ons door. 'Kijk, Disney danst ook,' roept Taylor, blij om Disneys opwinding. Zijn kerstsjaaltje danst op en neer met zijn sprongen. 'Kijk, hij doet de twostep.' Haar lach blijft en haar enthousiasme is weer terug.

Met halfdichte ogen draait Vera met haar heupen. Vera is vroeger stripdanseres geweest, vroeger, toen ze verslaafd was aan cocaïne en probeerde om een ellendige jeugd en voortdurend misbruik door de ene na de andere man te verwerken. Maar los daarvan, ongeacht de associatie van dansen met strippen, is ze gek op dansen. Ze steekt haar armen in de lucht, deint mee op het ritme en haar gezicht straalt. Niemand anders weet van Vera's verleden, in deze groep tenminste. Ik weet het, omdat ze vroeger, als overgang naar een conventioneler leven, serveerster is geweest en ik haar het vak geleerd heb. Ooit heb ik haar voorgesteld het aan de groep te vertellen en ons te leren strippen. 'Ik wil helemaal niet meer aan die tijd denken. Ik hou gewoon van dansen, van muziek, van de extase die ik ervan hoop te krijgen, en ik doe het voor mezelf. Niet voor mannen.'

'Dat is een leugen,' zegt ze over de liedtekst die suggereert dat liefde hoe dan ook altijd goed is. Haar bovenlijf kronkelt bij die woorden. 'Dat is de grootste fout die je kunt maken.' Ze sluit haar ogen en begint langzaam, heel langzaam te schokken, terwijl ze haar armen om haar heupen heen draait en dan weer overeind komt. 'Nou ja, niet de liefde zelf, maar op wie je die projecteert.' Disney springt voor haar op en neer.

Ik pak haar hand en begin met haar te dansen.

'Dat is pas liefde,' zegt ze, wanneer het liedje aangeeft dat liefde gaat over goed zijn voor elkaar. 'Het gaat niet om hoe dan ook. En er is niets verkeerd met verliefd zijn op iemand, tenzij het de verkeerde is.'

'Dat is waar,' zegt Sissy. 'En in de helft van de gevallen is het de verkeerde.' Sissy kijkt omhoog, en haar lange hals is elegant, ondanks de sjaal die eromheen zit. Met haar heupen maakt ze een gesyncopeerd ritme, net zo subtiel als haar kleine danspasjes en de swingende beweging van haar schouders.

'Maar de andere helft is het beste wat je in het leven kan overkomen,' zegt Laurie.

'Bravo,' galmen Rosie en Jeannie.

Geleidelijk word ik overspoeld door een gevoel van paniek over het feit dat ik Jim gezegd heb dat ik van hem hou.

Hoe kan ik dat weten? Hoe kan ik het ooit weten?

Juliets ogen zijn gesloten en Allie zwaait met haar heupen terwijl haar armen op en neer gaan, alsof T.J. in levenden lijve voor haar staat en ze met hem danst. Het is fantastisch: wij allemaal zo dansend. Onder elkaar zijn we vrijer dan wanneer we in het openbaar dansen. En dan ligt Allie weer in Taylors armen en legt Taylor haar hand achter op Allies hoofd om het tegen haar schouder aan te trekken. Allie kijkt me aan en ik zie kalmte en vertrouwdheid in haar blik.

Na een klik van het shuffle-programma wordt het tempo sneller en ineens beginnen we allemaal aan de dansen van onze jeugd: we swingen, twisten, en proberen de Mashed Potatoes op mijn tapijt. We dansen allemaal samen, zonder partner. Het nummer en de heftige bewegingen duren zo lang, dat het zweet me uitbreekt.

Een aantal stopt ermee om wijn, water en fris te halen.

Dan volgt een langzaam nummer en gaan de vrouwen weer twee aan twee verder. Sissy met Juliet. Taylor met Allie. Ik zet de muziek een beetje zachter.

En dan gebeurt er iets ongelooflijks: Rosie steekt haar hand uit naar Jeannie.

Jeannie strekt haar arm uit. Hun vingertoppen raken elkaar.

Ik dans met Charlene en draai haar om zodat we dit kunnen zien gebeuren.

Jeannie kijkt omlaag.

Rosies hand blijft uitgestoken. Haar mond is open, en haar lippen krullen omhoog in een aarzelend lachje.

Jeannie ziet de hoop en verwachting. Ze kijkt naar het tv-stereomeubel en vooral niet naar Rosie.

Rosie perst haar lippen op elkaar, schudt treurig haar hoofd, maar haar hand blijft uitgestrekt.

Dan legt Jeannie haar hand op Rosies schouder.

Rosie begint een langzame dans en dan liggen ze ineens in elkaars armen te huilen.

Allie ziet het ook en wij – Allie en ik, en Charlene in ons kielzog – gaan om de twee heen staan, zodat we met zijn vijven staan te wiegen terwijl Jeannie haar hoofd op Rosies schouder legt en Rosie plukjes haar wegveegt die op Jeannies voorhoofd plakken.

'Het was ook moeilijk voor mij. Op een andere manier, maar toch. Zo. Dus?' Rosie trekt haar hoofd een beetje naar achteren en veegt nog een plukje haar uit Jeannies gezicht.

Jeannie geeft geen antwoord.

'Dus komt het weer goed tussen ons. Op de een of andere manier. En ik zal er voor je zijn,' fluistert Rosie, alsof ze Jeannie zo voorzichtig wil verleiden tot een gewillige overgave.

'Maar je bent er ook voor Sue, en wij hebben tegengestelde belangen. Je zult altijd iets voor haar willen wat mij kwetst en voor mij iets wat haar kwetst.'

'Dat klopt. Maar dat weten jullie allebei.' Jeannie knikt. 'En Sue is zich terdege bewust, was zich vanaf het begin bewust van haar...' Rosie kan het juiste woord niet vinden en begint opnieuw. 'Ze is zich bewust van het verdriet dat zij en jouw vader jou en je moeder aandoen. Zelfs als je er nooit achter was gekomen. En de pijn die ze elkaar aandoen.'

IK HERINNER ME het ambivalente gevoel van afschuw en verrukking over Stephen. Het ene moment denk dat je op de rand van de afgrond staat en ben je ervan overtuigd dat je de verlating, het verlies niet zult overleven. En op het andere moment krijg je dat hemelse gevoel van geborgenheid, van één zijn, als je weer met hem samen bent. Daarna nestelt zich de angst in je en wordt een deel van jezelf. Die waanzin trilt nog na in mijn liefde voor Jim. 'Die pijn verhoogt het geluksgevoel,' zeg ik.

We weten geen van allen wat we moeten zeggen en luisteren naar de muziek.

Rosie haalt diep adem en zegt dan in één grote woordenstroom: 'Je vader zal het oplossen, want Sue heeft zich voor hem helemaal laten gaan. Met een onbeteugelde liefde die groter is dan zijzelf of wie dan ook. Groter dan haar verdriet, haar schuldgevoel, mijn verdriet of dat van jou.'

Nu klinkt een liedje, waarin de verslaving aan liefde beweend wordt.

We doen een stap naar achteren en Charlene zegt: 'Het lijkt wel of onze geesten de random-knop aansturen of zo. Dit is verdorie net de soundtrack van ons gesprek.'

'Shit. Het is de soundtrack van ons leven.'

Disney danst nu voor Charlene, met zijn aapje in zijn bek.

'Ja. Dat is Sue,' zegt Rosie. 'Verstrikt in de liefde. Of de begeerte. Ik denk dat ik ook zo geweest ben.'

'Ik ook. Vaker dan me lief is,' zegt Charlene lachend.

'Ik ook. Zelfs nu,' zegt Allie.

'Liefde.' Dat is alles wat ik zeg.

En dan, verdomd als het niet waar is, verspringt de random-knop van de dwangneurose van de liefde naar de afhankelijkheid van drugs.

Vera hoort het en schiet in de hoogste versnelling. Ze is blijven dansen terwijl wij over Sue's onherroepelijk destructieve passie praatten en zegt nu, zo hard dat we het allemaal kunnen horen: 'Verslavingen. Drugs. Seks. Werk. Geld. Liefde.' En zwiert dan weer weg. 'En dan denken dat die het antwoord op het leven zijn. Dat is de allergrootste leugen.'

Dan wervelt ze weer naar ons toe, pakt Charlene's hand en draait haar onder haar arm door, waarna we allemaal weer gaan dansen. Jeannie danst nu lachend met Rosie. Vrolijke rock zet in, waardoor Laurie, Taylor en Sissy weer binnenkomen, die aan het bunkeren waren.

We zingen allemaal mee.

Allies handen gaan kronkelend omhoog en omlaag. Taylor grijnst, duwt haar armen naar voren en schudt met haar haren, die rond haar hoofd golven en meedeinen op haar bewegingen. Vera zwaait met haar heupen en draait rond. Vera, ach Vera, die is gek op dansen. We dansen met z'n tienen en zingen in koor: 'Everybody is dancin' tonight.'

De geest van onze jeugd waart rond, terwijl we samen lachen en dansen. Ik vang Juliets blik op. 'Weet je nog?'

'Ik vind het nu leuker dan vroeger,' zegt ze.

'Brengt me weer helemaal terug in de tijd.'

Ze danst naar me toe en omhelst me. 'Wat zou ik zonder jou moeten?' fluistert ze. 'Mijn beste vriendin. Mijzelf. Mijn getuige.'

Tranen wellen op in mijn ogen. Vriendinnen.

LAURIE MAAKT ER een einde aan. 'Jongens, kunnen we verdergaan met de koekjes? Ik moet zo naar huis, naar Olivia.'

Vera zegt: 'Mijn koekjes staan klaar.' En inderdaad staan er twee plastic boodschappentassen op haar stoel.

'Tijd voor koekjes!' roept Allie, die vervolgens even de keuken in schiet om nog wat wijn te halen.

Ik zet de muziek zachter, precies op het moment dat een song over de onzekerheden van onze verdwenen jeugd begint.

'Het is nu veertig jaar later en nog steeds weten we niet waar we mee bezig zijn,' zegt Juliet. Langzaam gaan we weer over tot de orde van het koekjesfeest. Juliet sluit haar ogen. 'Hoe meer dingen veranderen, hoe meer ze hetzelfde blijven.' Automatisch voelt ze aan haar ketting, als een soort geruststelling.

Vera zegt: 'Uh, dat is zo.' Op een mysterieuze manier kan ze andermans geheimen doorgronden en die accepteren, net zoals ze zich met die van zichzelf verzoent. Ze gaat ervan uit dat we ze allemaal hebben.

Geheimen.

Soms hele geheime levens, zoals Juliet. Soms een geheim verleden, zoals Vera. En dan zijn er de dingen die we maar aan een paar mensen vertellen, of misschien maar aan één persoon. Juliet kijkt me aan en knipoogt. Soms dingen waar we gewoon niet over kunnen praten, zoals het geval is met Charlene. Soms zijn geheimen gewoon gebeurtenissen die we elkaar niet kunnen vertellen, omdat we elkaar nog niet goed genoeg kennen.

'Hé! De koekjes!' dramt Laurie.

'Zo. Jij zou een goede baas zijn,' zegt Rosie.

'Dat ben ik ook. Die van Olivia.'

We lachen allemaal, behalve Vera die in haar zakenkleding naast haar boodschappentassen staat. Ze kleedt zich altijd met flair. De beige en roodbruine kleuren van haar blouse passen mooi bij haar korte blonde haar. Ze is nog steeds de meest glamoureuze vrouw van ons allemaal, een dubbelganger van Marilyn Monroe met haar hemelsblauwe ogen en borstimplantaten die nog dateren uit de dagen dat ze danste. Maar anders dan bij Marilyn is Vera's lach enthousiast, zonder verlegenheid of kinderlijke terughoudendheid. Ze heeft me ooit eens verteld dat ze als kind verlegen was. Verstomd door de extreme armoede en het misbruik van haar vader. Maar nu is Vera, professionele Vera, mijn beste verkoper. Ze is heel goed in de langdurige zorg en vriendelijk tegen mensen die zich zorgen maken over hun toekomstige gezondheid. Ze is hartelijk, in staat om goed naar haar klanten te luisteren, een programma op maat voor ze te maken en om mensen met gezondheidsproblemen gerust te stellen als ze zich zorgen maken of ze wel door de verzekering geaccepteerd zullen worden. Daarmee zorgt Vera voor de meeste verkoop. Haar zelfvertrouwen heeft ze door hard werken verkregen. Vanavond heeft ze een klant aangebracht, van wie ik had voorspeld dat hij het zou opgeven. Een verkoper blijft een verkoper, en net zoals ze vroeger zichzelf met verleidelijkheid kon verkopen – waarbij de verleiding de truc was voor blijvende aandacht – kan ze nu verzekeringen verkopen.

Ik herinner me nog het moment dat ik haar voor het eerst ontmoette. Zware jaren voor ons allebei. We waren beiden alleenstaande moeder en ze had toen bepaald niet het zelfvertrouwen dat ze nu uitstraalt. Over de verlegenheid van haar jeugd lag een laag bravoure om haar kwetsbaarheid te verhullen. Toen de Gandy Dancer haar aannam als serveerster en mij vroeg om haar in te werken, was ze ontzettend onzeker.

'Heb je dit ooit eerder gedaan?'

'Wat? In een bar werken?'

'Nee. Serveren.'

Ze giechelde en schudde haar hoofd.

'Hoe heb je deze baan gekregen? Meestal laten ze iemand beginnen als hulpje.'

Ze haalde haar schouders op en plotseling zag ik haar figuur. 'O.' Carl, de manager, had een zwak voor vrouwen met grote borsten en Vera had de baan dus duidelijk op haar charme gekregen.

'Gelukkig is het alleen maar de lunch. Geen diner. Je bent niet ingeroosterd voor de avond, toch?'

''s Avonds heb ik ander werk.'

'Volg me en kijk goed. Stel later maar vragen. En neem een menukaart mee naar huis en leer die uit je hoofd.'

Ze was een snelle en dappere leerling. Haar andere baan was strippen. In die tijd, de jaren zeventig, was er nog geen internet. Er waren toen meer bars en meer mensen die elkaar in bars ontmoetten. Meer geflirt, veel meer geflirt op het werk. Mensen maakten zich toen nog niet zo druk over ongewenste intimiteiten of de ongewenste complicaties van romances op het werk. Ik heb Stephen ook leren kennen toen ik hem bediende.

Ze verdiende zestigduizend dollar met strippen, maar was verslaafd geraakt aan cocaïne. Op jacht naar spul met Dilaudid, zodat ze ook nog af en toe wat slaap kreeg. Ze zorgde voor haar zoon Peter en een man die Mickey heette. Hij bracht haar naar haar werk, haalde haar weer op en zorgde dat ze veilig was. Mickey zei dat ze de mooiste vrouw in de club was en herinnerde haar er dagelijks aan hoe blij ze moest zijn dat hij op haar paste. Hij hield van haar zoals hij nooit van iemand had gehouden, en hij zou doodgaan zonder haar. Je ziet de oplichter voor je, als hij haar fooien in zijn zak stopte zodat hij 'voor haar kon zorgen'. Als ze er nog iets naast deed, kreeg hij daar ook wat van. En hij sloeg haar regelmatig, alleen maar om haar te herinneren aan zijn liefde en om te laten zien dat hij de baas was. Ze liet hem zijn gang gaan, als hij bang was dat hij haar zou verliezen. Geslagen worden was liefde. Haar vader hield tenslotte ook van haar.

Toen kreeg maatschappelijk werk een klacht van een buurman die door de muren heen het onmiskenbare geluid gehoord had van iemand die geslagen en gestompt werd, van schreeuwen en vloeken. Het telefoontje confronteerde haar met een hard feit: ze kon kiezen tussen haar zoon Peter en Mickey. Ze liet Mickey wat extra Dilaudid nemen. Toen hij plat ging pakte ze wat kleren bij elkaar, Peters lievelingsvrachtwagen en dekentje, en gooide het boeltje in de auto. Pakte haar zoon en reed naar een motel. Vond een baan als stripper in een club in een buitenwijk van Ann Arbor. Liet haar meubels, borden, lakens en bijna al haar kleren achter, evenals de paar dingen die ze had overgehouden van een jeugd die bijna net zo wreed was geweest als haar volwassen leven dreigde te worden. Een ketting die ze van haar moeder had gekregen toen ze zestien werd. Een babypop met één arm. Een foto van haar met haar vader en moeder, de enige foto die ze van zichzelf als kind had. Ze liet het allemaal achter en reed weg.

Ik weet niet meer waar ze vandaan kwam of waar ze woonde voordat ze hier kwam wonen. Ik weet niet of ik het ooit geweten heb.

Cocaïne zorgde ervoor dat de pijn verdween. Ze miste Mickey niet, en starende mannenogen waren niet langer een opoffering maar een overwinning. Het dansen was weer voor haar. Zij deden er niet toe. Ze was goed. En mooi. Ze danste de hele nacht. Pikte een paar uurtjes slaap. Las boekjes voor aan Peter, ging met hem wandelen, keek *Sesamstraat* en sliep als hij een dutje deed. De cocaïne hielp haar wakker te blijven voor haar tijd met hem. Dan kwam de babysitter, Vera bracht Peter naar bed en daarna ging ze aan het werk.

Op een ochtend viel ze in slaap op de bank. Ze werd wakker en zag Peter cocaïne over de salontafel vegen. 'Kijk mama. Ik heb suiker gevonden.' Hij likte aan zijn vinger om ervan te proeven.

Vera schoot overeind. 'Dat is geen suiker. Dat is slecht.' Ze sloeg de cocaïne weg. 'Dat is slecht. Slecht voor je.'

'Waarom neem je het dan?' vroeg Peter. Hij had één scheel oog en loenste daarmee naar de bank.

Ze schudde haar hoofd, nog worstelend met de stukjes van een droom, een droom waarin een kat in gevecht raakte en haar zijkant openspleet. In het nog na-ijlende beeld kon Vera in de lichaamsholte van de kat kijken, die daar somber klagend lag met haar binnenste oogleden over haar ogen getrokken.

Vera kneep haar ogen dicht en bande het beeld van de rode spieren en de ronde ribben met een glanzend laagje bloed uit. Ze keek naar de strepen wit poeder, maakte een theedoek nat, veegde de tafel schoon en gooide daarna de cocaïne en de natte theedoek in de vuilnisbak.

De volgende middag ging ze naar een bijeenkomst van de Narcotics Anonymous. En twee dagen later leerde ik haar kennen in Restaurant Gandy Dancer.

Als mensen vragen hoe we elkaar hebben leren kennen, zeg ik dat ik haar ingewerkt heb bij de Gandy Dancer. Punt. Ik weet dat ze Charlene verteld heeft over Mickeys mishandeling, maar niet dat hij haar pooier was en ook niet dat ze een stripper was. Niet dat hij aan heroïne verslaafd was en dat zij af en toe ook samen met hem gebruikte als ze zonder Dilaudid zat. En als haar gevraagd wordt waar ze haar huidige echtgenoot Finn heeft leren kennen, zegt ze nooit dat het bij de NA was. Zonder aarzeling, zonder blikken of blozen, en zonder lach of geschutter, zegt ze: 'Op een bijeenkomst. Van alleenstaande ouders, geloof ik.'

Hij is nu aannemer en zij is mijn beste verkoper. Peter repareert computers, is getrouwd en heeft een zoon. Elk restje drugs en de verwording die ze teweegbrengen lijken verdwenen.

Soms denk ik dat het verleden is verdwenen, alsof een boek is dichtgeslagen en een nieuw is geopend. Maar dan zie ik Vera dansen en die uitdrukking van extase en tegelijk wijsheid over haar gezicht trekken. Ik zie diezelfde oude bewegingen en dan weet ik dat het verleden terug is in een ander jasje. Dan is ze weer dertig, worstelt om te overleven en piekert over hoe ze haar eigen plek in de wereld kan veroveren, waar niemand, geen man, haar iets kan aandoen. En als ik haar zie volharden in een verkoop, dan weet ik dat ze gedreven wordt door haar angst voor armoede.

Ik weet ook dat Jeannies leven is veranderd, wat ze ook besluit en hoe Rosie, Allie of ik haar ook helpen om te gaan met die ingewikkelde driehoeksverhouding. De relatie met haar vader is voor altijd veranderd. Op een dag zal die misschien sterker en eerlijker worden. Maar het verraad, het weten, is er vandaag en zal ook altijd blijven, elke dag van haar toekomst... elke dag.

We dragen het verleden met ons mee. Het is er altijd.

Het liedje over tienerzorgen gaat zachtjes verder. We zijn weer twintig met al onze onzekerheden en hoop, in een tijd waarin beslissingen geen gevolgen leken te hebben omdat er nog zoveel tijd was om ze weer goed te maken. Nu is alles cruciaal, of niets meer, omdat zo'n groot deel van ons leven al voorbij is.

Vera zegt: 'Dit zijn de koekjes die jullie allemaal heerlijk vinden en elk jaar weer willen. De dubbeldip chocoladepindakaaskoekjes.'

'Daar hoopte ik al op,' zegt Rosie. 'Dat zijn Kevins lievelingskoekjes.'

'Maar ik heb iets anders met de verpakking gedaan. Ik heb de verpakkingen van eerdere jaren hergebruikt.' Ze duikt in een tas en haalt er een rood trommeltje uit met bekende kerstballen erop.

'Die heb ik twee jaar geleden meegenomen!' zegt Allie. Disney heeft zich naast haar op de bank gewrongen, en ligt met zijn kin op haar been.

Vera geeft hem aan mij en ik geef hem aan Charlene. Ze duikt in de tas en haalt er een groen blikje met hulstblaadjes uit.

'Die heb ik in geen eeuwen gezien,' zegt Rosie. 'Zo. Heb je die al die jaren bewaard?'

'Yep. Ik zit dit jaar helemaal in het hergebruiken.' Vera overhandigt een grote kop vol vloeipapier.

'O! Ik wil die kop, want die past bij die andere die we vorig jaar hebben gekregen,' zegt Allie. 'Die had Jeannie meegenomen.'

'Ik weet nog dat je die paarse tasjes als verpakking had. Ik heb de mijne gebruikt op oudejaarsavond,' zegt Vera, terwijl ze een doosje uitdeelt met rode en gouden vierkantjes, en versierd met een gouden lint en rode klokjes.

'Het is net alsof we onze oude feestjes nog eens overdoen.'

'Alle kerstfeesten uit het verleden.'

'God, dit moet twaalf jaar geleden zijn geweest.' Charlene heeft een doosje met een vrolijk patroon in haar hand.

'Yep. Moet je nagaan: we hebben in de afgelopen twaalf jaar honderdvierenveertig verschillende verpakkingen gehad.'

Vera overhandigt een groen vilten tasje.

'Die is van Pat.'

'Pat. Jemig. Die is hier zes of zeven jaar geleden voor het laatst geweest.'

'Hoe lang komen we al bij elkaar?'

'Zestien jaar,' zeg ik. 'Sinds Tara een peuter was.'

'Ik was hier al vanaf het begin,' zegt Jeannie.

'Ik ook,' valt Charlene haar bij.

'Ik kwam een paar jaar later.' Vera geeft me een groen plastic mandje, versierd met lachende Kerstmannen, en dan een rode ovenwant met witte sneeuwvlokjes.

'Die was van Laurie.'

'Van twee jaar geleden. Dat je dat nog weet,' zegt Laurie.

'Jij doet altijd iets praktisch. Of iets eenvoudigs, zoals die sierlijke witte doosjes dit jaar.'

'We zullen je missen,' zegt Charlene. En nu pas dringt het werkelijk tot ons door – dieper dan de alles-komt-goed beleefdheidsfrases – dat dit haar laatste koekjesfeest met ons is. Volgend jaar zal ze er niet bij zijn.

Het is even stil. Terwijl we de verpakkingen van voorbije jaren en vroegere feesten doorgeven, voelen en bekijken, dringt het verglijden van de tijd tot ons door. Misschien komt het door het tijdstip van de avond, door het feit dat we weten dat meer dan de helft van het feest erop zit. Of doordat een van ons weggaat en een van ons worstelt met de dood van een kind, ieders grootste angst. En dat we allemaal teleurstellingen, verdriet, zelfminachting en verslavingen hebben moeten doorstaan. En ook verlies.

Vera staat met een klein tasje in haar hand dat bedrukt is met zuurstokken en hulst, en geeft het aan mij. Daarna kijkt ze bedroefd in haar boodschappentas. 'Dat was het. "Allemaal op", zoals Peter altijd zei.' Daar staat ze, schouderophalend en met haar handen in haar zij.

'Die is voor de hospice,' zeg ik en ik stop hem in de tas.

‘Waarom de hospice?’ vraagt Sissy. ‘Waarom niet een opvanghuis voor vrouwen of daklozen?’

‘Vroeger gaven we ze aan het blijf-van-mijn-lijfhuis,’ zegt Juliet. ‘Dat was lang geleden.’

‘Weet je waarom we ze aan de hospice geven? Tien jaar geleden met Kerstmis was Tracy’s moeder stervende in de hospice. Tracy ging zo vaak en zo lang als ze kon bij haar op bezoek.’

Ik denk aan het sterven van mijn eigen moeder, herinner me de pijn die Tracy ook heeft moeten doormaken en tranen wellen op in mijn ogen. Bijna in een reflex pak ik een stukje pindarots, mijn moeders recept.

‘Op een avond, om twee uur ’s nachts, was haar moeder weggezakt in zo’n zware slaap waarbij het lijkt of de ademhaling stokt, en Tracy ging naar de recreatiekamer op zoek naar iets. Ze wilde een koekje. Gewoon iets zoets. Iets lekkers in al die sombere treurigheid van wachten op de volgende stap, van tegelijk wel en niet willen dat het gebeurt, van wensen dat haar moeders pijn voorbij zou zijn. Toen ze zich realiseerde hoe graag ze die avond een koekje wilde, stelde ze ons de hospice voor als de plek voor onze volgende donaties.’

‘Wat vinden ze van de koekjes?’ vraagt Rosie.

‘Ga dit jaar met me mee. De eerste keer heb ik gesproken met degene die over de donaties gaat. Ik vertelde haar Tracy’s verhaal en legde uit dat de koekjes bedoeld waren voor de families die in de kersttijd hun dierbaren bezoeken. Ik moest een formulier invullen en ze gaf me een kerstboomversiering. Kijk.’ Ik sta op en haal een zilverkleurig schijfje van mijn kerstboom waarop staat: ‘Herinneringsboom, 1998’. Ik geef het door zodat iedereen het kan bekijken. ‘Het hangt bij elk koekjesfeest in mijn kerstboom.’ Ik lach als ik me voorstel dat die versiering weet dat hij jarenlang, na een maandenlange ‘winterslaap’ in zijn donkere doos, feestjes en festiviteiten heeft bijgewoond.

'Nu kennen ze me. Ik overhandig de koekjes elk jaar gewoon aan de vrouw die achter de balie zit en dan bedankt ze me.'

'Ik stel me altijd de mensen in de hospice voor die ze opeten,' zegt Allie. 'Ik denk aan wat ze doormaken. De treurigheid, de somberheid, het vreemde van die gebeurtenis met Kerstmis. De jongste zus van mijn grootmoeder stierf op kerstavond tijdens de bevalling.' Allie schudt haar hoofd. 'Stel je voor: de vreugde van een nieuwe baby, de vreselijke tragedie van het verlies van je lievelingszus en de waanzin van iedereen die feestviert.' Allie haalt haar schouders op. 'Mijn grootmoeder adopteerde de baby en die werd mijn lievelingstante. Daar denk ik aan als ik mijn koekjes maak. Daaraan en aan al die anonieme mensen in de hospice van de afgelopen tien jaar.'

'Tien jaar. Zo lang ben ik al kankervrij,' zegt Juliet. 'Het is tien jaar geleden dat ik mijn borstamputatie, chemo en bestralingen had.' Tien jaar geleden dat Tracy's moeder aan het sterven was en Juliet kanker had: iedereen vechtend voor zijn leven.

'Bij mij is het vijf jaar geleden,' zegt Vera. 'Daar blijf je altijd aan denken.' Vera had endeldarmkanker.

'Bij mij bijna twee jaar geleden,' zegt Allie. 'Ze nemen nog steeds kleine stukjes bij me weg, altijd van die premaligne moedervlekken, maar gelukkig geen melanomen meer.'

'Wie hebben er allemaal kanker gehad?' vraag ik. Ik steek zelf mijn hand omhoog vanwege het schubachtige celcarcinoom dat acht jaar geleden werd weggehaald, en drie jaar geleden nog een tweede keer. Zes vrouwen steken hun hand op.

'Ik had een zeldzame vorm van botkanker toen ik eind twintig was,' zegt Charlene. 'En Alice heeft dat basaalcelcarcinoom gehad.'

'Zeven van ons? Zeven van de twaalf? Ongelooflijk.'

We zijn stil. Dan zegt Charlene: 'Het komt door het milieu.'

'En de zon,' voegt Allie eraan toe. 'De stranden waar we allemaal zo gek op zijn.'

'Maar denk je dat ons aantal representatief is? Dat zo'n hoog percentage mensen, meer dan de helft dus, een of andere vorm van kanker krijgt?' vraagt Laurie, op een toon alsof al haar gezonde koken zinloos is.

Niemand antwoordt.

'Zo,' zegt Rosie. Ze staat op met een snelle beweging en een brede grijns. Ze voelt zich ongemakkelijk over deze ernstige wending. Ze buigt voorover en schenkt wijn in de lege glazen. Als ze overeind komt, zegt ze: 'Tracy. Hoe zit het met Tracy? Waar zijn haar koekjes?'

ZOUT

Juliet en Dan gingen een keer naar Thailand. Na haar terugkeer liet Juliet me haar foto's zien, waaronder een paar van een zoutmijn. Piramides van zout in keurige rijen die zich tot de horizon uitstrekten. Overal in de mijn waren arbeiders bezig. Zeewater stroomde naar binnen en werd dan vastgehouden door kleine dijkjes. Dan begon de verdamping, met hulp van de brandende zon en een windmolen, waarna de arbeiders het zout bijeen harkten in piramides die tot je middel reikten. De zoutmijn strekte zich bijna een halve kilometer richting zee uit: een reeks rechthoeken met daarop zoutbergen in keurige rijen. Als de verdamping voltooid was, schoven en schepten de arbeiders de bergjes gedroogd zout in kruiwagens en duwden die door het ondiepe water naar de plek waar het zout verder verwerkt werd. Zo wordt al meer dan achtduizend jaar zout gewonnen.

Zout is onontbeerlijk voor het menselijk leven, omdat het een van onze elektrolyten is en we het nodig hebben om de waterinhoud van ons lichaam te reguleren. Maar alles waar 'te' voor staat is slecht: te veel zout eten kan bijdragen aan hoge bloeddruk. En waar het voor dieren onontbeerlijk is, is het voor veel gewassen juist giftig.

De mens is uitgerust met smaakreceptoren in de mond die zout kunnen herkennen, en dat is een van de redenen waarom zout onze meest geliefde smaakmaker is. Het gebruik van zout als conserveringsmiddel is net zo wezenlijk, vooral voor vlees, en met name in de tijden dat we nog niet konden koelen, inblikken en invriezen.

Daarom heeft de mens al sinds de prehistorie heel veel tijd besteed aan het winnen van deze onontbeerlijke en belangrijke stof. Het werd gebruikt in het oude Egypte voor het balsemen, en voor het zouten van vis en vogels die rond de Middellandse Zee verhandeld werden. Van de antieke tijd tot 1960 leidden de Toearegs zoutkaravanen door de Sahara. Romeinse soldaten werden soms in zout betaald. Vandaar de woorden 'salaris' en ook 'soldaat'. En het woord salade betekent letterlijk 'gezouten': het culinaire gebruik om bladgroente te zouten. In de renaissance liep Venetië op kop, niet door zijn zoutproductie, maar door zijn handel erin. In India leidde Mahatma Gandhi een protestmars tegen de belasting die door de Britse heersers geheven werd op de export van zout. De mars bracht miljoenen mensen eendrachtig bijeen en was van groot belang voor de onafhankelijkheid van India.

Zeezout uit verschillende gebieden smaakt anders. Tafelzout komt voort uit de massaproductie van zout, vaak uit ondergrondse afzettingen, en wordt geraffineerd tot kleine korreltjes. Vergelijkbaar met de zoutmijn die Juliet zag, is de vervaardiging en productie van zout een van onze vroegste chemische industrieën. Aan zout wordt vaak jodium toegevoegd omdat het in sommig voedsel ontbreekt. Daarnaast wordt zout zo behandeld dat het ondanks vocht goed strooibaar blijft. Ik herinner me nog levendig dat ik als meisje naar het plaatje keek van een meisje dat een doosje zout vasthield, waarop hetzelfde plaatje stond afgebeeld van het meisje dat een doosje zout vasthield: een oneindig doorgaande, niet meer zichtbare verkleining. Boven haar hoofd stond met grote letters: 'When it rains, it pours', een slogan, waarmee reclame gemaakt werd voor zout dat ook nog strooibaar was als het vochtig was. Terwijl ik me verwonderde over de alsmaar kleinere plaatjes leerde ik zo na te denken over de oneindigheid.

Zout wordt aan rauwe ingrediënten toegevoegd om het vocht eruit te trekken. Een klein beetje zout kan gebruikt worden om zoetheid te versterken. Mijn moeder deed het altijd op haar meloen, en anderen strooien het op ananas en grapefruit. Door het contrast versterkt zout de zoete smaak. Daarom verbetert zout de smaakbalans van baksels als cakes en koekjes.

11

Tracy

VAN: Tracy Temple

DATUM: 7 december 2008 16:59:03 PM EST

AAN: marnie444@aol.com

ONDERWERP: Tracy's 'Superharde' Notenbrokken

Dit recept is knap heftig.
Wees zeer voorzichtig alsjeblieft!

PINDABROKKEN

110 g pure chocolade
110 g melkchocolade
1 tl plantaardige olie
250 g pinda's, fijngehakt
Ik heb ook wel pecannoten, amandelen of cashewnoten gebruikt.

Au bain-marie
Eerst de olie, smelt dan de chocolade.
Hier komt het lastige deel...

Laat alsjeblieft geen water in de pan spetteren, want, jemig, daarmee kun je alles verpesten!!
Schep het spul met volle koffielepels uit de pan op een bakplaat met bakpapier.
AFKOELEN!!!! Stop de pindabrokken daarna in een mooie verpakking.
Ik weet het: het was weer zo'n harde noot, maar wanneer er harde noten gekraakt worden, kan je maar beter op Hawaï zitten.

Al mijn geliefde vrouwen: fijne feestdagen gewenst.
Ik vind het echt jammer dat ik jullie niet zie!
Liefde en geluk,
Xxxx TT

PS JEMIG! Ik vergat te zeggen dat je de noten erdoor moet roeren als de chocolade is gesmolten.
hihihi

'IK ZAL TRACY's koekjes halen.' Ik loop naar mijn kantoor. Achter me lachen en praten mijn vriendinnen. Harde hagelstenen kletteren op het huis. Door het raam zie ik dat de schuin invallende ijsregen wit oplicht in de duisternis. De hagelstenen knallen gemeen hard tegen het huis, maar ze blijven niet liggen. Ik breng de tassen binnen en Taylor vraagt: 'Waar ging Tracy ook alweer heen?'

'Naar Hawaï. Met Silver,' antwoord ik.

Tracy en Silver vormen zo'n koppel dat het geheim van de ware, duurzame liefde heeft ontdekt. Als ik bij ze ben, weet ik weer hoe goed het is, als het goed is. Ze hebben niet alleen een huwelijk dat in stand blijft, maar zo een waarvan je de liefde en de warmte voelt wanneer je bij ze bent. De een wil de ander gelukkig maken en daarvoor past elk zich naadloos aan de ander aan, of offert zich voor de ander op.

Maar hun start was helemaal niet zo rooskleurig geweest. Tracy was al heel vroeg uit een slecht huwelijk gestapt. Zo'n huwelijk waar je in stapt als je begin twintig bent en waarvan je, als je midden of eind twintig bent, beseft dat je erin bent gestapt om niet meer afhankelijk van je ouders te zijn en te bewijzen dat je volwassen bent. Dan voed je elkaar verder op en als dat niet meer nodig is, besef je dat jullie niet bij elkaar passen. En zo kwam Tracy – met steil blond haar tot op haar achterste, een mond die er altijd uitzag of ze zo kon gaan pruilen of lachen, en een ongelooflijk aanstekelijke lach – bij Restaurant Gandy Dancer terecht.

Ik denk dat ze had bedacht dat ze seks, drugs en rock-'n-roll nodig had als antigif tegen de blues, want zelfs na een dubbele serveerdienst ging ze altijd nog feesten. Dat was in het midden van de jaren zeventig, de piektijd van de feesten, toen we nog niet helemaal bekomen waren van de angst dat wij, onze broers of onze geliefden misschien wel naar Vietnam moesten om te sterven. Op een van die feesten leerde ze Silver kennen. Hij was lang, goed gebouwd en had lang krullend haar. Hij was in de stad om het geluid voor Iggy Pop of Bob Seger te doen, of voor allebei.

In die tijd had Silver ook een slecht huwelijk, maar ze waren nog geen van tweeën officieel gescheiden. Ik geloof dat ze het toen zelfs nog niet tegenover zichzelf toegegeven hadden. Zijn vrouw woonde in zo'n klein stadje in het noorden van Michigan, dat bestaat van toerisme en sport. Motorcrossraces, wandelen, varen, kamperen in de zomer, jagen in de herfst, op sneeuwscooters rijden, langlaufen en ijsvissen in de winter: het hele jaar door leven de inwoners goed van de schoonheid van de natuur, ondanks de eeuwigdurende slechte economie en harde winters. Silver was steeds meer op pad en toen hij Tracy ontmoette had hij zijn vrouw al een paar maanden niet gezien, met zijn werk als excuus.

Maar zij klaagde niet, en genoot van het geld dat hij stuurde.

Toen was er een feest in de overblijfselen van een commune, op een halfuurtje rijden van de stad. Het was laat in de zomer, of vroeg in de herfst, het was nog lang licht en de moestuin van de commune stond vol groente. Aubergines, spruitjes, bloemkool. Een heel veld vol tomaten, waarvan sommige nog groen waren, en waarvan de stengels diep doorbogen ondanks het feit dat de planten aan stokken waren vastgebonden. Ik zag kluwens van oregano en tijm toen ik tussen de rijen door liep en aan het uiteinde van de moestuin rook ik de onmiskenbare geur van wiet, die over de grond groeide als een uit de hand gelopen tomatenplant. De geur ging bijna schuil achter het zoethoutaroma van basilicum.

Silver arriveerde op een zwaar ronkende motor. Zijn lange haar was platgedrukt door zijn helm en hij schudde het los. Zodra ze hem zag, stak Tracy haar kin in de lucht, trok haar schouders recht, streek door haar heuplange blonde haar, likte haar lippen en liet haar ogen niet meer van hem los.

Hij voelde haar starende blik, terwijl ze daar stond met half pruilende, half lachende mond.

'Die is zo heet, die heeft ijs nodig,' zei ik.

Ze lachte.

Hij draaide zich om naar haar gegrinnik en met haar lach – die vrolijke lach met een zweempje rauwheid dat veel meer beloofde – lokte ze hem in de val. Het biervat en de schalen met pretzels, die de commune had gemaakt, leken onuitputtelijk. Toen de duisternis viel werd een groot vuur aangestoken. Sterretjes en wiet werden rondgedeeld. Silver en Tracy dansten dicht tegen elkaar aan op Earth Wind & Fire en staarden elkaar in de ogen.

O, o, dacht ik hoofdschuddend.

Toen verdwenen ze. Ze gingen wandelen tussen de tomaten, of in het espenbos dat om het veld stond. Ik was haar vriendin, niet haar oppasser. Ik had gewoon plezier op het feest, danste, dronk bier en praatte met Juliet en Alex, mijn eerste man, die met me meegegaan was.

Toen leefde hij nog. En hoe.

Sky was nog niet geboren.

We waren nog niet getrouwd. Alleen maar verliefd.

Zo lang geleden.

's Middags hadden we gekanood, stroomafwaarts drijvend op de Huron. Loom, zonder enige behoefte om echt de rivier af te varen, en erop vertrouwend dat de stroom ons in de juiste richting zou sturen. We stopten bij het Arboretum en aten sandwiches met salami en kaas, dronken wijn die ik had meegenomen en keken naar de eenden die door het water peddelden met hun half volgroeide kuikens achter zich aan.

Terwijl we dansten en zijn grijze ogen de mijne zochten, ving ik in het flakkerende vuur een glimp van de twee op. Zijn handen voelden warm op mijn rug, zijn adem kietelde aan mijn oor en maakte mijn haar in de war. Hij rook naar muskus en zijn T-shirt een beetje naar de scherpe geur van het brandende kersenhout. Zijn erectie duwde tegen mijn navel en ik duwde me tegen hem aan, gleed langs zijn lid, en gaf zo hoop aan zijn smeekbede.

Hij bromde: 'Laten we naar huis gaan.'

Ik drukte me steviger tegen hem aan en liet mijn hand onder zijn T-shirt glijden; zijn huid spande strak om zijn harde rugspieren.

'Ik wil je.'

Ik duwde mijn handen langs zijn broek omlaag en pakte zijn kont vast. 'Zo.'

Hij lachte. Zijn stijve wreef over mijn buik en zijn baard schuurde over mijn voorhoofd. 'Ik hou van je.'

'Ik hou ook van jou.' Zie je. Ik heb het toch gezegd. Toen was het makkelijk. Ik hou van jou. We waren het met elkaar eens. We hielden van elkaar. We waren een stel. Ik heb het hem duizenden keren gezegd, omdat ik ervan uitging dat we altijd samen zouden blijven.

'We zijn zo verdomd goed samen. Mijn leven is prachtig met jou erbij.'

'Het mijne ook. Kun je je voorstellen dat we over dertig jaar samen op een veranda in onze schommelstoelen zitten? Terwijl onze kleinkinderen om ons heen spelen?' Zie je hoezeer ik ervan uitging dat we altijd samen zouden blijven? Hoezeer ik ervan overtuigd was dat ons leven door onze wederzijds bekende liefde een voorspelbaar parcours zou afleggen: veilig, met mensen om ons heen en bezegeld? Mijn leven zou een gebaand pad volgen. Getrouwd met één man. Kinderen. Banen. Een huis met een tuin die ik netjes en mooi zou houden. Vrienden.

'Dat is precies wat ik wil.' Hij sloeg zijn armen steviger om me heen, pakte mijn haar beet en trok het voorzichtig van achteren omlaag, zodat mijn hoofd schuin omhoog kwam voor een kus. Zijn mond verwarmde mijn lichaam en zijn erectie beloofde alle goeds.

Hij was zo springlevend. Eén brok warmte en levenslust. Elke ochtend deed hij de jaloezieën open en zong dan: 'Let the sun shine in.'

Draaide me rond als hij thuiskwam.

Was ieder voorjaar opgewonden over het pitchen in de Recreational Baseball League.

Bijna niet voor te stellen dat hij acht jaar later is heengegaan. Nee. Niet heengegaan. Hij is doodgegaan. Hij is verdomme doodgegaan. In een oogwenk. Zo snel. Zomaar.

Ik vraag me af of de grillige cellen die zijn bloed bevolkten en hem gedood hebben, toen al groeiden. Ik vraag het me af. Of ze zich al vermenigvuldigden toen hij me ten huwelijk vroeg, de liefde met me bedreef en toen we Sky maakten. Dat ze al door zijn aderen kropen toen hij zijn aannemersbevoegdheid haalde, en lachte en voor Sky zong toen ze vier wankele stapjes naar hem toe deed.

Ik heb geleerd nergens meer van uit te gaan. Ik heb geleerd mijn leven te vullen en te proberen elk moment echt te beleven. Ik heb ook geleerd dat ieder mens zomaar op elk moment kan verdwijnen. En ik was ervan overtuigd dat liefde zinloos was als het niet voor altijd was en ik wist dat niets voor altijd is, behalve je kinderen. En je vriendinnen. Kijk maar: Tracy is nog steeds in mijn leven, net als Juliet.

Ik schiet vol bij de herinnering aan zijn dood, zelfs nu nog, meer dan een kwarteeuw later, terwijl ik Tracy's koekjes naar de woonkamer breng. Ik voel even aan mijn mobieltje: nog steeds stil. Ik kijk op mijn horloge. Het is nu kwart over tien. Ik blijf in de hal staan en zeg tegen mezelf: zie het onder ogen. Nu weten ze het. Waarschijnlijk huilt Sky nu in Troys armen en wachten ze met me te bellen tot het feest voorbij is. Ik word overspoeld door verdriet, verdriet over haar, verdriet over Alex. Ik vraag me af, voor de allereerste keer sinds Sky zwanger werd, of haar kind misschien zijn grijze ogen heeft.

Maar die avond, die herfstavond met de druiven nog aan de ranken, danste Tracy met Silver en ik met Alex. Alex zag ze en zei: 'Hij is getrouwd.'

Tracy kwam naar me toe met glanzende ogen en een mond die nat was van zijn zoenen: 'Ik ga met hem mee.' Terwijl ze dat zei, hield ze mijn handen vast. 'Met hem.' De 'm' vibreerde tussen haar lippen en bleef in de lucht hangen. Tracy rook naar muskus en ook citroen, die van Silver kwam.

'Hij is getrouwd.'

'Dat heeft hij me verteld.'

Ze knipoogde naar me, zo'n knipoog van meisjes onder elkaar, zo'n intens gelukkige knipoog. 'Het komt goed. Dat weet ik.' Ze kneep in mijn handen. Haar palmen waren vochtig en haar pupillen zo groot dat haar ogen zwart leken.

'Bel me morgen.'

'Beloofd.'

Meestal begint het niet zo: een ritsloos nummer dat uitdraait op iets voor altijd. Misschien is dat wel onze grootste fantasie. Seks die zo fantastisch is dat alles op zijn plek valt en ieder ander er onmiddellijk niet meer toe doet. Dat het leven ineens voor je ligt als een recht pad. Simpel, helder en zeker. Je weet gewoon wat je moet doen en waarom.

Misschien is het wel omgekeerd. Dat alles al op zijn plek ligt en seks de zaak bezegelt. Dat je bent voorbestemd om met die iemand samen te zijn, eerst als gepassioneerde geliefden en daarna als maatjes. Een van die zeldzame liefdes voor één nacht die eindeloos duren, alsof de fysieke verbinding al het andere mogelijk maakt, terwijl het in werkelijkheid de emotionele, geestelijke verbinding is die de fysieke mogelijk maakt. Misschien wisten zij dat bij de eerste blik. Een liefde op het eerste gezicht, die al het gedoe overstijgt en tientallen jaren even ritsloos standhoudt. Op zo'n manier dat de verbinding, de communicatie, het instinctieve bewustzijn van en begrip voor de ander al vanaf het begin aanwezig zijn. Op zo'n manier dat de subtiliteiten van de intimiteit en de aangename huiselijkheid een plezier maken van het dagelijks leven.

Een paar dagen later belde ze, met een onbekende vervoering en kalmte in haar stem. 'Dit was anders. O, hemel,' verzuchtte ze. 'Anders dan alles wat ik ooit heb meegemaakt.'

'Dus hij is echt fantastisch?'

'Fantastisch, ja, maar dat is niet wat ik bedoel. De seks was niet gewoon seks. Het was... We brachten elkaar naar een andere wereld. Een wereld waar ik nog nooit was geweest. Het was meer dan sensueel. Het was... spiritueel. Alsof we deel uitmaakten van het universum. Alles was één en wij maakten daar deel van uit.'

Ik lachte. 'Wat hebben jullie gerookt?'

'Niks. Het was alleen maar wij samen.'

Ik begreep niet wat ze bedoelde. Toen niet. Daar ben ik pas later achter gekomen. Intussen raakte Tracy door haar liefde voor hem ook gefascineerd door zijn interesses, en zo vond ze haar roeping. Silver was geluidstechnicus voor rockbands. Haar vrolijkheid en haar lach, haar energie en haar organisatievermogen, de vele musici en artiesten die ze in de muziekscene leerde kennen, brachten haar op het idee om rockproducer te worden. Nu gaan Silver en zij samen op tournee. Hij doet het geluid en zij de productie. Van buitenaf is het net een sprookje: zes maanden per jaar de wereld over, elk jaar een nieuwe familie van mensen die samenwerken in de tourcrew. Tokio, Chicago, Sydney, Montreal, Parijs, Madrid, Seoel, Nairobi, Los Angeles, Rio. Uit de hele wereld krijg ik ansichtkaarten van Tracy, altijd met haar lipafdruk als zoen. Soms is dat alles wat ik krijg. Een foto van een naakte David uit Florence met haar roze glanzende lippen als herkenningsteken.

'Zo. Je zou denken dat ze wel even genoeg zouden hebben van al dat gereis en met de feestdagen hier zouden blijven,' zegt Rosie.

'Ze maken hun airmiles op,' antwoord ik. 'Bovendien is dat werk. Dit is vakantie.'

'Kom, laten we beginnen,' zegt Laurie.

Iedereen gaat zitten en ik deel Tracy's koekjes uit. 'Hmmm. Tracy vroeg of ik jullie wilde zeggen hoe graag ze hier had willen zijn. Ze heeft deze gemaakt voor ze wegging en in deze doosjes gestopt.' De doosjes zijn beplakt met knutselpapier met een golvende zee van rode krullen en hier en daar kleine stukjes bladgoud.

'Die zijn beeldschoon.' Vera doet de deksel open en vouwt het zijdepapier uit dat knettert als een voetzoeker. 'Op alle labeltjes staat de afdruk van haar lippen.'

Ik lach als ik zie dat in haar sexy kus een tevreden grijns doorschemert. Ik deel haar doosjes verder uit, stop er een in mijn tas en de laatste in die van de hospice. 'Ze stuurde me deze e-mail om voor jullie te kopiëren.' Ik zwaai met de geprinte vellen papier en deel die ook uit.

'O,' zegt Taylor als ze de e-mail leest. 'Dit is typisch Tracy. Ik kan haar lach bijna horen.'

'Ik ben dol op die lach,' zegt Allie. 'Als ik die hoor, word ik altijd vrolijk.'

'Ik mis haar.' Juliets mondhoeken zakken omlaag in een overdreven treurig gezicht. 'Wanneer komen ze terug?'

'Vlak voor kerst. Voor de Townie Party.'

Vera stopt het chocolaatje in haar mond. 'Hmmmmm. Die heeft ze een paar jaar geleden ook gemaakt.'

'Ze wist dat iedereen ze heerlijk vond. Bovendien zijn ze makkelijk te maken en goed houdbaar.'

'Toch mis ik haar.'

'Op Tracy's lach, jongens.' Ik hef mijn glas en iedereen doet mee. 'Op Tracy.'

'En op Alice,' voegt Vera eraan toe.

Ik vraag me af of we misschien een nieuwe regel nodig hebben. Dat je maar één keer per drie jaar een feest mag missen. Ik wil mensen die ook echt aanwezig kunnen zijn. Het draait niet om de koekjes, nooit, het draait altijd om samenzijn en plezier hebben. En hoe meer zielen, hoe vrolijker het feest.

Ik weet niet of het komt door de verwijzing naar afwezige mensen dat Charlene in actie komt, maar ze staat op en kondigt aan: 'Nu wil ik.' En ze haalt de tassen die we eerder die dag ingepakt hebben.

'Ik geloof dat we nu in het chocoladetijdperk zitten, want mijn koekjes zijn eigenlijk ook een chocolaatje. Truffels. Jullie vonden ze een paar jaar geleden lekker en misschien dat ik...' Charlene slikt bij de herinnering aan hoe makkelijk alles een jaar geleden leek en hoe alles in mei veranderde. 'Ik wilde iets doen zonder na te hoeven denken, of misschien wilde ik me die tijd in herinnering brengen.'

Haar blik dwaalt rustig over de kring en ze likt haar lippen. De uitdagende vrolijkheid van haar jack met luipaardprint, dat ze een paar jaar geleden al droeg, lijkt niet te passen. 'Ik geloof dat ik jullie dit jaar niet echt een verhaal heb te vertellen. Niet over de koekjes. Ik heb deze koekjes gemaakt omdat jullie ze zo lekker vonden en er vorig jaar iemand teleurgesteld was dat ik ze niet nog eens gemaakt had. Ik was niet in staat om iets nieuws te bedenken. Ik heb dit jaar genoeg nieuws gedaan. Ik luisterde naar gregoriaanse gezangen terwijl ik ze maakte.' Haar zachte haar valt voor haar gezicht. Haar handen trillen een beetje wanneer ze in de tas duikt om de blauw-wit bedrukte doosjes eruit te halen. En dan forceert ze een lach, als om zichzelf eraan te herinneren dat er ook nog levensvreugde bestaat en dat die de reden is waarom ze hier is.

'O, die zijn leuk, zeg,' zegt Jeannie over de doosjes.

'Ik ben dol op die truffels,' zegt Laurie. 'Brian en ik hebben erom gevochten. Ik heb ze voor zijn verjaardag gemaakt, als cadeautje.'

'Dank je.' Charlene's ogen staan vol tranen, maar met haar lach toont ze haar mooie gebit en haar dankbaarheid. 'Ik wil jullie allemaal bedanken. Jullie allemaal, een voor een,' voegt ze eraan toe, alsof het onze betrokkenheid en liefde was die haar in staat gesteld hebben niet helemaal kapot te gaan. 'Bedankt voor jullie steun, de telefoontjes, de brieven en de bezoekjes,' zegt ze met verstikte stem, waarna ze haar keel schraapt. 'En jullie liefde.' Ze geeft een doosje aan Rosie en gaat verder. 'Jullie hebben me echt geholpen erdoorheen te komen. Weet je, Luke was erg spiritueel. Het laatste wat hij zei, was dat hij altijd bij me zou zijn.' Haar ogen glanzen, ze ziet er gelukkig uit, en haar stem is zacht, bijna fluisterend.

We luisteren stil.

'Ik geloof niet in engelen, maar ik voel zijn aura. Als ik aan hem denk, voel ik hem en dan is hij in mijn hoofd. Hij zei ooit dat liefde onsterfelijk is. Misschien heeft hij gelijk. In ieder geval minstens even onsterfelijk als de mensen van wie je houdt.' Al pratend blijft ze de doosjes uitdelen. We leggen ze op schoot of stoppen ze in onze tassen en luisteren.

Is liefde onsterfelijk? Hou ik nog steeds van Alex? Ja. En ook van Stephen, ondanks alles. Maar mijn liefde voor hem is nog steeds vermengd met wanhoop, woede en teleurstelling. Dat is waarom het zo'n pijn doet. Mijn liefde, gevoelens en zorg voor Jim zullen ook blijven bestaan.

Charlene gaat verder. 'Elke dag die ik doorworstel leer ik weer iets. Vanavond moest ik aan jullie denken en aan hoe sterk jullie en dit feest deel van mijn leven uitmaken. En hoeveel ik daarvan hou. Hoeveel plezier jullie brengen. Dat er plezier is in het leven.' Ze herhaalt het alsof ze zichzelf net iets geleerd heeft. 'Plezier in het leven.'

Ze wendt zich tot Jeannie. 'Op jouw gelukskoekje stond: "Het rad draait. Dit is de donkere tijd. Wat kun je halen uit de nacht?" Daar denken we niet zo vaak aan, hè? Wat kunnen we leren van de nacht, de nacht als symbool van tegenspoed of...' Haar stem breekt. 'Tragedie.'

Ze stopt en knijpt haar ogen nadenkend tot spleetjes. 'Ik weet het nog niet zeker, maar op de een of andere manier heeft Luke's dood me veranderd en ben ik nog maar net begonnen mezelf opnieuw te leren kennen. Ik weet wel dat Luke's dood niet was bedoeld om me iets te leren, maar het gebeurt wel, per ongeluk.'

'Dat komt door je veerkracht. Andere mensen zakken soms helemaal weg in het leed,' zegt Allie.

'De vraag is wat ik ermee win, want het gelukskoekje heeft toevallig wel gelijk. Dat wist ik onmiddellijk toen ik het las. Elke dood is een geschenk. Ik weet alleen nog niet goed wat het geschenk is.

Misschien is mijn missie wel om erachter te komen wat dat geschenk is. Misschien is dat mijn onafgedane kwestie.'

'Het is vast iets spiritueels,' zegt Juliet. 'Je zegt dat Luke spiritueel was... Dat heeft hij van jou.'

'Hmmmm,' overdenkt Charlene.

'Misschien een medium?' suggereert Laurie.

'God, zeg. Ik had nooit verwacht dat mijn gelukspreuken zo'n impact zouden hebben,' zegt Jeannie.

'Het kwam bij me op toen Allie aan het woord was.'

Allie fronst haar wenkbrauwen. 'Toen ik het over vrede had?'

'Over duisternis en licht. Over uitkijken naar de vernieuwing van de lente. Ik weet dat ik nooit meer dezelfde zal zijn. Het geschenk is deels mijn anders zijn. Herboren.'

'Het is dat je hebt overleefd,' zeg ik. 'Je hebt het doorstaan, je bent er nog en je praat. En je weet dat er nog plezier in het leven is.'

'En dat je ons iets geeft dat je met je eigen handen gemaakt hebt en waar we gek op zijn,' zegt Allie. 'Ik denk nog steeds dat liefde onsterfelijk is. T.J. zegt me dat keer op keer. Weet je, in het joodse geloof leef je door in de goede daden en daden van barmhartigheid die je doet, er is niet echt een hemel of een hel.'

'Misschien is liefde wel een ander woord voor goedheid en barmhartigheid, misschien komen die allebei wel uit liefde voort,' zegt Charlene. 'Daar kom ik onderweg wel achter.'

'Word pastorr.' Sissy houdt haar hoofd een beetje schuin en haar blik is op Charlene gericht. 'Anderen door het donkere dal leiden. Jij hebt er verstand van.'

We zijn helemaal verbijsterd door die suggestie. Het lijkt niet te passen bij de vroegere Charlene, maar zoals ze daar nu zit, met haar mond een beetje open, en een wijze maar sombere blik in haar ogen, lijkt het te kloppen als een bus.

'Ja,' zegt Allie.

Charlene fronst licht, maar blijft op die minimale beweging na roerloos, terwijl we haar zien denken. 'Ik geloof niet echt dat de ene gezindte beter is dan de andere. En ook niet dat alle antwoorden in één religie te vinden zijn.'

'Misschien oecumenisch?' zegt Allie. 'Misschien voor een hospice?'

'Misschien voor mishandelde vrouwen, en mensen in de gevangenis.' Vera kijkt Charlene aan en ze knikken naar elkaar. Charlene trekt haar wenkbrauwen op.

'Wie weet,' zegt Charlene langzaam en het klinkt als een afronding.

'Zou dat niet een waanzinnig geschenk van Luke zijn? Pastor zijn?' zeg ik.

'Ik voel dat het in je zit.' Sissy heeft zich niet verroerd, ze houdt haar hoofd nog steeds schuin en haar handen rusten op haar knieën. 'Ik heb er voor mezelf over gedacht, als een volgende stap in de zorg. Want de geneeskunde zorgt maar voor een stukje van de genezing.'

'Het is een goed idee, Sissy. Dank je.' Charlene gaat zitten, leunt achterover met haar armen op de leuningen en haar handen over de uiteinden hangend. Ze zit roerloos als een leeuwin, of een sfinx, en ineens past het jack met luipaardprint precies bij haar.

Ik weet dat het nu mijn beurt is. Ik kijk naar buiten en zie dat de wind is gaan liggen. Het sneeuwt met grote donzige vlokken. Elke vlok is zo groot als een stuiver en valt recht naar beneden. Op de vallende sneeuw na, is alles roerloos.

Maar de vrouwen zijn onrustig, alsof ze na dit zware gesprek even pauze nodig hebben, en Rosie staat als eerste op om naar de wc te gaan. Sissy heeft mijn stoel ingepikt en praat met Charlene.

'We zouden samen moeten afspreken en het dan onderzoeken,' zegt Sissy. 'Ik weet wel bij welke Kerk ik wil, maar niet hoe ik het moet aanpakken.'

Allie praat rustig met Jeannie. Ik hoor haar zeggen: 'Je moet het iedereen vertellen.' En Jeannies antwoord: 'Ze zouden het niet begrijpen.'

'Ze zouden wel begrijpen dat jij je eigen droom wilt volgen.'

Jeannie knikt. Dan staat Allie op en loopt naar de keuken om wat water te halen.

Ik maak koffie en zet kopjes, melk, suiker en zoetjes klaar, terwijl Allie de tafel afstruint. Er zijn alleen nog crackers en kaas. Ik zet er een schaal van mijn pindarotsjes bij en pak een rumcake uit, die Vera heeft meegenomen. De gemberbloem staat sierlijk op de nu bijna lege tafel.

En dan gaat de telefoon. Net als ik de tulband, met zijn zachte bolronde vormen en zijn zoete maar licht scherpe geur van rum en poedersuiker, op de tafel neerzet, voorzichtig zodat hij niet op de schaal glijdt of ervanaf valt, voel ik het gekietel op mijn heup. Net als ik mijn hand weghaal en de schaal met zijn gulle gift daar in zijn eentje achterlaat. Net op dat moment begint hij te trillen.

Ik ga rechtop staan, pak mijn mobieltje van mijn riem en kijk naar het schermpje.

Daar verschijnt werkelijk de foto van Sky die afgelopen zomer genomen werd toen ik bij haar op bezoek was. We ontbeten op een terras. Ze had een topje aan en haar grijze ogen kijken me lachend aan. Die lach geeft me hoop op een positieve uitslag.

Ik loop naar de slaapkamer.

Dan kan ik even in mijn eentje huilen, als dat nodig is.

Disney loopt achter me aan. Hij kwispelt niet en voelt mijn spanning, mijn angstige voorgevoel.

Er is niemand, behalve Disney en ik. En een bed vol jassen: een zwarte glanzende met een bontkraag en een capuchon, een rode met een felgekleurde wollen sjaal, en een bruine met een elegante felgroene kasjmieren sjaal. Sommige jassen zijn netjes neergelegd met de mouwen plechtig uitgestrekt, van andere slingeren de mouwen alle kanten op, alsof ze betrapt zijn in een wilde dans.

Ik doe de deur dicht en klap het mobieltje open.

'Sky?'

'Mam?'

Ik probeer uit dat ene woord de uitslag van de test op te maken, maar de lijn kraakt dus ik kan het niet goed horen.

Ik haal diep adem.

'Mam?'

'Ja, ik ben er.' Mijn stemt beeft.

'Het is goed. Zij is goed,' roept Sky jubelend, hoog en hard van opwinding en geluk.

Ik adem zo heftig uit dat ik op bed moet gaan zitten. Op iemands jas.

'Godzijdank.'

'Ik begon zo bang te worden. Het duurde eeuwig. Ik belde naar het kantoor, maar dat was dicht. En ik dacht: o God, dan moet ik nog een dag wachten. Ik kan niet nog een dag wachten. Nog een nacht overleef ik niet.' Ze praat razendsnel en de woorden tuimelen over elkaar heen.

'Maar toen belde ze me. Ik kneep zo hard in Troys hand dat ik vast een paar vingers van hem gebroken heb.' Sky giechelt. 'Ze verontschuldigde zich dat ze zo laat belde, maar ze had een onverwachte keizersnede van een drieling. Ze had de uitslag van de test en mijn telefoonnummer, en wilde net naar het kantoor lopen om me te bellen toen dat noodgeval binnenkwam. En...' Ze stopt en haalt adem.

'Ik begon al...' Mijn stem sterft weg.

'Ik weet het. Ik ook. Ik had alle hoop opgegeven. Maar toen belde ze. Troy en ik stonden net in een stevige omarming. Ik moest huilen. Ik probeerde, probeerde en probeerde positief te blijven, maar dat lukte met het uur, met elke minuut minder goed. De hele dag. Zo lang heeft een dag nog nooit geduurd. Ik heb het net gehoord. Net lang genoeg om te lachen en van opluchting te huilen met Troy en daarna op de snelkeuzetoets van jouw nummer te drukken.'

'Jaaaaaa!' zing ik, gil ik bijna. En dan adem ik uit. 'Ik ben zo blij voor jullie. Voor mezelf. Voor ons allemaal.' Ik ben even stil. 'En nu? Komen er nog meer tests?'

'Nee, niks. Gewoon een normale zwangerschap. De echo is perfect, ze groeit precies zoals het hoort en er is geen genetische afwijking. Een perfect klein meisje. Dus het enige wat we nu moeten doen is zorgen dat ik gevoed word zodat ik haar kan voeden, van haar houden en nog vier maanden geduld hebben voor we haar te zien krijgen. Gewoon samen groeien, zij en ik.' Sky lacht.

Ik word overstelpt door een gevoel van opluchting dat ik mezelf niet meer overeind hoef te houden, dat de druk, waarvan ik niet eens wist dat die er was, weg is. Ik voel me licht, maar ik was me er niet eens van bewust dat ik me zwaar gevoeld had. Ik had al zo lang met die angst geleefd, dat moedergevoel dat er iets niet goed gaat met je kind, dat het een deel van mezelf was geworden. Dat gewicht kan ik nu van me afwerpen.

Wat een vreugde.

Wat een avond.

'Ik ben zo gelukkig, schat, ik heb er gewoon geen woorden voor.'

'Ik ook. Mijn droom is uitgekomen. Ze is goed.' Sky schreeuwt het 'goed' uit alsof ze het nog steeds niet kan geloven. 'We moeten nu gewoon wachten. We kunnen met Lamaze beginnen. Jippieeee! Je komt toch, hè? Je bent toch bij me bij de bevalling?'

'Natuurlijk!'

'En ik zie je over een paar weken. Dan vieren we een zwangerschapsfeest.'

'Dan is Tara's baby misschien al geboren.'

'Wie weet. Zou het niet fantastisch zijn als hij met kerst kwam?' zegt Sky. 'Dat zou een mooi kerstcadeau zijn.' Voor de eerste keer is Sky blij met Tara's zwangerschap. In het verleden deed ze wel alsof, maar toen klonk het ingestudeerd en plichtmatig. Haar ogen lachten niet mee.

'Alle baby's zijn fantastische cadeaus.'

'Ik hoop dat ze vriendjes worden. Nichtje en neefje van bijna dezelfde leeftijd. Hoe is het feest?'

'Super. Je weet wel. Altijd plezier en altijd heel veel liefde.'

'Troy en ik waren te zenuwachtig om te eten, maar nu gaan we uit om het te vieren. Zullen we morgen bellen, mam? Oké?'

'Natuurlijk.' Disney trekt een grijns terwijl hij met zijn staart op de grond slaat. 'En straks heel lekker slapen.'

'Mam.' Haar stem klinkt somber. 'Ik weet dat het raar is, maar toen ik dacht dat ik geen baby kon krijgen, moest ik aan pap denken. Het was alsof een stukje van hem nog een keer doodging, alsof hij op een andere manier eindigde. Snap je? Alsof ik hem teleurstelde. Nu leeft hij op een bepaalde manier verder. Snap je?'

'Ja, ik snap het. Aan zoiets moest ik zelf ook denken.'

'Mam. Ik hou van je. Heel veel. En bedankt.'

'Bedankt? Waarvoor?'

'Gewoon, omdat je mijn moeder bent.'

'O, schat. Daar hoef je me toch niet voor te bedanken. Ik heb ervan genoten. En meer dan dat. Ik hou van je.'

'Ik ook van jou. Dag,' zegt ze en ze hangt op.

CHOCOLADE

Chocolade. Wat zijn we daar gek op. Het is het toetje van liefde en feestelijkheid. De Azteken beschouwden het als godendrank. Chocolade bevat een stof die een gevoel teweegbrengt dat lijkt op verliefdheid. Chocolade heeft ook een licht marihuana-achtig effect dat zorgt voor euforie en vermindering van stress, en er zit cafeïne in. De geschiedenis van chocolade is helaas wel nauw verbonden met kolonisatie, handelsoorlogen, slavernij, smokkel en zwarte markten, maar uiteindelijk ook met een enorme wereldwijde waardering en moderne industrialisatie.

De cacaoboom, die de bonen voor chocolade voortbrengt, komt oorspronkelijk uit Centraal- en Zuid-Amerika. Het is een lastige boom: hij floreert alleen bij hele specifieke temperaturen, constante vochtigheid en onder een bladerdak van grotere bomen – gewoonlijk de bananen- en rubberboom – om hem tegen te veel zon te beschermen. Hij valt gemakkelijk ten prooi aan schimmels en ongedierte. De bloem, die bestoven wordt door een speciale soort vliegen, groeit rechtstreeks op de stam. Maar een paar van die bloemen groeien uiteindelijk uit tot de vrucht, die de omvang en vorm heeft van een Amerikaanse football. De bonen zit in een peul, die opengespleten en daarna gefermenteerd en gedroogd wordt. Eén boom produceert niet meer dan ongeveer een kilo bonen per jaar.

De Azteken en de Maya's dronken 3500 jaar geleden chocolade met honing, vanille en chili. Probeer eens een beetje koffie, met cacao en een snufje cayennepeper. Zalig. Chocolade werd gedronken door de soldaten en de elite, maar ook meer algemeen bij grote feesten en vieringen. Het drinken van chocolade gebeurde, net als het roken van tabak, na de maaltijd. Er was een samenhang tussen chocolade drinken en bloed, misschien vanwege het rituele gebruik ervan bij het brengen van menselijke offers. De bonen zelf werden gebruikt als betaalmiddel, letterlijk geld dat aan de bomen groeide. Toen Columbus een kano zag die volgeladen was met cacaobonen, kende hij al wel het gebruik ervan als betaalmiddel, maar wist hij nog niet dat ze als drank en lekkernij nog veel grotere rijkdommen bevatten.

De Spanjaarden brachten chocolade naar Europa en het product werd de spil in een lange geschiedenis van strijd, wetten, tuinbouwontwikkelingen en smokkel. Een tweede soort cacaoboon werd ontdekt in Ecuador en de Amazonedelta. Die was eenvoudiger te kweken en wordt nu, naast een kruising van de oorspronkelijke soort, verbouwd in West-Afrika en Azië. Intussen had Venezuela cacaoplantages ontwikkeld. Toen de oorspronkelijke bevolking bijna was uitgeroeid, gedecimeerd door oorlog en Europese ziektes, werden Afrikaanse slaven gehaald om te werken op de plantages, waarvan sommige met een kwart miljoen bomen. De Spaanse Kroon, gealarmeerd door de handel die zich ontwikkelde tussen Zuid-Amerika en Mexico, verbood de handel, vanwege de precedentwerking en de bedreiging van zijn alleenheerschappij over Europese goederen. De Hollanders veroverden Curaçao in 1634 en stuurden grote ladingen gesmokkelde chocolade naar Amsterdam. Smokkel en fraude floreerden toen Amsterdam rond het midden van de 17e eeuw het centrum van de cacaohandel werd.

Het drinken van chocolade verspreidde zich door heel Europa

en vond plaats in speciale chocoladehuizen die stevig concurreerden met cafés. Tegen 1800 werden andere drankjes populairder, vooral de thee in Engeland, misschien omdat men daar probeerde de consumptie van thee uit de eigen Aziatische kolonies te stimuleren. Ook koffie werd populair als opwekkend middel. Chocolade werd toen met heel veel suiker erin gedronken, en voornamelijk alleen nog door kinderen en zieken. Net voor chocolade helemaal in onbruik raakte, begon de ontwikkeling ervan als lekkernij. Dit begon ook in Amsterdam, toen Van Houten ontdekte hoe je de 'cacaoboter' uit de boon kon halen en zo zorgde voor de uitvinding van chocoladerepen. Cadbury maakte intussen met bloemen reclame voor chocolade en zo werd chocolade een symbool van romantiek, gevoed door het geloof dat het een afrodisiacum was. In 1879 ontwikkelde Lindt een proces waardoor de repen zachter konden worden. In navolging van Ford, vond Hershey een manier om de productie te mechaniseren en hij bouwde een arbeidersstad in Pennsylvania, die omringd werd door enorme melkveehouderijen die zo'n 225.000 liter melk per dag leverden. Hij bezat enorme suikerrietplantages in Cuba, compleet met spoorwegen en havens, die uiteindelijk allemaal genationaliseerd werden door Fidel Castro.

Tegen die tijd was chocolade niet meer weg te denken bij de viering van Kerstmis, Valentijnsdag en Pasen. De productie van chocolade is gegroeid van 100.000 ton aan het begin van de 20e eeuw tot 2.500.000 ton aan het eind van de 20e eeuw.

Chocolade is nu weer terug bij het ambachtelijke begin. Ik zie dat men nu chocolade die gekweekt wordt op bepaalde plekken in de wereld, ophemelt vanwege zijn specifieke smaak. Naast de chocolade in de winkelschappen, zijn er nu ook zorgvuldig gemaakte en lokaal geproduceerde truffels en bonbons. Het eten van chocolade met meer dan 65 procent cacao is, net als andere donkere vruchten en rode wijn, goed voor je hart, je bloeddruk en voor je bloedsomloop, omdat het de cholesterol verlaagt. Bovendien heeft het de gave dat het een lichte euforie teweegbrengt. Zo is het godenvoedsel, dat eerst alleen maar verkregen werd van één soort boom in één enkel gebied, een geliefde vreugde en genot voor de hele wereld geworden.

12

Taylor

KNAPPERIGE GEMBERKOEKJES MET STROOP

240 g boter
300 g suiker
Klop de boter en de suiker 2 minuten.
Voeg toe: 1 ei plus 1 eidooier, ¾ theelepel zout, 1 theelepel verse gember (geraspt) en 1 eetlepel fijngesneden gekonfijte gember.

Meng met een garde 250 gram plus 2 eetlepels bloem, ½ theelepel gemberpoeder en 1 theelepel bakpoeder. Voeg dat aan bovenstaand mengsel toe.
Voeg 175 gram stroop toe.
Maak van het deeg twee lange rollen van 6 cm doorsnee en rol die door parelsuiker (dat is grove decoratiesuiker en is moeilijk te krijgen; vervang eventueel door de wat hardere fijne kandijsuiker). Laat de rollen een paar uur afkoelen (of vries ze voor een paar dagen in als je wilt). Snij elke rol in 18 plakjes en strooi daar parelsuiker over.
Bak de plakjes deeg 12 minuten op 175 °C.

GEDACHTELOOS AAI IK Disney over zijn zachte oren. Blij met mijn aandacht legt hij zijn poten op de rand van het bed, terwijl zijn staart snel rondjes draait. Ik buig me naar hem toe om hem te knuffelen en sta op.

Ik herinner me een gesprek dat ik met Allie had toen ik had gehoord over Sky's eerste zwangerschap, vier jaar geleden. We waren in het Roadhouse Restaurant. De zomer was net begonnen, we zaten op het terras en deelden een salade.

'Jeetje. Oma. Mens, ik had pas net door dat ik nu echt volwassen ben.' Verwonderd schudde ik mijn hoofd. 'Hoe is het mogelijk, zo snel en zo vroeg?'

Allie lachte. 'Hé. Ik las net dat vrouwen na de menopauze, zoals wij, essentieel zijn voor de evolutie.' Ze hief haar glas cola light als om op ons te toosten. 'Twintig jaar van ons leven kunnen we ons niet voortplanten. Maar we kunnen ons wel uit de naad werken en we kunnen met minder calorieën toe dan andere werkmieren.'

'Dat horen we sowieso te doen.' Ik nam nog wat brood en we lachten allebei.

Allie ging verder: 'Het blijkt dat grootmoeders miljoenen jaren lang, in de tijd dat we jagers en verzamelaars waren, hun kleinkinderen voedden tot ze volwassen waren, vooral als de moeders baby's hadden. Grootmoeders waren noodzakelijk, want daardoor konden er kinderjaren zijn, al die jaren waarin kinderen leren van volwassenen.'

'Dat zal vast wel, en ik ben blij voor Sky en ik kan niet wachten tot ik die nieuwe baby in mijn armen heb, maar toch ben ik nog niet oud genoeg om grootmoeder te zijn.'

'Dat weet ik. Heb je mij weer met mijn warrige verhalen.'

Ze was me voor, maar dat neemt niet weg dat ik het heerlijk vind om uit de tweede hand van haar te leren.

Charlene trekt haar wenkbrauwen op als ik de woonkamer binnenkom.

'Goed nieuws,' zeg ik met een lach van oor tot oor. 'Sky krijgt een meisje, een gezond meisje! Ik geloof dat ik nu twee keer grootmoeder word,' zeg ik lachend. 'Over een paar weken en in het voorjaar. Een vracht aan baby's.'

Charlene omhelst me.

Sissy was opgeschoven naar de stoel naast Charlene, en ze waren in gesprek toen ik binnenkwam. 'Super! Ik had van Tara gehoord over Sky's zwangerschap,' zegt Sissy.

Ik doe mijn ogen dicht om al mijn eerdere ongerustheid te laten verdwijnen. 'Ik ben zó opgelucht.'

'Hé. Nieuws van Sky?' Allie komt de keuken uit, met rumcake op een bord en een kop koffie.

'Yep.'

'Je hoeft me niets te vertellen. Je straalt helemaal.'

'Wat een fantastische dag. Vol goed nieuws.'

Ik ga naar de keuken voor een kop decafé. Als ik langs de tafel loop ruik ik de rum en suiker van Vera's cake en neem een klein plakje. Laurie, Juliet en Rosie staan voor de gootsteen te lachen. 'Nog maar twee. Taylor en jij.' Rosie trekt een pruilmondje om te laten zien hoe jammer ze het vindt dat het feest bijna voorbij is.

Laurie zegt: 'Morgen is het tenslotte gewoon een werkdag.'

'En Olivia wacht op je.' Rosies stem is vrolijk, maar er klinkt een zweempje jaloezie in door.

Ik haal mijn tassen en zeg: 'Baby's, echtgenoten, geliefden en banen wachten op jullie.'

Iedereen druppelt naar binnen en gaat zitten. Bij elk feest zoekt ieder aan het begin een plekje en dat blijft de hele avond lang de vaste plek. Tijdens het uitdelen van de koekjes zitten we allemaal op onze eigen stoel, alsof die al jaren van ons is en we die nooit zullen verlaten. Het jaar erop kiezen we een andere stoel en die bewaken we dan weer net zo streng.

'Goed nieuws. Ik krijg net een telefoontje van Sky en haar baby is in orde. Een meisje.'

Iedereen begint door elkaar heen te roepen: 'Jippie', 'O, ik ben zo blij', 'Godzijdank' en 'Wat een opluchting'. Het gaat zo snel ik het allemaal niet meer kan volgen. 'Proost!' Rosie steekt haar wijnglas in de lucht. 'Op de dochter van Sky.'

'Op gezonde baby's overal ter wereld.' Allie kijkt eerst Laurie aan en dan Taylor. 'O, nee, hè. Wat sentimenteel.'

'Maar wel een oprechte en mooie wens,' zegt Rosie.

We nemen een slok van wat er ook maar in ons glas zit. Ik toost met mijn decafé.

Ik steek van wal. 'Dit jaar wil ik twee nieuwe regels toevoegen. En dat zijn: als de eerste maandag in december direct na het Thanksgiving-weekend valt, dan doen we het koekjesfeest op de tweede maandag, net zoals dit jaar.'

'Ik weet nog dat iedereen een paar jaar geleden over zijn toeren was toen dat gebeurde. Je kunt niet eerst voor Thanksgiving uren in de keuken staan en dan meteen daarna weer hiervoor,' zegt Vera.

'Je kunt je ook niet vol eten met Thanksgiving en dan vier dagen later weer overeind krabbelen om hierheen te komen,' zegt Juliet met een stukje pindarots in haar hand.

'Precies. En de tweede is: laten we de recepten naar elkaar e-mailen. Dan hoef ik ze niet allemaal uit te typen om ze daarna naar iedereen te e-mailen. Stuur ze gewoon naar mij, of naar ons allemaal. Dat maakt het een stuk makkelijker.'

'Zo deed ik het dit jaar toch al,' zegt Allie.

'O, ik dacht dat die regels er al waren,' zegt Laurie.

'Zo, tot zover de zakelijke mededelingen.' Ik duik in de tas en haal er de tasjes met dierenhuidenprints eruit en begin ze uit te delen.

'Die zijn zo cool. Zo super cool! Ik had net een nieuw make-uptasje nodig.' Rosie overhandigt een tasje met slangenhuid aan Juliet, dat vervolgens de kring rondgaat. Rosie is vrolijk. Het kan van de wijn zijn, of vanwege het begin van een verzoening met Jeannie.

'Deze koekjes zijn de boterballetjes met pecannoten van mijn grootmoeder, en ik vind ze de ultieme traktatie van boter, noten en suiker. Ik heb ze al eerder gemaakt en toen gaven jullie je er goedkeuring aan.' Ik geef een tasje met jaguarprint door.

'Kijk. Dat past bij mijn jasje!' zegt Charlene. 'Ik denk dat ik die hou.' En ze geeft de zebraprint door, die ik als volgende tevoorschijn haal.

Intussen heeft Allie haar tasje opengedaan en knabbelt aan een koekje. 'O, ik weet het weer. Die vind ik heerlijk.'

'Heeft iedereen?' Het antwoord is stilte, dus ik stop het laatste tasje in de hospice-tas. 'Waarom heb ik dit koekje dit jaar gekozen? Omdat het het lievelingskoekje van mijn dochters is. En ook omdat ik me dit koekje als beste herinner van mijn grootmoeder. Ik kan me eigenlijk niet herinneren dat ze ooit andere koekjes voor Kerstmis heeft gebakken. Ze maakte kerststol, vruchtencake, meringues, maar geen andere koekjes dan dit. En ik heb de laatste tijd veel aan haar gedacht omdat ik nu haar rol als grootmoeder ga overnemen. Het lijkt wel of ze nu dichter bij me staat, ook al was ze al gestorven voor Tara werd geboren.' Ik stop even om me te verbazen over hoe de generaties elkaar opvolgen. Hoe we de oude voorbeelden overnemen als we dat willen en als we geluk hebben. 'Kleinkinderen zijn het belangrijkste onderwerp van mijn jaar geweest.' En Jim. Niet te geloven dat ik in één jaar tijd grootmoeder word, verliefd ben geworden, in zee ben gegaan met een jongere minnaar en misschien zelfs een partner voor de rest van mijn leven heb gevonden 'Ik denk dat dit koekje een grootmoeder-kleinkinderenkoekje is.' Ik lach.

Dan zie ik weer Tara's kleine handjes voor me die de deegballetjes rollen. Sky duikt in de kom. In mijn herinnering zie ik alleen hun handjes die de balletjes rollen. Sky met nageltjes vol afgebladderde parelroze nagellak. Tara, ongeveer vier, smeert het deeg op haar vingers en likt ze dan af. Sky bestrooit haar handen zorgvuldig met meel en is ingespannen bezig met het maken van ronde hoopjes, met de concentratie waarmee ze alles altijd doet.

Ik schraap mijn keel. 'Ik weet nog dat ik mijn grootmoeder hielp met de pecannotenballetjes, en dat Tara en Sky mij hielpen toen ze klein waren. Ik hing aan de telefoon met Sky toen ik deze aan het maken was.' Ik leg mijn wijsvinger op mijn gekneusde wang. 'Daardoor heb ik dit opgelopen. Multitasken.' Voor ik met mijn verhaal begon had ik me niet gerealiseerd dat die koekjes zo'n sterke weerspiegeling van eerdere generaties waren. Over een paar jaar, ik zweer het, zal ik ze gaan maken met Sky's dochter en Tara's zoon. Ik grinnik in mezelf als ik terughaal hoe de keuken eruitzag als Tara en Sky klaar waren met bakken, met de helft van het deeg in hun maagje en de rest op hun handen en de vloer. Ook toen waren het plezier en de lol veel belangrijker dan de troep.

Mensen die samen in de keuken koken. Dat is bijna net zo leuk als mensen die samen eten. Bijna net zo fijn als seks.

'Zo, nu is het Taylors beurt.' Ik vouw de boodschappentassen op en doe ze in de recyclebak.

'O,' zegt Juliet, 'ik vind het altijd vreselijk als de laatste begint. Dat betekent dat het feest bijna voorbij is.'

'Dat hoeft niet, hoor. Charlene blijft slapen. Je mag blijven zolang je wilt.'

Taylor haalt haar tassen. Door de extra tassen is het hoekje waar ze zichzelf in gewrongen heeft naast Allie ineens tjokvol. Ik leerde Taylor kennen door Tracy, op een van de feestjes die Tracy zo graag organiseert. Ze had een lege schuur gehuurd en plaatselijke bands ingehuurd. Het kan ook zijn dat die het voor niets deden, als collegiale geste, omdat ze haar en Silver kenden van het werk. Stephen en ik waren kort daarvoor uit elkaar gegaan. Taylor en ik gingen dansen toen de band 'Honky-Tonk Woman' begon te spelen. We stonden allebei op de vloer en swingden op de muziek, terwijl stellen en andere eenlingen om ons heen dansten. Rick, Taylors man, danste niet en daarom bleven we bijna de hele avond samen, terwijl Rick bier dronk en toekeek. Ik voelde dat zijn ogen op ons gericht waren en wenkte naar hem om mee te doen, maar hij keek de andere kant op; een mooie man met een zure blik die sommige vrouwen als een aantrekkelijke uitdaging beschouwen. Hij wekte de behoefte om hem koste wat kost aan het lachen te maken. Een vrouw die vindt dat het haar missie is om een man gelukkig te maken, zou zichzelf nog in een pretzel veranderen om dat voor elkaar te krijgen. Taylor was op die avond al zwanger van haar tweede kind, maar je kon het nog niet zien.

'Je komt me bekend voor,' zei ik.

Schouderophalend keek ze weg. 'Vroeger had ik felrood haar en was ik tien kilo lichter.' Ze danste van me weg en zwierde met een perfecte swingbeweging weer naar me toe.

Ik probeerde me te herinneren waar ik haar eerder had gezien. Ik wist dat het niet op een feest was geweest. 'Misschien heb ik je gewoon ergens in de stad gezien.'

Maar toen de leadgitarist vroeg of ze de microfoon wilde en ze haar hoofd schudde, wist ik het ineens weer. 'Je zat in die band... hoe heette die ook weer? Crazy Alligator.'

'Dat was in een vorig leven. Dat was... hoeveel...? vijftien jaar geleden. Niet te geloven dat je dat nog weet!'

Tussen de sets door vertelde ze me dat ze nu in de internettechnologie zat en voor Pfizer werkte. Rick werkte daar ook, in de onderzoekslaboratoria. Hij had keyboard gespeeld toen Taylor in de Crazy Alligator Band zong. Ze was een blueszangeres, maar ze miste de noodzakelijke rauwheid en melancholie in haar stem. Daardoor was ze oké als plaatselijke grootheid, maar zou ze nooit een ster worden. Haar geluid was gewoon te iel. Ze hield zich altijd vast aan de microfoon of die haar laatste redding was, alsof die haar aan het podium verankerde zodat ze niet kon ontsnappen. Die zangeres moet zich laten gaan en vrij worden, had ik gedacht, maar ik had helemaal niet op de keyboardspeler gelet. Hij was een goede vakman, maar zonder enige sjeu. Hij had mathematische kennis van muziek, maar de emotie ontbrak.

Rick en Taylor kregen genoeg van de lange rokerige nachten met weinig erkenning en nog minder geld. Rick was afgestudeerd als natuurwetenschapper, haalde zijn master en ging bij Pfizer werken. Misschien heette het toen nog wel Parke Davis. Taylor, die een diploma als lerares had, ging computerwetenschap studeren en mensen trainen in het werken met farmaceutische softwaretoepassingen.

De Taylor van toen – die met het felrode haar, strakke jeans en een swingende, levendige uitstraling die ik toen zag zingen, of de dansende Taylor met highlights in haar haren en een opbollende kleurige tuniek die ik leerde kennen op Tracy's feestje – lijkt niet op de Taylor van nu. Haar haren zijn bruin, een beetje grijzend bij de wortels. Ze is niet zwaarder geworden. Misschien is ze zelfs wel een beetje afgevallen. Donkere kringen rond haar ogen maken dat ze er etherisch en een beetje broos uitziet. Haar sjaal is er meer om dingen te verbergen dan om ze mooi uit te laten komen. Ze draagt geen lippenstift.

Ik weet niet of de reden van Taylors uiterlijk te maken heeft met haar liefde voor Allie, de zorg voor haar gezin, of haar geworstel om een nieuwe baan te vinden nu Pfizer zijn vestiging in Ann Arbor heeft opgedoekt. Misschien is het een combinatie van alle drie.

Nu staat ze voor haar tassen. Ze wacht geduldig tot haar gehoor weer zit en tot zwijgen is gekomen. Maar we worden niet stil. We praten met elkaar. Jeannie en Juliet lachen.

Taylor schraapt haar keel. En wacht. Ze doet het nog een keer en dan pas gedragen we ons.

'Eerst wil ik zeggen dat ik van dit feest hou. Ik kijk er altijd naar uit, elk jaar weer, en dat begint waarschijnlijk al in de zomer. Dan begin ik al koekjesrecepten te zoeken en speur ik al in winkels naar slimme verpakkingen. Voor mij betekent het de start van de feestdagen. We weten dat het bij jou thuis is.' Ze draait zich naar me toe. 'Marnie, als ik hier binnenkom word ik altijd verwelkomd door de geuren van kaneel en dennengroen. Ik zie je kerstdecoraties, de boom met de macramé versieringen, de brandende kaarsen overal. Ik voel de liefde van vrienden.

Van deze tijd van het jaar hou ik het meest. De feesten. De schitterende lichtjes in de kerstbomen in de stad, de winkels en de huizen. De vreugde en de feesten beginnen met dit feest en duren tot 1 januari. En dan is er de prachtige sneeuw. Sleetje rijden, sneeuwpoppen, crossen met de sneeuwscooters en buiten schaatsen. Heerlijk! En jouw feest geeft het startsein en is er het beste onderdeel van.' Haar stem sterft weg en ze staat daar een beetje verloren.

'Ons feest. We maken dit feest met z'n állen,' zeg ik.

'Maar jij organiseert het. Jij schept de mogelijkheid.'

Taylor wipt van haar ene op haar andere been. 'Dit jaar dacht ik dat ik verstek moest laten gaan. Het ging zo slecht.' Ze doet haar ogen dicht en slikt.

We zijn stil en merken dat haar stem trilt.

'Ik was er kapot van. Want ik ken de regels: als ik geen koekjes meebreng is het uit.'

Haar ogen richten zich op Allie en vullen zich dan met tranen. Ze haalt adem, houdt haar adem in en kijkt ons dan allemaal aan. 'Niet veel van jullie weten het, maar mijn leven is kapot.' Ze perst haar lippen op elkaar. 'Rick had een affaire met iemand van zijn werk. Ik vermoedde het en confronteerde hem ermee, maar natuurlijk loog hij. Toen Pfizer dichtging bleef hij verdwijnen. Via personeelszaken was hij op zoek naar een op onderzoek georiënteerde baan, zei hij. Maar ook dat was een leugen. Intussen werd Rick niet gevraagd om naar Connecticut te verhuizen, en heb ik geen nieuwe baan kunnen vinden. Twee werkloze mensen dus, twee kinderen, twee auto's, een hypotheek, een hond en een kat.'

Ze kijkt naar Laurie. 'Je gelooft nooit dat het je zelf ook kan overkomen.' Ze schudt haar hoofd. 'Je doet alles goed, je werkt hard, maar toch kan het gebeuren. Jullie zijn zo slim om niet op de ramp te gaan zitten wachten.'

'Wij weten ook niet wat de toekomst brengen zal.'

'Maar jullie hebben elkaar. En jullie werken samen. Ik...' Ze stopt en begint opnieuw. 'Ik... Uh... Rick is er vier weken geleden vandoor gegaan, met die andere vrouw die wel naar Connecticut is verhuisd. Hij nam het ontslaggeld van Pfizer mee. Liet mij achter met wat er over was van het mijne.'

'Klootzak,' zegt Rosie.

'Toen bleek dat hij de hypotheek niet had betaald sinds de kosten daarvan de pan uitgerezen waren. Ik probeerde het huis te houden, maar vlak voor Thanksgiving moesten we eruit.' Haar ogen staan somber. 'Het was zwaar. Verdomme. Het was verschrikkelijk.'

'O, Taylor,' zegt Laurie. 'Waarom heb je niets gezegd?' Ze schudt haar hoofd. 'Ik weet het. Je wilt voor jezelf zorgen. Je denkt dat het zo hoort. Alsof het op de een of andere manier jouw fout is. Mijn man en ik hebben eindeloos gedacht dat we gewoon niet hard genoeg gewerkt hadden.'

'Ik kon geen werk vinden en er was niet genoeg geld om de rekeningen te betalen en eten te kopen. Ik bakte sardientjes en deed drie dagen met een kip. Pindakaas en bonen waren mijn redmiddel. Mijn werkloosheidsuitkering hield op en mijn ontslaggeld was uitgegeven. En toen...' Ze slaat haar armen om zich heen. 'Legden ze beslag op het huis. Twee weken geleden. Net voor Thanksgiving. Rick moet het hebben geweten want hij vertrok twee weken voor de laatste aanmaning. Ik kon het niet geloven. Maar het is gebeurd en ik kon er niets aan doen.' Ze is even stil en doet haar ogen dicht. 'Er was geen koper voor het huis te vinden en bovendien is het minder waard dan de hoogte van de schuld. Ik ging naar de rechtbank voor hulp en naar de bank, maar het was toen al veel te ver heen. Rick had voor mij verzwegen hoe rampzalig de situatie was.'

'Uiteindelijk moet Rick wel betalen, hoor,' zegt Rosie. 'Hij moet alimentatie voor de kinderen betalen, ondersteuning voor de echtgenote en de achterstanden. Hij komt er niet zomaar mee weg. Ik ken wel een advocaat die je kan helpen.' Ze doelt op haar echtgenoot.

'Ik ook,' zegt Jeannie. 'Wij kunnen misschien iets doen met de hypotheekbank.'

'Ik was zo...' Taylor stopt. 'Verbijsterd en verdwaasd, als een hert dat door koplampen verblind wordt. Ik schaamde me. Ik was overweldigd.'

'Is het te laat?'

'Te laat voor het huis. Te laat voor Rick.' Taylor trekt haar schouders naar achteren.

'Maar niet te laat voor jou en de kinderen,' zeggen Charlene en Sissy tegelijk.

'Maar mijn verhaal is nog niet afgelopen. Ik vond dat ik hier vanavond niet mocht zijn, dat ik het geld dat ik nodig had om mijn kinderen te voeden, niet mocht gebruiken voor koekjes en verpakkingen, zelfs niet van de dollarwinkel. Ik had geen idee waar we naartoe moesten. Naar mijn moeder? Naar Ricks ouders? Naar mijn zus?' Ze pakt een glas water.

Ik wist dat ze haar baan kwijt was. Maanden geleden belde ze me daarover en ik heb haar toen voorgesteld om in de verkoop te gaan. Zwaar werk, maar beter dan niets. Ze wilde blijven lesgeven en trainen. Ze had een baan met goede voorwaarden nodig om voor haar kinderen te zorgen. Ik stelde voor om het bij de universiteit te proberen. Dat had ze al geprobeerd, maar die had een personeelsstop. Ik nodigde haar uit voor netwerkontbijten, maar ze had geen geluk. Iedereen had alles al afgekamd en alle mogelijke hulp ingepikt.

'Ik zou naar India moeten verhuizen,' grapte ze.

Ik wist niet dat Rick een affaire had. Ik wist niet dat hij haar volledig kaalgeplukt had en haar en de kinderen in de steek had gelaten. Ik zie weer zijn ogen voor me van al die jaren geleden toen we aan het dansen waren, die zo schuin uit een hoekje keken. Bij elke gelegenheid hield hij zich afzijdig en keek alleen maar toe hoe wij dronken en lachten. Door zijn hangende mondhoeken had hij een uitstraling van afkeuring en minachting. Ik hield me voor dat het alleen maar kwam door de vorm van zijn mond. De afgelopen jaren ging hij zelden met ons mee, te druk met het afmaken van experimenten, met zijn werk in het lab. Iedereen die ik kende die voor Pfizer werkte, zat daar zestig uur per week, dus dat vond ik niet raar. Die vele uren maken het niet zo makkelijk om een relatie levendig te houden.

Ik denk aan Jims hectische werk.

Taylor leek de motor in het huwelijk te zijn, degene met meer vuur en enthousiasme. Rick leek vooral de verbruiker van haar energie, maar dat paste misschien wel bij haar behoefte om zich onmisbaar te voelen. En twee kinderen zijn al zulke grote energievreters. Daar weet ik alles van en ik herinner het me nog goed. Ricks afhangende mond drukte niet alleen zelfvoldaanheid uit, maar ook onvrede. Depressief, dacht ik, en mensen doen alles om zich daar verre van te houden. Alles. Dus ook vrouw en kinderen in de steek laten. Echt alles.

'Op de dag voor Thanksgiving zei Allie dat we bij haar in het souterrain konden intrekken. Het is een appartement met een slaapkamertje, een grote woonkamer, en een eigen keuken en badkamer.'

'Het is oké voor een noodsituatie en ze kunnen daar blijven tot ze een baan gevonden heeft en genoeg geld heeft om iets anders te huren.' Allie glimlacht naar Taylor. En dan begrijp ik Taylors adorerende blik.

'Allie heeft mijn leven gered,' zegt Taylor.

'Flauwekul. Ik ben alleen maar een haven in de storm. Daar zijn we voor. Vriendinnen. Om elkaar te helpen. En ik heb ruimte genoeg,' protesteert Allie. Ze zwaait met haar hand alsof ze zo Taylors afhankelijkheid wil wegwuiven. Dat zou iedereen toch doen, zegt haar gebaar.

'Dat heb ik ook meegemaakt. Zonder Charlene zou ik het niet gered hebben als alleenstaande moeder met kleine kinderen. Je bundelt je krachten en zo kom je er samen doorheen,' zeg ik.

Taylor gaat verder. 'Tracy heeft ook geholpen en Silver heeft zijn truck geleend voor de verhuizing. Vlak voor ze wegging, zijn Tracy en ik de doosjes gaan kopen en zij heeft ze betaald. Allie kocht de ingrediënten zodat ik deze koekjes kon maken. En ze heeft ook geholpen met bakken.' Ze grijnst naar Allie.

'Dat was het leukste,' zei Allie.

'Waarom heb je het ons niet verteld?' vraag ik.

'Het is allemaal pas afgelopen week gebeurd. En toen wist ik al dat ik het iedereen zelf wilde vertellen. Vanavond. Hier. Allie zorgt ervoor dat we niet een soort van dakloos worden, geloof ik, maar Tracy en zij hebben er samen voor gezorgd dat ik hier kon zijn.' Een lieve lach, teder en voorzichtig, trekt over haar gezicht. 'En het is zo goed om hier te zijn. Dit is voedsel voor de ziel. Gewoon hier zijn werkt al helend. Ik hou zoveel van jullie allemaal. Dit ene ding wilde ik echt niet kwijt.' Taylor duikt in haar tas en haalt er vrolijke doosjes in de vorm van een ster uit, met de Kerstman op de deksel en steigerende rendieren op de zijkant. 'Hier zijn ze.' Ze geeft de eerste doos aan Sissy, die hem vervolgens doorgeeft.

'Er zitten drie soorten gember in het koekje: verse, gemalen en gekonfijte. Ik hou van die combinatie van scherp en zoet in gekonfijte gember: de smaken versterken elkaar waardoor elke smaak heel uitgesproken wordt. Dit jaar, met alle liefde die Allie en Tracy me hebben gegeven, en Marnie die me aan een baan probeerde te helpen, en al die liefde en zorg van mijn vrienden…' Tranen wellen op, waardoor ze even moet stoppen om haar wang af te vegen, '… zijn jullie het zoet na het zuur dat ik net te verwerken heb gekregen.'

Het blijft even stil.

We laten allemaal haar woorden bezinken.

'Wat ontroerend,' zegt Jeannie.

Dan zegt Taylor: 'Vriendinnen, ik hou van jullie allemaal. Wat zou ik zonder jullie moeten?' Ze deelt haar laatste doos uit. 'Daarom wilde ik als laatste. Omdat… ik kracht moest putten uit jullie liefde.' Ze heft haar glas witte wijn en grinnikt. 'Om jullie te vertellen wat er aan de hand was, maar vooral om te vertellen hoeveel ik van dit feest hou en wat het voor me betekent… en hoeveel jullie voor mij betekenen. Het voelt bijna alsof, nou ja, jullie ons leven gered hebben.' Met grote ogen perst ze haar lippen op elkaar, alsof ze meer gezegd heeft dan ze eigenlijk wilde, en dan laat ze zich in haar stoel vallen.

'Wat zouden we moeten zonder elkaar?' Dat was een stelling, geen vraag. En ieder van ons heeft daar zijn eigen antwoord op.

'Dat is waar dit feest werkelijk om draait: vriendinnen,' zegt Taylor. Haar sombere stemming is verdwenen en sprankjes van haar energie zijn weer teruggekeerd.

'Yep.'

'Niet om koekjes. En ook niet om koekjes geven aan onze vrienden en de hospice. Maar om vriendinnen,' zegt Vera.

Allie begint de keuken op te ruimen. Rosie pikt haar stoel in, en Jeannie en Rosie klitten om Taylor heen. Rosie weet veel over familierecht. 'Geloof me nou maar, hij zal uiteindelijk moeten betalen,' hoor ik haar zeggen.

'Maar dat helpt nu niet. Bovendien valt er van een kale kip niks te plukken,' reageert Taylor.

'Het wordt wel beter,' zegt Jeannie.

'Het is een kwestie van tijd.' Ze kijken elkaar aan alsof ze net zo goed tegen elkaar praten als tegen Taylor.

'Dat weet ik. Hier komt een einde aan. Maar de oplossing is een baan met een redelijk salaris en goede arbeidsvoorwaarden.' Ze haalt haar schouders op. 'Ik heb al minstens tweehonderd sollicitatiebrieven geschreven. Ik ben naar vijfentwintig sollicitatiegesprekken geweest om te moeten aanhoren dat ik overgekwalificeerd ben.'

Laurie heeft haar jas aan, haar tas hangt over haar schouder en haar koekjes zitten in een grote boodschappentas. 'Zo. Ik moet nu echt naar Olivia,' zegt ze en ze kust me. 'Laten we na de feestdagen afspreken.'

'Geef die baby heel veel pakkerds,' zegt Sissy.

'Dag allemaal.' Laurie blijft bij de deur naar ons staan kijken.

Door haar trillende stem sta ik ineens stokstijf stil. Dit is haar laatste feest. 'Ik hou van jullie allemaal.' Laurie wordt overstelpt door knuffels en overladen met hartverwarmende wensen: 'Ik hou van je', 'Tot ziens', 'Rij voorzichtig' en 'Gelukkig Nieuwjaar'.

Door de open deur zie ik dat het niet meer sneeuwt. De sneeuw ligt nu als een dikke deken op de bomen, de daken, de straten en de auto's, en ik hoop dat er geen ijs onder zit.

Vera zegt: 'Ik ga een afscheidsfeest voor haar organiseren.'

'Ik dacht aan hetzelfde.'

Met zijn aapje in zijn bek buitelt Disney kwispelend en springend naar de deur.

Tara is weer terug.

'Hoe zijn de wegen?' hoor ik Laurie vragen terwijl ze elkaar passeren op de oprijlaan.

'Oké, maar rij langzaam. Hier en daar is het glad,' roept Tara ten antwoord, terwijl ze binnenstapt.

'Precies op tijd, hè?' zegt Tara.

'We zijn net klaar.' Ik knuffel Tara en voel de harde bobbel tussen ons in.

'Van Sky gehoord?' fluistert Tara met opgetrokken wenkbrauw.

'Yep.' Ik grijns.

'Ik ben zo blij! Zo opgelucht. Het zou zo verschrikkelijk zijn geweest. Ik zou me zo schuldig gevoeld hebben, of zo, weet je.'

'Die ellendige ironie waar je het afgelopen zomer over had.'

'Precies,' zegt Tara. 'Maar nu is het allemaal goed, of zo.'

'Een meisje. Ze krijgt een gezond meisje.'

'Dan krijg je er dus van elk een. En mijn baby krijgt een nichtje van zijn eigen leeftijd.' Ze grijnst. 'Perfect. Ik had hier wat eerder willen zijn om een beetje van het feest mee te maken, maar met mijn vrienden ging het... de tijd vloog voorbij, of zo.' Tara haalt haar schouders op.

'Hier zijn wat koekjes voor jou.' Ik geef haar een dozijn van de pecannotenballetjes die ik extra gemaakt heb.

Sissy is nog in gesprek met Charlene als Tara binnenkomt. 'Daar is mijn lift,' zegt Sissy en ze staat op.

Charlene pakt pen en papier uit haar tas en begint te schrijven. 'Laten we iets afspreken,' zegt ze. 'Hier is mijn nummer.'

Juliet omhelst Sissy. 'Zo goed om je te leren kennen.' Daarna omhelst ze Tara.

Jeannie vraagt: 'Heb je al valse weeën gehad? Van die Braxton Hicks-contracties?'

'Misschien wordt de baby wel met kerst geboren,' zegt Taylor, terwijl ik achter Sissy aan loop om haar met haar jas te helpen.

Sissy trekt haar jas onder een andere vandaan en ik houd hem voor haar op zodat ze er makkelijk in kan schieten.

'Bedankt, Marnie. Dit was een prachtig feest.'

'Ik ben zo blij dat je kon komen. En ook zo blij dat Tara jou heeft als grootmoeder van haar kind.'

Sissy lacht. 'Maar nog niet overtuigd van Aaron, hè?'

Ik ben onder de indruk van haar directheid.

'Ik geloof dat geen van ons helemaal zeker kan zijn van welke man dan ook.' Ze schudt haar hoofd, zodat haar korte rastalokken om haar hoofd dansen.

Ik lach omdat ze gelijk heeft. Helaas wel. 'Met Jim ben ik daarmee bezig.'

'Aaron is oké voor een jonge kerel.' Haar woorden bagatelliseren de glans van trots op haar gezicht.

'Ik geloof dat hij oprecht is en dat ze echt een gedeelde passie voor muziek hebben.' Ik kijk haar ernstig aan. 'Hij houdt van Tara. Dat weet ik. En bedankt dat je hem vanavond aan me hebt laten zien.'

'Dat was helemaal voor jou. Nou ja, vooral voor jou.'

We zoeken een weg naar elkaar toe, en we zijn bezig met het smeden van een alliantie vanwege het gelukkige toeval dat we door onze kinderen bij elkaar gebracht zijn.

'Ik denk dat als ze van elkaar houden en zoveel gemeenschappelijk hebben, daar ook iets van in ons zit,' zegt ze. 'In jou en mij.' En ze wijst naar ons beiden.

Haar directheid is nooit agressief. 'Ik vind het fijn dat jij de dingen gewoon op tafel legt. Jij zorgt ervoor dat er geen olifanten onzichtbaar onder het kleed in het midden van de kamer verstopt blijven.'

Ze lacht. 'Dit is voor ons allebei nieuw. Ik had nooit een halfblank kleinkind verwacht.'

'Ik ook niet.' En we lachen allebei. 'Maar het ging eigenlijk niet om het verschil in ras, maar om het feit dat hij in de gevangenis heeft gezeten.'

Ze knikt en trekt haar mooie wenkbrauwen op: 'Dat vond ik

ook niet bepaald fijn. Absoluut niet. Maar Aaron is dat station nu gepasseerd, en door de worsteling wijzer geworden.'

'Dat lijkt inderdaad zo en we moeten zien of ze elkaar veiligheid en geborgenheid kunnen bieden. Dat is niet makkelijk, welke beslissingen we ook nemen. Zeker op dit moment.'

'Het leven,' zegt ze schouderophalend, 'gaat gewoon door zonder zich druk te maken over onze domme ikjes.' Ze knoopt haar jas dicht.

'Onze baby heeft ons en wij vormen een coalitie.'

'Hij zal ons hebben. En hen. Dat is heel wat,' zegt Sissy.

'De volgende keer dat we elkaar zien zal wel in de verloskamer zijn.'

'Ik heb iedereen verordonneerd op wacht te staan en me onmiddellijk te bellen, zodat we er samen heen kunnen snellen.' Sissy lacht. Ze haalt een slappe rode hoed uit haar jaszak.

Vera loopt de slaapkamer binnen. 'O.' Ze pakt haar jas en loopt weer weg, terwijl ze roept: 'Tot gauw, Marnie. Fijn je ontmoet te hebben, Sissy.'

'Ik ga ook weg,' zegt Sissy terwijl ze op haar horloge kijkt. 'Fijn om je te leren kennen,' roept ze als ze wegloopt.

Voor ze vertrekt geeft Vera me een afscheidskus.

Ik knuffel Tara en zeg: 'Ik zie jullie op kerstavond, Aaron en jou.'

'Als je nog geen andere plannen hebt en zin hebt, kun je ook naar mij toe komen met kerstavond,' zegt Sissy.

'Sky en Troy zullen er zijn.'

'Die zijn ook welkom.'

'Wat een goed idee, dan zijn we allemaal samen,' zeg ik.

Tara en Sissy lopen naar de deur. 'Tot ziens, allemaal,' zegt Sissy.

'Tot volgend jaar.'

'Je hamburgertjes zijn top.'

'Je bent een fantastische koekjesmaagd,' zingen de stemmen in koor.

En dan: 'Ik kijk ernaar uit om je baby te zien, Tara,' zegt Rosie.

'Vergeet niet te puffen. Alsmaar puffen,' zegt Jeannie.

Allie en Taylor hebben de afwas gedaan, terwijl ik met Sissy praatte. Ze schenken hun glazen vol met water of wijn en gaan naar de woonkamer. Ik draai met mijn schouders en nek. Mijn bovenrug is moe. Ik schenk witte wijn in mijn glas en loop ook naar de woonkamer.

Juliet heeft haar jas aan, een tas koekjes in één hand en haar lege schaal in de andere. Ze zwaait als ze vertrekt. 'Dag. Hou van jullie. Zie jullie over een paar weken.'

Met z'n zessen gaan we weer zitten, op onze vaste stoelen.

'Ik heb een beslissing genomen,' zegt Jeannie. 'Ik ga weg bij de zaak.'

'Maar je hebt er al sinds de middelbare school gewerkt. Je wilde hem overnemen,' zeg ik.

'Het is er ondraaglijk. En wie weet wat er gaat gebeuren? Misschien wordt de zaak wel van Sue en dan moet ik voor haar gaan werken. Hoe dan ook zal er op korte termijn niets worden opgelost. En als dat wel het geval is, op welke manier dan ook, zal de zaak nooit meer hetzelfde zijn. Ik zal altijd aan pap en Sue en hun onnadenkendheid blijven denken.'

'Ze hebben wel over jou nagedacht,' zegt Rosie, 'en ook over je moeder.'

Jeannie leegt haar glas en zet het met zo'n kracht op tafel dat het kristal tinkelt.

Nog steeds boos, denk ik. 'Je hebt recht om boos te zijn,' zeg ik.

Ze knikt. 'Ik wil niet langer vastzitten en ik moet mijn eigen droom volgen. Ik denk erover een yogastudio te beginnen. Ik ga niet meteen weg, maar eerst een opleiding doen, mijn diploma halen en dan een studio openen. Ik ga me emotioneel terugtrekken uit de zaak.'

'Je zou nu al kunnen beginnen en mensen in dienst nemen om

les te geven. En dan in de tussentijd je diploma halen.'

'Dat zou kunnen.'

'De huren zijn laag. Misschien is het nu de juiste tijd om een goede deal te sluiten.' Rosie is er gek op om dingen op te zetten.

'Ik wil heel graag helpen,' zegt Taylor. 'Ik heb de tijd. Het zou leuk zijn om iets nuttigs te doen. En ik kan in ieder geval een website voor je bouwen.'

'Oké,' zegt Jeannie. 'En ik ga mijn vader vertellen dat het door zijn daden voor mij zo onhoudbaar is geworden dat ik niet meer met hem wil werken. Dat ik me uiterst onbehaaglijk voel dat ik het geheim moet houden voor mijn moeder. Ik weet nog niet hoe ik daarmee om moet gaan, maar er is in ieder geval geen reden om tegenover mijn vader te doen alsof. Dat is het verschil, ik ga niet meer doen alsof.'

'Yoga is een troost voor je geweest.' Ik denk aan de ontbijten 's morgens vroeg met Jeannie, die glom van het zweet.

'Het heeft mijn leven veranderd,' zegt ze. 'Dat zou ik ook aan andere mensen willen geven. Een retraitecentrum waar...' Ze zoekt het juiste woord. 'Waar namaste in al zijn vormen bestaat. Yoga. Misschien meditatie. Misschien levenscoaching. Misschien iets over voeding en gezond voedsel. Groen leven. Ik weet het niet.'

'Therapie?' voegt Allie eraan toe.

Taylor herhaalt: 'Levenscoaching... dat lijkt op training. Hmm.'

'Een retraitecentrum voor vrouwen?'

'Ook voor mannen. Waarom zouden we die uitsluiten?'

Charlene komt de kamer binnen in een broek en topje van een zachte abrikooskleur en met een maagdenpalmblauwe sjaal omgeslagen. Ze heeft haar gezicht gewassen en ze ruikt naar limoen en lavendel. Met een glas water in haar hand gaat ze weer op haar stoel zitten.

'Ik weet niet wat ik met Sue aan moet,' zegt Rosie. 'Ik zit ook tussen twee vuren. Misschien moeten we er een keer met z'n drieën over praten.'

Jeannie schudt haar hoofd. 'Ik heb haar niets te zeggen.'

'Misschien na Italië?'

'Dan zal mijn vader open kaart moeten spelen. Of gaat Sue eindeloos wachten?'

Schouderophalend doet Rosie haar ogen dicht en perst haar lippen op elkaar.

'Uiteindelijk zal het wel opgelost worden.'

'Ja. Net als werkloos zijn en leven van de barmhartigheid van Allie tijdelijk is,' zegt Taylor.

'Maar de prijs is hoog.'

'Misschien niet, misschien is het juist een zegen, iets wat je sterker maakt,' zegt Charlene. 'Je hebt nu al nieuwe dingen over jezelf ontdekt en misschien een nieuw pad gevonden.'

Allie haalt haar jas. Ze heeft haar koekjes en een lege schaal in haar handen. 'Ik heb een patiënt om acht uur.' Dan is ook Taylor gepakt en gezakt, en klaar om te gaan.

'Zo. Taylor, morgen bel je me. Morgen. Serieus. Ik praat met Kevin en we zullen zien wat we kunnen doen,' zegt Rosie.

'Bedankt. Ontzettend bedankt dat je elk jaar weer dit koekjesfeest organiseert.' Ze omhelst me.

'Misschien kunnen we samen met de studio aan de gang gaan?' oppert Jeannie.

'We houden van je,' zegt Charlene. Ze zegt niet dat ze er wel doorheen komt. En ze zegt ook niet dat ze het ook heeft meegemaakt en er alles van weet. Ik ook niet. We kijken elkaar aan en in die blik schuilt de tijd waarin we heel dicht bij elkaar waren, met oppassen, werken en zorgen voor Sky, Luke en elkaar.

Taylor ziet het en zegt: 'Ja, dat weet ik. Het is zoals je zei: je komt er sterker uit tevoorschijn en meer jezelf.' Ze draait zich om naar Jeannie. 'Misschien ook wel zingen in die studio,' en ze lacht.

Tegen de tijd dat ik ze uitzwaai, hebben ook Rosie en Jeannie hun jassen aan. Rosie komt altijd als eerste en vertrekt als laatste. Ik knuffel ze en kijk toe hoe ze samen weglopen. Jeannie zegt iets tegen Rosie. Ik zie dat Jeannie haar hoofd omdraait en dat haar lippen bewegen, maar ik kan niet verstaan wat ze zegt. Maar het lokt een omhelzing van Rosie uit. Ze staan in het midden van de stille straat, tot zwijgen gebracht door de deken van glinsterende sneeuw. De straatlantaarns schijnen op hun haren en kijken toe hoe ze elkaar vastpakken voordat ze uit elkaar gaan om de sneeuw van hun auto's te vegen.

IK TREK MIJN kleren uit en was mijn gezicht. Op mijn wang bloeit de kneuzing paars met een zweempje geel eromheen als een bloem op mijn wang. Ik doe een felgekleurde gestreepte flanellen pyjama aan, eentje die ik nooit met Jim zou aandoen en trek mijn lavendelkleurige badjas aan.

Er zit nog wijn in mijn glas, dat nog steeds versierd is met het Kerstmannetje. Charlene ligt op de bank met een kussen van mijn bed onder haar hoofd en een deken over zich heen. Ik zit op de stoel waar zij de hele avond op gezeten heeft.

'Weer een fantastisch feest.'

'Volgend jaar wordt het nog beter.'

Charlene legt haar hand onder haar kin. 'Ja, het wordt makkelijker, maar het zal nooit verdwijnen. En ik heb zo'n idee dat Sissy misschien gelijk heeft.'

Ik knik. 'Ik zie je wel als predikant. Twintig jaar geleden niet, tien jaar geleden ook niet, maar nu wel.' Ik draai met mijn schouders en masseer mijn nek. 'Ik heb Jim gezegd dat ik van hem hou.'

Charlene heft haar glas. 'Wat een avond voor jou. Goed nieuws van Sky. Een belangrijke stap met Jim. En je hebt jezelf opengesteld voor je béide kleinkinderen.' Ze benadrukt het woord 'beide' om mijn eerdere zorg en onvrede over Tara's situatie te onderstrepen.

'Sissy is echt bijzonder. Als haar zoon maar half zo fantastisch is als zijn moeder, heeft Tara een lot uit de loterij getrokken. En ik ga er zo ontzettend van genieten dat ik mag bijdragen aan al die liefde.'

'Misschien heeft Luke gelijk en is liefde onsterfelijk. Misschien is liefde wel de ultieme steen in de vijver. De ultieme vlindervleugel.'

'In ieder geval een van die twee.' Ik kan niet nalaten te denken dat ook negatieve dingen een steen in de vijver kunnen zijn. Oorlogen leiden tot meer oorlogen. Haat escaleert in monumenten van wraak. Maar Charlene hoeft niet herinnerd te worden aan ellende. 'En misschien is liefde uiteindelijk het beste wat we krijgen. Liefde lost niet alles op, maar is ondanks alles het meest betekenisvolle wat we hebben.'

'Ja. Het beste wat we hebben.' Ze veegt een plukje haar uit haar gezicht. 'En we hebben het gedaan.'

'Opnieuw.' We hebben onze koekjes gemaakt, ze met onze vriendinnen gedeeld en elkaar door donkere tijden heen geholpen. We hebben genoten en weer een jaar gevierd.

'Hiep hiep hoera voor ons!'

Ja.

GEMBER

Voordat chocolade het favoriete toetjesingredënt werd, beschouwden de Europeanen gember als de meest exquise smaak. Gember komt oorspronkelijk uit Azië, waar hij al minstens 4400 jaar als culinaire specerij gebruikt wordt, en hij groeit op vruchtbare, vochtige, tropische grond. De plant brengt trossen witte en roze bloemknoppen voort waaruit gele bloemen bloeien. Het is de ondergrondse wortel die uitgroeit tot de specerij.

Gember is minstens even bekend om zijn medicinale gebruik als om zijn heerlijke smaak. Gember was eeuwenlang van groot belang in de Chinese geneeskunde en wordt genoemd in de geschriften van Confucius. Ook komt hij voor in de Koran, wat aangeeft dat hij al rond 650 n.Chr. bekend was in de Arabische landen. Gember is een bekend zweetdrijvend middel, dat wil zeggen dat men ervan gaat zweten. Henry VIII gelastte de burgemeester van Londen gember te gebruiken als medicijn tegen de pest.

Gember wordt gebruikt bij maagzuurproblemen en bij misselijkheid door zeeziekte, ochtendziekte en chemotherapie. Mijn grootmoeder stond erop dat *ginger ale* gedronken moest worden als iemand last van zijn maag had. En ik vind gemberthee heerlijk. Rasp de gember en doe die samen met wat honing in een thee-ei. Het is een dagelijks medicijn zonder dat je pillen hoeft te slikken.

Heel goed als je last van je maag hebt. Er is enig bewijs dat gember gewrichtspijn en artritis vermindert, en hij zou ook bloedverdunnende en cholesterolverlagende effecten hebben. Gember werkt tegen diarree, vooral tegen de soort die de belangrijkste oorzaak is van babysterfte in ontwikkelingslanden.

Gember werd lang gebruikt als een afrodisiacum, en werd inwendig of uitwendig toegepast. Hij wordt genoemd in de Kama Sutra, en op de Melanesische Eilanden in de Stille Zuidzee wordt hij gebruikt om de belangstelling van een vrouw te wekken, omdat het eten van gember de bloedstroom naar het kruis verhoogt. Maar op de Filippijnen wordt gember gekauwd om duivelse geesten uit te drijven.

In Azië wordt gember gebruikt in zoetzuur, chutneys en currypasta's: de gemalen gedroogde wortel is een van de ingrediënten van kerriepoeders. Zoetzure gember hoort bij satés en sushi, en wordt als garnering bij veel Chinese gerechten geserveerd.

Gember was een van de eerste specerijen en in de Romeinse tijd het duurste importproduct uit het Oosten. Het was al bekend in Europa sinds de 9e eeuw en werd zo populair dat het net als peper en zout altijd op tafel stond. Rond de 12e eeuw werd gedroogde gember, door de rijken tenminste, gebruikt in cakes, koekjes (vooral *ginger snaps*) en gemberbrood. In de 19e eeuw zetten barkeepers in Engelse pubs en taveernes vaatjes met gemalen gember neer zodat mensen die in hun bier konden strooien: de oorsprong van de ginger ale. Gember geeft smaakt aan puddingen, jams, ingemaakt fruit en drankjes zoals gemberbier, gemberwijn en thee. Gekonfijte gember wordt ook gegeten als lekkernij en, in stukjes gehakt, gebruikt voor cakes en puddingen en soms als ingrediënt in ijs. Door mijn grootmoeder leerde ik gekonfijte gember kennen, een traktatie bij feestelijke gebeurtenissen.

Al deze ingrediënten verrijken ons leven. Een van de zegeningen van het leven in moderne tijden is dat we profijt hebben van de samenwerking tussen Moeder Natuur, menselijke inventiviteit en beschaving. Moet je nagaan. Suiker, gember en kaneel uit het Oosten. Chocolade en vanille uit Mexico. Dadels en meel uit het Midden-Oosten. Noten uit alle delen van de wereld. Een enorme collectie voedingsmiddelen van onze aarde en hun kleurrijke spannende geschiedenis die onze eetlust en fantasieën prikkelt.

Ook de mens is een allegaartje van ingrediënten: een combinatie van suiker en zout, van scherpte en zoetheid, smaken die elkaar versterken. De voeding met noten en tarwe, de scherpte van gember en de overdaad van vanille en de bedwelming van chocolade hebben een heilzame werking op onze liefde en steun. Allemaal gewassen die, net als mensen, zeldzaam zijn en soms moeilijk te bevruchten!

Volgend jaar komen we weer bij elkaar, beladen met nieuwe koekjes, vol opgewonden blijdschap en puttend uit weer meer wijsheid. Wie weet precies waar we dan zullen staan? We zullen onze kring openen voor een nieuwe koekjesmaagd. Ik vermoed dat Sissy en ik nauwe bondgenoten zullen worden. Maar zal Rosie haar baby krijgen en Taylor een nieuwe baan? Zal Jeannie over haar dilemma van ingewikkelde driehoeksverhoudingen heen gestapt zijn om zich op haar eigen leven en carrière te richten? Zal Allie een definitieve beslissing hebben genomen over haar relatie met T.J., de ene of de andere kant op? En ik?

En ik?

Misschien, heel misschien, zullen Jim en ik samen zijn en van elkaar houden. Misschien, heel misschien, zal ik dat erkennen en geloven.

Ik zal twee kleinkinderen hebben. Twee baby's. Ik zal de wereld opnieuw zien met de frisse blik van een kind. En ik weet dat, wat er ook gebeurt, welke wonderen of hindernissen het leven ook in petto heeft, mijn gezin, mijn vrienden en ik gezamenlijk verder zullen trekken.

Dankwoord

Er bestaat echt een koekjesclub. In 2000 was ik de koekjesmaagd en sindsdien ben ik lid. Hoewel hij ook bestaat uit twaalf vrouwen die elkaar elk jaar ontmoeten, zijn dat niet de vrouwen die in dit boek beschreven worden. Voor zover ik weet heeft geen van ons tien jaar lang een geheime buitenechtelijke relatie gehad, heeft geen van ons een vriendin die vrijt met dier vader, of een huis waarop beslag gelegd is. We hebben kinderen gekregen en geadopteerd, we zijn verhuisd, we hebben geliefden gehad die veel jonger waren, we zijn bedonderd, getrouwd, gescheiden, we hebben geworsteld met financiële problemen, zijn alleenstaande moeder geweest, zijn hersteld van de dood van onze ouders en van onze kanker. Ja, zeven van ons twaalven hebben kanker overleefd! Waanzinnig! Angstwekkend!

Er is een Opper Cookie Bitch, Marybeth Bayer, die met de koekjesclub begonnen is. Haar ongelooflijke sociale gevoel en organisatietalent, evenals haar fantastische gastvrijheid en kookkunst, zijn de ziel van de club en vormen niet alleen de inspiratie voor dit boek, maar ook voor andere aspecten in mijn leven. De regels van de club in dit boek zijn de regels die zij heeft opgesteld, en elk jaar zorgt ze ervoor dat we weer met spanning uitkijken naar het feest, dat niet alleen een van de hoogtepunten van de feestdagen, maar van het hele jaar is. Als het nog hoogzomer is, beginnen we al grappen te maken en na te denken over onze recepten en verpakkingen. Echt waar! Ik heb haar schitterende witte haar en blauwe ogen aan Marnie geleend, evenals haar huis dat ik, net als voor ons echte feest, voor dit gefantaseerde koekjesfeest voor ogen zag. 'Charlene' is gebaseerd op een bestaande vrouw, Daphne Mead-Derbyshire, wier liefdevolle en vreedzame karakter, ondanks haar verdriet, voor ons allemaal een voorbeeld is. De echte Charlene gebruikte het geschenk van de dood van haar zoon om oecumenisch pastor te worden. Tracy's e-mail is in werkelijkheid geschreven door Karin Blazier. Daarin komt haar vrolijke, grappige karakter zo goed tot uitdrukking, dat ik het niet kon laten die te gebruiken, evenals haar gewoonte om een lippenstiftkus te gebruiken als handtekening. Ieder van ons is bijzonder, en gelukkig zijn we niet allemaal zo zwaar op de proef gesteld bij het leren kennen van onze eigen krachten.

Sommige gebeurtenissen hebben echt plaatsgevonden. Een van ons deed bijvoorbeeld werkelijk de komische act over de noten. We geven ook echt een dertiende van ons werk aan een goed doel en dat is al meer dan tien jaar de hospice. We zijn ons ervan bewust dat aan anderen geven een andere manier is om aan jezelf te geven. Vooral in deze tijd kunnen vrijgevigheid en een optimistische geest helpen om er met elkaar doorheen te komen.

De koekjesrecepten zijn in onze club gebruikt. En we hebben er nog minstens honderd meer. En ja, we herhalen onze lievelingsrecepten. De recepten in dit boek zijn afkomstig van grootmoeders, vrienden, klanten, internet, en uit allerlei kookboeken en tijdschriften van zo lang geleden dat we vergeten zijn welke het precies waren.

Het schrijven over de verschillende ingrediënten werd deels geïnspireerd door Zingermans Roadhouse en mijn dochters die daar werkten. Mijn dochter, Melina Hinton, stelde de productie van gewassen en vlees aan de orde, en zorgde ervoor dat mijn kennis over voedselproductiemethodes en de zorg voor dieren groter werd. Op aanraden van Ari Weinzweig schreef mijn andere dochter, Elizabeth Hinton, de geschiedenis van de Afro-Amerikaanse keuken tijdens de wederopbouw door het leven van twee kokkinnen te volgen. Recepten uit hun kookboeken en het verhaal van hun leven werden gepresenteerd tijdens een diner, dat mij herinnerde aan de reden waarom voedsel zo'n belangrijke determinant is van onze cultuur en beschaving. Uiteindelijk gaat het vanuit het gezichtspunt van de gewassen, als ze dat al hebben, allemaal over voortplanting. En vanuit het onze gaat het allemaal over in leven blijven en onze enorme begeerte naar variatie en genot. Die zijn er allebei verantwoordelijk voor dat we een kruidenierswinkel in kunnen lopen om er voedselproducten te kopen die afkomstig zijn uit verre delen van de wereld. Elke voedselsoort die ik bestudeerde, bracht een enorme geschiedenis met zich mee en bood inzicht in de krachten en gebeurtenissen die onze beschaving en cultuur teweegbrachten. Het was tenslotte de verbouw van tarwe die nederzettingen mogelijk maakte, ons verlangen naar kaneel dat leidde tot de ontdekking van de Nieuwe Wereld en onze verslaving aan suiker, alleen maar mogelijk gemaakt door slavernij, die cruciaal was voor de ontwikkeling van de VS als het grote kleurrijke land dat het nu is.

Ik wil een aantal boeken noemen waaruit ik dankbaar geput heb: *The Emergence of Agriculture* van Bruce D. Smith, *Against the Grain* van Richard Manning, *Guns, Germs and Steel* van Jared Diamond. *The Oxford Companion to Food* van Alan Davidson, en *The Cambridge World History of Food* van Kenneth F. Kiple en Kriemhild Conée Ornelas. *Women: an Intimate Geography* van Natalie Angier, en *Mother Nature: A History of Mothers, Infants, and Natural Selection* van Sarah Blaffer Hrdy hebben me geholpen bij het scherpen van mijn inzicht over het belang van grootmoeders voor de menselijke evolutie.

En dit boek zou bepaald niet zo geschreven zijn zonder de hulp van Ruth Behar, Elizabeth Hinton en Tim Kornegay. Tim schreef de raptekst die Special Intent zong, dus speciale dank aan jou, Tim, ook vanwege je suggesties voor het hele manuscript. Goed opgelet! Speciale dank ook aan Ruth die elk hoofdstuk, zodra het af was, heeft gelezen en soms binnen een paar uur tijd. En Elizabeth, jouw ideeën zitten er vanaf het allereerste begin in, nogmaals bedankt voor het lezen tijdens je wintervakantie. Kieron Hales, souschef extraordinaire, heeft geholpen om het recept van de gelukskoekjes te verbeteren, terwijl Bev Pearlman en Gail Farley goede suggesties hebben gedaan die ik in het boek verwerkt heb, en dank aan Mike De Simone en Jeff Jenssen die elk recept uitgetest hebben. Heel veel dank. Al hun steun, kritiek, liefde en vriendschap waren van onschatbare waarde.

Ik kan Friday Jones niet genoeg bedanken voor het feit dat ze me aan Peter Miller en zijn medewerkers Amina Henry en Adrienne Rosado heeft voorgesteld, die me gestimuleerd hebben om het boek te voltooien en er vervolgens een fantastisch onderdak voor vonden. Het team bij Atria Books – Emily Bestler, die de stijl aangescherpt heeft, en Judith Curr, Louise Burke, Carolyn Reidy en Laura Stern – heeft zich ingespannen om een debuut te creëren waarvan de lancering zo probleemloos en gladjes verliep als maar mogelijk is.

En natuurlijk dank aan de Cookie Bitches die me hebben gesteund en aangemoedigd, en het fantastisch voor me vonden toen ik aan het schrijven was.

Hiep hiep hoera voor ons!!!